GUILLAUME

LE ROMAN DE LA ROSE

Établissement du texte
par Daniel POIRION

Présentation, traduction inédite,
notes, bibliographie, chronologie et index
par Jean DUFOURNET

GF Flammarion

Le Moyen Âge
dans la même collection

ANSELME DE CANTORBERY, *Proslogion*.

Aucassin et Nicolette (bilingue).

AVERROÈS, *Discours décisif* (bilingue). — *L'Intelligence et la pensée.*
— *L'Islam et la Raison.*

BOÈCE, *Traités théologiques*.

La Chanson de Roland (bilingue).

CHRÉTIEN DE TROYES, *Érec et Énide* (bilingue). — *Lancelot ou le Chevalier de la charrette* (bilingue). — *Perceval ou le Conte du graal*
(bilingue). — *Yvain ou le Chevalier au lion* (bilingue).

COMMYNES, *Mémoires sur Charles VIII et l'Italie* (bilingue).

COUDRETTE, *Le Roman de Mélusine*.

Courtois d'Arras, L'Enfant prodigue (bilingue).

DANTE, *La Divine Comédie* (bilingue) : *L'Enfer.* — *Le Purgatoire.* —
Le Paradis.

MAÎTRE ECKHART, *Traités et sermons*.

Fables françaises du Moyen Âge (bilingue).

Fabliaux du Moyen Âge (bilingue).

La Farce de Maître Pierre Pathelin (bilingue).

Farces du Moyen Âge (bilingue).

HÉLOÏSE ET ABÉLARD, *Lettres et Vies*.

IDRÎSÎ, *La Première Géographie de l'Occident*.

LA HALLE, *Le Jeu de la Feuillée* (bilingue). — *Le Jeu de Robin et de
Marion* (bilingue).

Lais féeriques des XIIe et XIIIe siècles (bilingue).

LA LITTÉRATURE FRANÇAISE DU MOYEN ÂGE (bilingue) (deux volumes)

LORRIS, *Le Roman de la rose* (bilingue).

MARIE DE FRANCE, *Lais* (bilingue).

Le Mythe de Tristan et Iseut (édition avec dossier).

Nouvelles occitanes du Moyen Âge.

L'Orient au temps des croisades.

RAZI, *La Médecine spirituelle*.

ROBERT DE BORON, *Merlin*.

Robert le Diable.

Le Roman de Renart (bilingue) (deux volumes).

RUTEBEUF, *Le Miracle de Théophile* (bilingue).

THOMAS D'AQUIN, *Contre Averroès* (bilingue). — *Somme contre les
gentils* (quatre volumes).

VILLEHARDOUIN, *La Conquête de Constantinople*.

VILLON, *Poésies* (bilingue).

VORAGINE, *La Légende dorée* (deux volumes).

© Flammarion, 1999, pour cette édition.
ISBN : 978-2-0807-1003-1

PRÉSENTATION

> « On fait tout dire à la rose, du plus charnel au plus spirituel ; son malheur est d'avoir été un symbole, poétique, mystique, politique ; on l'a réduite à un motif de timbres-poste, d'assiettes, d'affiches ; l'efficacité d'un signe résultant de sa lecture rapide, la rose est devenue une silhouette codifiée. Alors que la rose cache des millions de vraies roses qu'il faut regarder dans leur nudité, leur absence de signe... »

> Michel Besnier, *La Roseraie*, Paris, 1997.

Une première question se pose au lecteur du *Roman de la Rose* de Guillaume de Lorris : que représente ce nom qui nous a été proposé par celui qui se veut son continuateur, Jean de Meun [1] ? Nous avons peu de renseignements sur cet auteur, si tant est qu'il ait existé. Selon Rita Lejeune [2], il faut identifier Lorris avec Lorris en Gâtinais, résidence royale, surtout dans la première moitié du XIIIe siècle, et Guillaume avec Guillaume II, seigneur de Lorris, employé en 1239 au château de Melun à fabriquer des arbalètes et des engins de guerre, et rendant, en 1242, des sentences

---

1. Voir les vers de Jean de Meun. C'est Amour qui parle : *Ves ci Guillaume de Lorris | Cui Jalousie, sa contraire, | Fait tant d'angoisse et de mal traire* (souffrir) *| Qu'il est en peril de morir, | Se ne pensons du secorir* (10526-10530) ; *Ci se reposera Guillaume, | Le qui tombel soit plain de baume, | D'encens, de mirre et d'aloé, | Tant m'a servi, tant m'a loé* (10561-10564).

2. « Propos sur l'identification de Guillaume de Lorris, auteur du *Roman de la Rose* » *Marche romane*, t. 26, 1976, p. 5-17.

arbitrales [1] avec Philippe de Remy, bailli du Gâtinais et auteur de deux romans, *La Manekine* et *Jehan et Blonde* [2]. Guillaume II de Lorris, appartenant sans doute à une famille seigneuriale qui a joui de la faveur de la maison royale de France, aurait écrit *Le Roman de la Rose* entre 1225 et 1230.

Mais, selon Roger Dragonetti [3], il convient d'être attentif au nom de Guillaume : il relève d'une tradition littéraire qui l'a sans cesse rapproché de *guiler* « tromper » et de *guile* « ruse » ; et *Lorris* pourrait masquer la forme *loire* au sens de « leurre ». Le dédoublement entre Guillaume de Lorris et Jean de Meun ne serait pas réel, mais ce serait une mise en scène qui permet de traduire en antithèse le sujet de l'ensemble du roman [4]. « Ce qui dit *je* n'est pas un sujet empirique, mais une identité fictive — celle, à la lettre, de per-sonne — soit une instance inconnue, dont la voix n'est rien d'autre que celle-là même de la langue narratrice qui revêt tour à tour, en raison de sa structure contra-puntique, les noms de *Guillaume* et de *Jean*, tous deux de la région de Meung-sur-Loire (et n'oublions pas que l'homonyme *loirre*, en ancien français, signifie " leurre ") [5]. » Et Roger Dragonetti de conclure

---

1. Abbé Bernois, *Lorris en Gâtinais, châtellenie royale et ville muni-cipale*, Orléans, 1914.

2. Philippe de Remy a subi l'influence du *Roman de la Rose* ; voir notre art. « Philippe de Remy et la réécriture. II. *Jehan et Blonde* et *Le Roman de la Rose* », *Ensi firent li ancessor. Mélanges de philologie médiévale offerts à Marc-René Jung*, Alessandria, Ed. dell'Orso, 1996, p. 505-516.

3. *Le Gai Savoir dans la rhétorique courtoise*, Paris, Le Seuil, p. 34-35.

4. *Id.*, *ibid.* ; voir aussi du même, « Pygmalion ou les pièges de la fiction », *Mélanges Bezzola*, Berne, 1978, p. 89-111, et « Le Singe de Nature dans *Le Roman de la Rose* », *Mélanges Rychner*, Strasbourg, 1978, p. 149-160.

5. Roger Dragonetti, *Le Mirage des sources*, Paris, Le Seuil, 1987, p. 218. Voir aussi, p. 220 : « Ce n'est pas en termes historico-bio-graphiques qu'il s'agit de comprendre la nécessité des deux modes d'écriture du *Roman*, mais en termes de structure qui a sa logique propre et dont le double jeu ne cesse de produire ses marques dans l'œuvre. »

qu'« un seul auteur serait en mesure de jouer sur plusieurs registres d'invention selon la matière à traiter [1] ».

I

D'autre part, le roman de Guillaume s'achève brutalement sur les plaintes de l'amant qui se lamente devant la tour où Jalousie a enfermé le personnage de Bel Accueil. Cette fin brusquée est-elle purement accidentelle, due à la mort de l'auteur, ou à la pression d'autres activités, ou à la lassitude, comme on l'a souvent pensé ? Il semble, en effet, que manquent et la cueillette de la rose dont l'amant a entrepris la conquête, et le réveil du poète qui clôt à l'ordinaire les rêves allégoriques. C'est ainsi que l'a compris Jean de Meun qui a ajouté au roman de Guillaume une suite de plus de dix-sept mille vers, tout comme un auteur anonyme qui l'a complété d'un épilogue de quatre-vingt-six vers [2] : après la délivrance de Bel Accueil, Beauté donne le bouton de rose à l'amant, et ils connaissent une nuit merveilleuse et un bonheur ineffable. L'amant, affirme Beauté, sera toujours le maître du bouton. Et le héros-narrateur de terminer par ces vers : *Atant m'en part e pren congié : / C'est li songes que j'ai songié*.

Dans la mesure où le style et le fond de cette conclusion semblent dépourvus de toute authenticité, il est légitime de se demander avec Paul Zumthor [3] et d'autres si cette fin brusquée n'est pas volontaire, si nous n'avons pas affaire à une quête inachevée qui doit sans cesse se poursuivre et fait de l'homme un éternel voyageur. Guillaume n'aurait-il pas donné une forme *achevée* à un roman volontairement *inachevé*, à

1. *Id., ibid.*, p. 219.
2. Voir le manuscrit BN fr. 12786, éd. par Armand Strubel dans son édition.
3. Dans A. Adam, G. Lerminier et E. Morot-Sir, *Littérature française*, Paris, 1967, t. I, p. 31-32. Voir aussi les travaux de Jacques Ribard.

en juger par la composition de l'œuvre dont Rita
Lejeune [1] a montré qu'elle était fondée sur le 3 et le
9 qui sont des nombres sacrés ?

En effet, après un prologue-dédicace (vers 1-44),
après trois épisodes qui racontent la découverte du
verger clos de murs (vers 45-516), du Paradis terrestre
(vers 517-1424) et de la Fontaine de Narcisse (vers
1425-1614), on parvient au point culminant de
l'œuvre, la découverte de la rose (vers 1615-2056), qui
clôture la première partie, celle du songe, et annonce
la seconde, celle des aventures et des mésaventures
auprès de la rose. Suivent trois autres épisodes : l'art
d'amour (vers 2057-2764) ; le baiser de la rose (vers
2765-3498) et la vengeance de Jalousie (vers 3459-
4002). Le roman se termine par un épilogue (vers
4003-4058), une partie statique, les plaintes de
l'amant qui, en une « espèce de tornade », rejoignent
la thématique ordinaire du grand chant courtois, sans
que le désir de l'amant soit réalisé, ce qui est conforme
à certaines conceptions de la *fin'amor*. Le poète est
ainsi passé du récit de ses souffrances rêvées à l'affirmation de sa douleur présente.

La valeur symbolique du neuf (le roman est constitué de neuf parties) peut apporter un surcroît de signification, car le neuf, le dernier des chiffres simples,
annonce à la fois une fin et un commencement, c'est-
à-dire une transposition sur un nouveau plan ; il
comporte l'idée d'une nouvelle naissance en même
temps que celle de mort ; il marque la fin d'un cycle [2].

Enfin, si l'on tient compte des avis autorisés d'Ernest Langlois et de Félix Lecoy, le roman de Guillaume a eu une vie propre et connu un succès certain
avant d'être englobé dans l'œuvre de Jean de Meun
qui lui a donné un nouveau sens [3].

---

1. « À propos de la structure du *Roman de la Rose* de Guillaume
de Lorris », *Études de langue et de littérature du Moyen Âge offertes à
Félix Lecoy*, Paris, Champion, 1973, p. 315-348.
2. Pour le 3, voir en particulier Jacques Ribard, *Le Moyen Âge.
Littérature et symbolisme*, Paris, Champion, 1984 (*Essais*, 9).
3. Voir notre article « Le Dessein et la philosophie du *Roman de*

II

L'on peut d'autant plus accepter l'hypothèse d'un roman volontairement inachevé que Chrétien de Troyes, dans deux de ses œuvres, *Le Chevalier de la charrette* et *Le Conte du graal*, en avait donné l'exemple. L'on ne saurait trop souligner l'importance du maître champenois dans l'histoire du roman français qu'il a véritablement créé sous toutes ses formes : roman d'amour et d'aventure ; roman d'éducation ; romans doubles, à savoir romans successifs dans une même œuvre (Alexandre et Cligès dans *Cligès* et, en simplifiant, Perceval et Gauvain dans *Le Conte du graal*), et romans entrelacés dans le temps même de leur écriture (*Le Chevalier de la charrette* et *Le Chevalier au lion)* et à expliquer l'un par l'autre ; romans apparemment inachevés qui appellent des continuations (*Le Chevalier de la charrette* et *Le Conte du graal* [1]). Il n'a négligé aucune des sources d'inspiration accessibles en son temps, si l'on en juge par le prologue de *Cligès* et l'ensemble de son œuvre : matières celtique, tristanienne, ovidienne, byzantine, hagiographique... Il a suscité, stimulé, nourri la tradition romanesque en vers et en prose, tout au long du Moyen Âge. Guillaume de Lorris, comme la plupart de ses contemporains, a été imprégné de son œuvre, témoin les nombreux échos que nous avons signalés dans nos notes, et quelque-

---

la Rose », *Acta litteraria Academiae Scientiarum hungaricae*, t. 23, 1981, p. 177-214.

1. Pour les dates des romans de Chrétien, on peut s'accorder sur celles-ci : *Érec et Énide*, vers 1170 ; *Cligès*, vers 1176 ; *Le Chevalier au lion* et *Le Chevalier de la charrette*, entre 1176 et 1181 ; *Le Conte du graal*, en 1182-1183. Voir A. Fourrier, « Encore la chronologie des œuvres de Chrétien de Troyes », *Bulletin bibliographique de la Société internationale arthurienne*, t. 2, 1950, p. 69-88, et Philippe Ménard, « Note sur la date du *Chevalier de la charrette* », *Romania*, t. 92, 1971, p. 118-126.

fois inattendus ; ainsi en est-il de cette lumière de la demoiselle du Graal [1] et de Richesse [2].

Or comment se termine *Le Chevalier de la charrette*, dans l'état où l'a laissé Chrétien de Troyes, sans la fin postiche et conventionnelle que lui a adjointe Godefroy de Lagny, son continuateur, à partir du vers 6148 [3] ? Lancelot, prisonnier de son ennemi Méléagant, est enfermé sur une île déserte, dans une tour *fors et espesse et longue et lee* (vers 6129), complètement mutée [4], sans autre ouverture qu'une petite fenêtre par où passer quelques vivres. Cette tour, qui préfigure celle où sera retenu Bel Accueil à la fin du *Roman de la Rose*, peut indiquer que le héros, comme dans les lais celtiques, reste captif de l'Autre Monde, qu'on identifie à l'inconscient. Mais Chrétien ne voulait-il pas suggérer que le dépassement de la chevalerie courtoise par la *fin'amor* — qui est une surestimation de l'amour humain, un Absolu d'amour, et qui puise dans l'amour seul les règles de la conduite chevaleresque, la force et l'invincibilité [5] — aboutit à une impasse et que la solution est à chercher, à ce moment de son itinéraire, dans *Le Chevalier au lion* [6] qui propose comme idéal une chevalerie « humanitaire », peut-être moins brillante, moins tournée vers la prouesse, plus ouverte à la détresse d'autrui, au rétablissement du droit. La présence du lion aux côtés d'Yvain indique que le héros a changé de statut,

---

1. Voir notre éd., Paris, GF-Flammarion, 1997, vers 3220-3226 : *Un graal antre ses deus mains | Une dameisele tenoit, | Qui avuec les vaslez venoit, | Bele et jante et bien acesmee. | Quant ele fu leanz antree | Atot le graal qu'ele tint, | Une si granz clartez i vint...*

2. Vers 1105-1108 : *Tel clarté des pierres issoit | Qu'a Richece en resplendissoit | Durement le vis et la face, | Et entour li toute la place.*

3. Dans l'éd. de Jean-Claude Aubailly, Paris, GF-Flammarion, 1991. Voir David Hult, « La Double Autorité du *Chevalier de la charrette* », *Théories et pratiques de l'écriture au Moyen Âge*, *Littérales* 4, Publidix Nanterre, 1988, p. 41-56.

4. Vers 6112-6147.

5. Sur la *fin'amor*, voir la préface de notre *Anthologie de la poésie lyrique française des XIIᵉ et XIIIᵉ siècles*, Paris, Gallimard, 1989, p. 21-31 *(Poésie)*.

6. K.D. Uitti, « *Le Chevalier au lion* (Yvain) », *The Romances of Chrétien de Troyes*, Lexington, French Forum, 1985, p. 182-190.

que de chevalier il est devenu souverain, que du noma-
disme aventureux il est passé à la permanence : le lion
est le symbole de la souveraineté [1]. Ainsi, si la dernière
image de Lancelot est celle d'un reclus, Yvain a-t-il
réussi, par son identification avec le lion, à dépasser la
contradiction créée par l'irruption de la dame dans le
contrat qu'il avait passé avec son seul honneur, à mettre
un terme à cette errance sans fin de l'amour à la chevalerie et de la chevalerie à l'amour.

Le dernier roman de Chrétien peut lui aussi sembler
inachevé, et doublement inachevé, puisque *Le Conte du
graal* nous présente, d'un côté, Perceval à l'ermitage, le
jour de Pâques, purifié, après qu'il a rencontré les péni-
tents du Vendredi Saint et qu'il s'est confessé à l'er-
mite [2] et, de l'autre, Gauvain armant cinq cents jeunes
chevaliers dans le palais des vieilles reines, enfermé,
semble-t-il, dans la chevalerie traditionnelle qu'il ne
dépasse pas. Perceval poursuit-il son cheminement
vers une intériorisation et un dépouillement de plus en
plus grands, héros christique engagé dans une quête
toujours poursuivie et jamais achevée, jusqu'à ce qu'il
voie Dieu face à face, sans qu'on sache s'il retrouvera
Blanchefleur et percera les secrets du graal et de
la lance ? La chevalerie n'est plus terrestre, elle tend
à se faire *célestielle*, axée sur les valeurs spirituelles.
L'éducation est devenue une initiation qui « n'est pas
de l'ordre du rationnel et ne passe pas par la pédagogie
de la parole. Du Vendredi Saint au Dimanche de
Pâques, Perceval s'unit intimement au Christ souf-
frant, au Christ crucifié — voilà sa véritable pénitence
— au Christ ressuscité. Il revit effectivement en temps
réel le martyre et la résurrection du Seigneur » [3].

1. J. Dufournet, « Le Lion d'Yvain », *Le Chevalier au lion de Chrétien de Troyes. Approches d'un chef-d'œuvre*, Paris, Champion, 1988,
p. 77-104 *(Unichamp)*.
2. Éd. cit., vers 6509-6518 : *Einsi Percevaus reconut | Que Deus
au vendredi reçut| Mort et si fu crocefiez ; | A la pasque comeniiez | Fu
Percevaus mout dignement. | De Perceval plus longuement | Ne parole
li contes ci, | Einz avroiz mes assez oï | De mon seigneur Gauvain parler
| Que rien m'oiiez de lui conter.*
3. Paul Bretel, *Les Ermites et les moines dans la littérature française*

Dès lors, ne peut-on soutenir que, sur le modèle du *Conte du graal*, Guillaume de Lorris ait voulu nous laisser une œuvre inachevée, ouverte, à interpréter dans son inachèvement même ? Ne s'agirait-il pas, là aussi, d'une quête qui se prolongera indéfiniment, au-delà du roman, peut-être jusqu'à la mort du héros-narrateur, et qui s'oppose à la fin du *Chevalier de la charrette* dont le protagoniste demeure prisonnier, alors que l'Amant du *Roman de la Rose* reste au-dehors ?

III

Dans le même temps, Guillaume de Lorris s'inscrivait dans la tradition allégorique, en plein essor au début du XIIIᵉ siècle [1].

Au Moyen Âge, le système allégorique [2] a eu tendance à remplacer la mythologie comme figuration littéraire et artistique de la nature et de la moralité. Ce n'est pas seulement un procédé d'écriture : il correspond à toute une représentation du réel ; par conséquent, il est fondamentalement idéologique. Le mode allégorique est non seulement un outil intellectuel, mais tout autant un élément constitutif des structures mentales.

L'allégorie, c'est l'association de quelques *métaphores* de base (la guerre, le siège, le voyage, le mariage...) qu'elle prolonge, et de *personnifications* de

du *Moyen Âge (1150-1250)*, Paris, Champion, 1995 (*Nouvelle Bibliothèque du Moyen Âge*, 32).

1. Voir, pour l'essentiel, les contributions de H.R. Jauss citées dans la bibliographie.

2. Sur la littérature allégorique, lire en particulier les travaux de Marc-René Jung, *Études sur le poème allégorique en France au Moyen Âge*, Berne, Franke, 1971, de C.S. Lewis, *The Allegory of Love. A Study in medieval Tradition*, Oxford, University Press, 1936 (rééd. 1958) et d'Armand Strubel, *La Rose, Renart et le Graal, La littérature allégorique en France au XIIIᵉ siècle*, Paris, Champion, 1989 (*Nouvelle Bibliothèque du Moyen Âge*, 11).

notions abstraites qu'elle dramatise. La métaphore est comme le verbe de la phrase allégorique dont la personnification est le sujet.

Sans doute Guillaume a-t-il fait son miel des textes allégoriques qui utilisaient le signifié d'un récit comme signifiant d'une lecture seconde et dont il a repris, en les transfigurant, force éléments.

Dans *Le Songe d'enfer*, qui est, en fait, une subversion ironique et carnavalesque du topos infernal, Raoul de Houdenc, au début du XIIIe siècle, raconte un voyage dans l'au-delà, mais il introduit deux innovations capitales : les stations du voyage sont représentées par des personnifications des vices ; le récit à la première personne apparaît comme la transcription d'un rêve, qui est fiction et vérité, et qui légitime les élaborations fictives des poètes. Raoul est d'ailleurs le seul auteur à s'émanciper complètement de tout projet didactique et édifiant tout en jouant sur le modèle religieux, le seul à trancher en faveur d'une liberté de la littérature fondée sur la subjectivité de l'écrivain, le seul à valoriser et à revendiquer le statut de ménestrel[1]. Dans *Le Roman des Ailes*, il énumère les normes de l'idéal chevaleresque : la première aile est *Largesse* qui comporte sept plumes (être « en largesse hardi », ne pas regarder à son avoir, donner sans attendre de récompense, tenir la promesse qu'on a faite, accorder le don sans retard, ne jamais regretter sa générosité, offrir à manger largement) ; la seconde aile, *Courtoisie*, a sept plumes elle aussi, qui sont : honorer la Sainte Église, éviter Orgueil, ne pas mentir ni se vanter, aimer joie et chansons, se garder d'Envie, éviter la médisance, aimer sincèrement sa dame[2].

1. Sur ce point, on lira les excellentes remarques de la thèse de Fabienne Pomel, *Les Voies de l'au-delà* (Université de la Sorbonne nouvelle, 4 octobre 1997), à paraître aux éd. Champion dans *La Nouvelle Bibliothèque du Moyen Âge*.

2. À ce sujet, et sur l'allégorie en général, on lira avec profit l'article de Jean-Charles Payen, « Genèse et finalités de la pensée allégorique au Moyen Âge », *Revue de métaphysique et de morale*, p. 466-479.

Un peu plus tard, vers 1225, *Le Roman de Miserere*
du Reclus de Molliens décrit le Paradis comme un
beau verger entouré de hautes murailles, dont la vision
amène le pécheur à se repentir ; l'âme est comparée à
une maison que quatre gardiens défendent contre les
tentations des cinq sens ; l'auteur fait intervenir des
personnifications comme Peur, Mesdit, Oiseuse, que
nous retrouvons dans *Le Roman de la Rose* et, pour lui,
l'allégorie de la rose symbolise les vierges martyres.

Enfin, dans *Le Tournoiement de l'Antéchrist* de Huon
de Méry, qui connaît et cite implicitement les œuvres
de Chrétien de Troyes et de Raoul de Houdenc, dans
ce roman quasiment contemporain du *Roman de la
Rose*, puisqu'on le date approximativement des années
1234-1235, on découvre, autour de la fontaine périlleuse de la forêt de Brocéliande, les chevaliers d'Arthur, les Vertus et les archanges, luttant aux côtés de
Prouesse contre Antéchrist qu'entourent des Vices,
des figures mythologiques et des paysans.

Guillaume de Lorris a fait passer l'allégorie du
domaine religieux et moral au domaine profane courtois. Il a laïcisé l'allégorie, substituant à la simple opposition de couples antinomiques de l'ancienne psycho-
machie, héritée du poète latin Prudence, des rapports
fondés sur la psychologie amoureuse. Il a conservé aux
personnifications quelque chose du mystérieux pres-
tige d'une puissance surnaturelle. Il a instauré entre
elles des dialogues et mis dans leur bouche des discours qui énoncent ses idées. Ainsi Amour donne-t-il
à l'amant des conseils, des commandements et des
avertissements.

Le premier, il a transformé en personnes les forces
allégoriques qui, jusqu'alors, restaient invisibles. Reje-
tant l'arrière-plan eschatologique ou mythologique que
ses prédécesseurs avaient conservé, il a allégorisé le
monde courtois dont il a fait en quelque sorte l'inven-
taire dans une somme à la fois romanesque et poétique. Le jardin imaginaire d'Amour se substitue à la
bataille épique des psychomachies, dans une œuvre
qui est une pure *fiction* romanesque et qui donne

« l'image d'une aventure singulière, par le biais d'une action allégorique de caractère général et normatif [1] ».

Le rôle des personnifications est primordial, car elles constituent les signes qui permettent de déchiffrer le code secret de la métaphore. De là l'importance de la description qui renvoie à la définition du personnage, et l'utilisation d'emblèmes poétiques, les uns traditionnels, comme l'arc et les flèches d'Amour, le peigne et le miroir d'Oiseuse, la bourse d'Avarice..., les autres plus libres : le costume d'Amour est fait de toutes les fleurs du monde, et des oiseaux volettent autour de sa tête ; Papelardie a l'aspect d'une dévote. Les personnifications appartiennent au plan littéral et au plan figuré. Êtres humains avec leur physionomie, leur comportement, leurs vêtements, leurs attributs emblématiques, elles relèvent de la *lettre* ; mais, par leur nom et leurs discours, elles font partie de la *senefiance*. L'apparence est le comparant, le nom le comparé. Elles ne signifient pas à elles seules, mais en relation avec d'autres.

L'affabulation allégorique ne se réduit donc plus, nous l'avons dit, à l'apparition successive de couples antithétiques de vertus et de vices, mais la succession des personnifications est subordonnée à l'aventure singulière arrivée au poète-narrateur, qui nous fait passer, insensiblement, du monde courtois au monde allégorique : dans le décor printanier du grand chant et du roman courtois (on est en mai, auprès d'une rivière), les dix premières figures sont des peintures disposées sur les quatre murs d'un jardin, et Oiseuse tient le rôle de la pucelle hospitalière de la tradition arthurienne ; les dix figures du verger dansent la carole comme un groupe de la meilleure noblesse. Dans la partie qui précède la découverte de la fontaine de Narcisse, Guillaume reste proche du schéma hérité de Prudence et continué par Huon de Méry, tandis que, dans la seconde partie, il raconte ses aventures autour de la

---

1. H.R. Jauss, *Genèse de la pensée allégorique française au Moyen Âge*, Heidelberg, 1962, p. 21.

rose : les personnifications expriment l'évolution psychologique des héros et les réactions de leur entourage.
Mais, tout en recherchant d'abord une certaine vrai-
semblance, le poète ne manque pas d'insister sur la
différence, amenée par l'allégorie, entre la forme, d'un
côté, et le sens de l'affabulation et des figures qui s'y
trouvent.

L'œuvre de Guillaume comporte plusieurs groupes
de personnifications dont chacun correspond à une
séquence métaphorique.

Le premier système se compose de deux séries anta-
gonistes, les figures du mur du jardin et de la carole,
dont le sens se dégage par la description de l'aspect
physique, du vêtement et des attributs emblématiques,
et qui représentent deux niveaux de l'allégorie,
d'abord simple description de la « semblance », puis
ébauche de métaphore : danser, inviter, former un
couple... Ces deux séries, qui forment un ensemble
clos et cohérent, constituent une amplification du
schéma qui oppose le *courtois* au *vilain*. Sur le mur
extérieur du jardin sont peints des opposants à
l'amour : Haine, Félonie, Vilenie, Convoitise, Avarice,
Envie, Tristesse, Vieillesse, Papelardie (« Tartuferie »),
Pauvreté. Au contraire, participent à la carole, à l'intérieur du jardin, des adjuvants de l'amour : Déduit
(« Plaisir ») et Liesse, Amour et Doux Regard, Beauté,
Richesse, Largesse, Franchise (« Noblesse »), Courtoisie, Oiseuse (« Disponibilité ») qui a introduit l'amant
dans le jardin, et Jeunesse [1].

À cet ensemble ressortit le groupe des dix flèches
du dieu Amour, dont cinq, positives et belles, seront
décochées contre le héros (Beauté, Simplece, Franchise, Compagnie, Beau Semblant), tandis que les
cinq autres, négatives et laides, n'interviendront pas
(Orgueil, Vilenie, Honte, Désespérance, Nouveau
Penser).

1. Sur toutes ces personnifications, on trouvera dans les notes
des explications complémentaires.

Le second système dans *Le Roman de la Rose* marque un autre stade d'élaboration des personnifications : leurs actions et leurs discours suffisent à leur conférer une épaisseur de signification telle que leur description devient secondaire. C'est le cas des alliés, des ennemis et des conseillers de l'amant parti à la conquête de la Rose : d'un côté, Bel Accueil, Pitié, Franchise (« Noblesse »), Vénus qui favorisent l'amour, auxquels on peut adjoindre Ami ; de l'autre, Danger (« Pudeur »), Malebouche (« Médisance »), Honte, Peur et Jalousie, auxquels s'ajoute Raison, qui tous s'opposent à l'amour. Ce sont deux groupes de forces qui favorisent ou entravent la séduction.

Ces personnifications représentent des réalités différentes : personnages d'origine mythologique (Vénus, Amour), sentiments personnels en rapport avec l'âme de l'aimée (Bel Accueil, Pitié, Franchise, Danger, Honte, Peur), interventions extérieures hostiles à l'amour (Malebouche, Jalousie), circonstances et milieu social qui permettent la rencontre amoureuse (personnages de la carole), vices, défauts et conditions contraires à l'amour (figures du mur). Il est d'ailleurs difficile de bien marquer les limites entre l'extérieur et l'intérieur, le moi et la société, ce qui appartient à l'amant et revient à l'aimée.

Enfin, pour garder le château où Jalousie a enfermé Bel Accueil et sa gardienne, une Vieille, on retrouve aux quatre portes Danger, Honte, Peur et Malebouche.

Si les personnifications permettent une fine et profonde analyse de la naissance de l'amour et des conflits qu'elle suscite, le système, qui tend à la simplification, peut entraîner raideur et sécheresse ; à quoi Guillaume de Lorris a remédié de plusieurs manières, par des effets de réel (présence d'une vieille duègne et des maçons qui construisent le château, voire de mercenaires normands), par le refus d'une stricte opposition entre qualités et défauts, par une relative autonomie des personnages qui n'agissent pas toujours en conformité avec leur nom (Honte tente d'excuser la conduite de Bel Accueil, qui s'oppose à ce que l'amant cueille la rose ; Danger, le repoussant et brutal vilain, se laisse fléchir par Pitié et Franchise) et surtout par la tonalité poétique qui imprègne tout le roman.

L'allégorie, qui crée à l'occasion des liens intertextuels avec des avant-textes, aide surtout à traduire en images le jeu difficile des concepts et des sentiments. *Le Roman de la Rose* tend à rendre vivants et explicites par l'allégorie des préceptes et des analyses dont le sec énoncé et la démonstration logique ou rhétorique pourraient laisser indifférent un auditoire à éduquer. Elle réduit en quelque sorte la complexité du réel à quelques vérités claires qui s'imposent avec d'autant plus de force que la description ou l'énoncé lui confèrent l'évidence du sensible. Par sa fonction d'entrelacs, elle rétablit une sorte de cohésion entre l'univers physique et métaphysique, elle opère un travail de remembrement et de classification, rencontrant ainsi l'esprit scolastique : même goût pour l'exhaustif et le didactique, pour le formalisme et le schématisme, même usage de l'analogie. Par un double processus, elle concrétise l'abstrait et rend abstrait le concret, elle fait prendre du champ au signifié par rapport au signifiant, elle le fait dévier de son sens littéral. Comme l'a écrit Fabienne Pomel, « le récit se veut miroir redresseur et ordonné, traduction archétypale de l'expérience désordonnée et diverse que chacun a du monde, et donc reflet idéal et exemplaire de la conduite à tenir [1] ». De là un effet d'apaisement, analogue à la musique et au rituel.

L'allégorisation substitue donc à la théorie et à l'exposé abstrait une symbolisation vivante ; elle participe de cette concrétisation vers laquelle tendent les auteurs du Moyen Âge qui se complaisent à l'*exemplum*, voire à la parabole. C'est une sorte de révélation qui sert de support à une vérité supérieure dont elle permet la diffusion la plus large possible.

---

1. *Op. cit.*, p. 450.

Elle dessine ainsi un art d'aimer, un idéal ; elle interprète le drame intérieur qui se déroule dans l'âme de celle dont dépend le bonheur du narrateur ; elle rend compte, par des personnifications, d'états d'âme où s'enchevêtrent les forces instinctives et émotionnelles, se heurtant à celles de la conscience.

Mais en même temps elle invite à rechercher un sens caché, à en poursuivre l'exploration, à sans cesse s'interroger, parce qu'elle garde toujours un côté énigmatique. Si elle tente de fixer un sens, de le clarifier, elle le rend opaque et complexe ; elle incite à chercher la signification de signes déconcertants, elle nécessite un travail herméneutique qui en livre une glose. Il s'ensuit, pour reprendre une expression de Paul Ricœur, une « vision stéréoscopique », une vision brouillée : l'allégorie fait voir double et autrement, mettant en œuvre un art de la mémoire et exigeant une lecture transversale puisque le lecteur doit voyager entre le texte et d'autres textes et images pour comprendre la logique sous-jacente de l'allégorie. C'est un véritable « labyrinthe du sens ». L'allégorie, métaphore démultipliée, est une « méprise catégoriale calculée » (P. Ricœur) qui produit une innovation sémantique et ouvre un espace de sens inédit, à mi-chemin entre la pensée rationnelle et la pensée mythique. Elle se situe entre la vérité et le mensonge, comme mode paradoxal dans lequel la fiction est un régime de la vérité, mais d'une vérité seconde d'ordre spirituel et métaphysique.

Bref, Guillaume de Lorris a imaginé le système le plus achevé du montage allégorique, de l'interaction de la métaphore et de la personnification, « le lieu par excellence de la dialectique de l'allégorie et du mythe, de l'émergence de la subjectivité narratrice et actrice dans le songe, du fonctionnement didactique de l'allégorie » (A. Strubel [1]).

---

1. De cet auteur, on retiendra, outre *Le Roman de la Rose*, Paris, PUF, 1984 (*Études littéraires*, 4), son art. « Écriture du songe et mise en œuvre de la « senefiance » dans *Le Roman de la Rose* de Guillaume

IV

Si Guillaume de Lorris a emprunté à Chrétien de Troyes l'inachèvement apparent du roman et recouru à l'allégorie pour l'analyse des sentiments, c'est sans doute pour mieux opposer *la matere bele et neuve* de son œuvre au premier *Roman de la Rose* que son auteur, Jean Renart, a qualifié de *novele chose* [1].

Les travaux les plus récents de Rita Lejeune [2] permettent de situer l'un par rapport à l'autre les deux romans : celui de Jean Renart date sans doute de 1208-1210, celui de Guillaume de Lorris de 1225-1230. Ce dernier s'est livré à un travail de réécriture et de recréation dont il a eu conscience au point de reproduire, comme un défi, les termes que Jean Renart avait utilisés pour présenter son roman : *einsi a il chans et sons mis/ en cestui ROMANS DE LA ROSE ; / Qui est une novele chose* (vers 10-12).

Guillaume a repris un certain nombre d'éléments, quitte à les transformer profondément [3], et d'abord la rose qui apparaît tardivement dans les deux œuvres : la première sur la cuisse de Liénor, l'héroïne de Jean Renart, au vers 3364, la seconde dans le verger de Guillaume, comme symbole de l'aimée. C'est une rose rouge dans les deux cas, mais Renart ne parle que de

---

de Lorris », dans *Études sur le Roman de la Rose de Guillaume de Lorris*, Paris, Champion, 1984, p. 145-179 (*Unichamp*, 4).

   1. Voir l'éd. de Félix Lecoy, *Jean Renart, Le Roman de la Rose ou de Guillaume de Dole*, Paris, Champion, 1962 (*Classiques français du Moyen Âge*, 91).

   2. En particulier « *Le Roman de Guillaume de Dole* et la principauté de Liège », *Cahiers de civilisation médiévale*, t. 18, 1974, p. 1-24, et « L'Esprit clérical et les curiosités intellectuelles de Jean Renart dans *Guillaume de Dole* », *Mélanges Paul Imbs*, Paris, Klincksieck, 1973 (*Travaux de linguistique et de littérature*, t. 11, p. 589-601). Sur l'ensemble de cette œuvre, on lira du même auteur sa dernière mise au point, qui est excellente, *Du nouveau sur Jean Renart*, Liège, 1997.

   3. À consulter Michel Zink, *Roman rose et rose rouge : Le Roman de la Rose ou de Guillaume de Dole de Jean Renart*, Paris, Nizet, 1979.

la couleur, tandis que son rival insiste sur le parfum, qui est en relation avec le spirituel.

Les deux romans ont un rapport étroit avec la poésie lyrique. Jean Renart signale le procédé des insertions lyriques, et beaucoup de scènes sont le développement narratif de chansons présentes dans l'œuvre. Guillaume de Lorris a développé en récit, autour de l'allégorie de la rose et de la naissance de l'amour, le décor (le verger au printemps), les images (le cœur fermé à clé) et les lieux communs (les blessures de l'amour) de la poésie lyrique, mais celle-ci disparaît derrière la narration qui la métamorphose.

Même préambule printanier, comme dans la première strophe des chansons d'amour : des jeunes gens font leur toilette, se lavent les mains et le visage ; les acteurs, accompagnés de ménestrels et de jongleurs, portent des couronnes de *biax oisiax et de floretes* et se livrent à des *caroles*. Mais, dans le roman de Jean Renart, l'empereur et sa cour vont camper dans la forêt, et, une fois les vieux maris envoyés à la chasse, les jeunes gens peuvent courtiser leurs épouses. Quant au héros de Guillaume de Lorris, il rêve qu'il va un matin de printemps se promener seul dans la campagne, et il découvre un verger clos de murs dans lequel il pénètre et assiste aux danses des personnages allégoriques.

Les chasseurs, que Renart exclut des joies de l'amour, ne sont pas sans rapports avec les vices et les défauts représentés sur le mur extérieur du verger : vieillesse, envie, pauvreté des habits, tristesse, avarice, alors que l'empereur Conrad siège au milieu de ses courtisans dont il organise les ébats, tout comme Amour dans le jardin de Guillaume.

Si les deux romans nous présentent une journée unique et précise, *Le Roman de la Rose* va du songe particulier du poète à une valeur plus générale que lui confèrent et l'universalité du sens allégorique et les emprunts de la poésie lyrique organisés en une habile synthèse.

Ajoutons qu'un des trois protagonistes de Jean Renart porte le même prénom que Guillaume de Lorris.

Mais ce dernier, qui a introduit, nous l'avons vu, tout un système allégorique autour de la quête de la rose, s'est ingénié à cultiver les différences. Si Jean et Guillaume utilisent la même rime *songes* et *mensonges*, le second croit à la véracité du songe qui annonce des vérités, et des vérités supérieures. Les personnages de Renart *ne prisent mauvés dangier / la coue d'une vïolete*, « n'accordent pas la moindre importance à la fausse pudeur » (vers 288-289), alors que Danger, qui représente pour Guillaume la réserve pudique de la jeune fille, joue un grand rôle comme opposant à l'amour. Guillaume refuse la menue monnaie de l'amour, l'érotisme diffus dont Renart a imprégné son roman, où dames et chevaliers se rejoignent sous les tentes pour y prendre du bon temps (*mout orent tuit de lor aveaus*, vers 228), où les chevaliers empruntent aux dames « en guise de serviettes leurs blanches chemises et profitent de l'occasion pour poser leur main sur mainte blanche cuisse » (vers 278-281). Si les deux romanciers s'accordent pour refuser l'activité guerrière et religieuse, Guillaume va encore plus loin, puisqu'il écarte aussi les tournois et qu'aucun mariage ne conclut son œuvre.

Enfin, pour l'un et l'autre, la rose est la métaphore de la femme ; elle n'est là que comme secret, comme une énigme dont la solution n'est sans doute pas de ce monde : elle représente tout l'ineffable de la femme, elle est le signifiant de l'impossible. Mais, pour Guillaume de Lorris, ne représente-t-elle pas plus que la femme ?

V

Quel est donc cet art d'aimer que nous propose *Le Roman de la Rose*, et que nous avons déjà évoqué à plusieurs reprises ?

Inutile de redire ce que l'amour courtois en général et Guillaume de Lorris en particulier doivent à la tradition inaugurée par Ovide, aux *disputationes amoris*, aux débats sur l'amour, au traité d'André Le Chapelain, *De Arte honeste amandi* ou *De Amore*, aux romans d'antiquité et courtois, à la poésie des troubadours et des trouvères, au grand chant courtois auquel sont empruntés de nombreux motifs, comme ceux de la prison, de la folie, du martyre de l'amant, de l'entroubli et de la perte de conscience, ou encore la plainte lyrique, le débat de l'amour et de la raison [1]...

Le Roman de la Rose s'inscrit dans une tendance, née au XIIe siècle, à la théorisation de l'amour, sur un ton différent de celui d'Ovide qui était plus enjoué, voire plus cynique, tout en se distinguant de prédécesseurs comme André Le Chapelain ou les auteurs de débats, qui se contentent d'un cadre allégorique sommaire ou simplement décoratif. Il est original par le contenu de la leçon et par l'évocation des effets de l'amour. C'est le premier art d'aimer qui s'appuie sur une fable aussi élaborée, sans excès de systématisation ; c'est une somme exceptionnelle des conventions courtoises.

Le personnage d'Amour, qui semble être un intrus dans le jardin de Déduit, s'insère habilement dans la trame métaphorique. Personnification d'abord descriptive comme danseur en compagnie de Liesse et de Doux Regard, il entre dans l'action en suivant le jeune homme, en le blessant de ses flèches, en le réduisant à sa merci. C'est lorsqu'il est parfaitement intégré sur le plan littéral qu'il se met à parler, à délivrer sa leçon qui se déroule en trois temps : les prescriptions, l'annonce des épreuves qui attendent les amants, la consolation des trois biens d'amour.

L'art d'aimer ne s'épuise pas dans les propos du dieu d'Amour, mais une voix discordante se fait entendre, qui passe ces images de la folie au crible du

---

1. Sur cet héritage, consulter, outre le livre cité d'Armand Strubel, ceux de Jean Batany, *Approches du Roman de la Rose*, Paris, Bordas, 1973, et de Daniel Poirion, *Le Roman de la Rose*, Paris, Hatier, 1973 (*Connaissance des lettres*, 64).

bon sens. C'est *Raison* qui parle le langage de l'expérience contre la jeunesse, de la santé contre la maladie, de la sécurité contre le hasard. C'est la voix de la sagesse, de l'intérêt social.

Guillaume de Lorris se sert non seulement des personnages et de leurs discours, mais aussi de toute la trame allégorique pour donner une vision complète de l'amour qu'on peut qualifier dans un premier temps de *courtois*, et d'abord de sa naissance et de son développement.

L'amour naît dans certaines conditions que l'auteur expose dans les quinze cents premiers vers.

Conditions extérieures : il prend place dans un mouvement universel de renouveau de la nature, en mai, quand les bois, les prés et les oiseaux se réveillent. Il faut aussi quitter la ville et ses activités, fuir le quotidien, se purifier des habitudes antérieures ; de là la reprise du motif de l'eau et de la rivière où se laver les mains et le visage.

Conditions psychologiques et morales, et d'abord négatives, si l'on peut dire : il faut être dépouillé de certains vices et défauts pour atteindre un état propice à l'amour ; c'est ce que représentent les peintures extérieures du verger. De quoi faut-il être dépouillé ? De la dureté du cœur, que symbolisent la haine, la félonie (c'est-à-dire de la cruauté et de la traîtrise) et la vilenie ; de l'attachement excessif aux biens de ce monde, de la convoitise qui vise à acquérir par tous les moyens, de l'avarice qui ne veut rien dépenser, et de l'envie. Il faut aussi n'être ni triste ni mélancolique, ni vieux : jeunesse et fraîcheur d'âme sont nécessaires à la naissance de l'amour. Il ne faut pas non plus être trop occupé par les devoirs et les exercices religieux, par le formalisme de la piété qui n'est souvent que papelardie, « tartuferie » ; ni être accablé par les besoins de la vie, par la nécessité qui entraîne la pauvreté spirituelle.

Au-delà de ce minimum, il convient d'être dans un état de totale disponibilité, sans activités commerciales, chevaleresques, intellectuelles, comme l'est *Oiseuse*, qui introduit le jeune homme dans le verger où se trouve *Déduit*, le divertissement, dont les compagnes symbolisent les vertus essentielles de l'amoureux : la liesse (la gaieté de l'âme), la courtoisie (la délicatesse dans les rapports sociaux et l'élégance morale et intellectuelle), la beauté, la franchise (la noblesse de cœur), la largesse et la jeunesse.

Quand vous possédez ces qualités, l'amour peut vous choisir, au moment où toute la nature s'éveille à la vie.

La naissance et le développement de l'amour se produisent en deux temps. Le héros arrive d'abord au miroir périlleux, à la Fontaine d'Amour (ou de Narcisse) qui s'en prend à tout homme, et dans laquelle il distingue un rosier chargé de roses : il s'agit encore d'un fort besoin d'aimer, d'un amour impersonnel mais violent, que Guillaume qualifie de *novele rage* (vers 1583). Puis, dans le rosier, il découvre un bouton de rose, *si très bel* (vers 1656) qu'il en oublie tous les autres. C'est alors que le dieu d'Amour, qui l'avait suivi, lui décoche ses cinq flèches qui désignent les qualités de l'élue et dont chacune aggrave sa blessure et le rend de plus en plus amoureux.

La première flèche représente la beauté : l'amour pénètre dans le cœur par la vue ; la victime, transie, perdant conscience, très faible, essaie sans succès de retirer la flèche, toujours attirée par le bouton de rose dont la présence soulage sa douleur.

La seconde flèche, c'est la simplicité (opposée à l'orgueil) qui donne encore plus de puissance aux sollicitations du cœur.

Quant à la troisième, qui porte le nom de Courtoisie comme un des personnages de la carole, elle lui ôte la connaissance et le plonge dans l'angoisse : le héros ne peut que céder à la contrainte de l'amour.

Frappé par la quatrième flèche qui a pour nom Compagnie (la dame accepte qu'il soit présent à ses côtés), sa résistance se fait de plus en plus faible, il se pâme jusqu'à trois fois.

Enfin, la dernière flèche, Beau Semblant (la dame lui accorde la faveur de sourires et de regards bienveillants), accompagne la blessure d'un onguent adoucissant.

Dès lors, l'amant ne résiste plus à l'amour, auquel il se livre tout entier, dans une scène où il rend hommage à Amour dont il devient le vassal et qui élimine de son cœur toute vilenie : « En celui qui s'applique à le servir et à l'honorer, il ne peut demeurer ni vilenie ni écart de conduite ni aucune mauvaise habitude » (vers 1950-1954). Il se refuse à toute autre passion, et Amour ferme son cœur à clé.

Cet amour connaît dans la suite du roman un certain nombre de péripéties.

Quand l'amant demande de pouvoir cueillir la rose, Bel Accueil a une réaction d'effroi, et Danger, qui représente la pudeur de la jeune fille, réagit violemment. Sur les conseils d'un ami expérimenté, le jeune homme amadoue Danger ; et dans le cœur de la jeune fille, Franchise et Pitié plaident la cause de l'amant, en sorte que Bel Accueil vient le retrouver et l'introduit dans l'enclos. Son amour est de plus en plus fort.

Il désire recevoir un baiser de la Rose. Décidé à attendre, il est excité par Vénus, c'est-à-dire par le désir physique, qui toujours fait la guerre à Chasteté et *dont la flame / A eschaufee mainte dame* (vers 3425-3426). Dans le même temps, ses qualités, conformes au code courtois, suscitent l'amour de la dame qui lui accorde un baiser.

Malebouche, qui propage médisances et calomnies, provoque une réaction violente de Jalousie, c'est-à-dire de l'entourage de la jeune fille. Honte prend la défense de Bel Accueil tout en se reprochant une trop grande indulgence. Jalousie décide alors d'enfermer le rosier et les roses dans un château qu'elle fait construire, et Danger redouble de vigilance.

Le roman de Guillaume de Lorris se termine sur les plaintes de l'amant qui met en accusation la Fortune et s'interroge sur les sentiments de Bel Accueil.

VI

L'amour est lié à la souffrance, aux plaintes et aux soupirs. Les mots qui le caractérisent appartiennent tous à un registre qui ressortit à la douleur : c'est une maladie contre laquelle médecins et médecines sont vains, une rage ou une folie furieuse (vers 2666), une plaie *parfonde et lee* (vers 1768), un *grand martire*, une bataille, une *ardure* « une brûlure » (vers 2416-2417), un débat et une bataille, un *contens*, qui ne prend jamais fin (vers 2418), un *tel enfer* dans lequel on s'étonne qu'un homme puisse vivre un mois, à moins d'être de fer (vers 2593-2594).

L'amour est un long apprentissage à travers la souffrance, comme le révèle Amour à l'impétrant : « Grand bien ne vient pas en peu de temps : il y faut peiner et patienter. Patiente et endure la souffrance qui en ce moment te blesse cruellement... Ce sera alors pour toi le temps des aventures qui pour les amants sont douloureuses et dures (vers 2030-2032 et 2267-2268).

Cette douleur se manifeste par des frissons et de la fièvre, de la rougeur et de la pâleur, par une prostration totale, par des frayeurs. Amour en énumère toutes les formes : douleur de l'éloignement et des vaines tentatives pour rejoindre l'être aimé ; douleur de la présence, car l'amant véritable n'ose adresser la parole à la dame, incapable, au contraire des faux amants, des *losengiers*, de lui parler ou de lui exprimer le fond de sa pensée ; douleur de la nuit, puisqu'on ne peut dormir et qu'on est victime d'hallucinations, et qu'on a le sentiment d'être frustré ou de viser trop haut ; douleur de l'attente devant la maison de sa dame. L'amoureux souffre dans son corps, maigrit, vieillit, perd ses couleurs (vers 2545-2550).

L'amour exige tant de souffrances qu'on ne saurait les énumérer, pas plus qu'on ne peut *espoisier* (épuiser) *la mer* (vers 2605). L'amant le confirme :

> Cuers ne porroit mie penser
> Ne bouche d'omme recenser

De ma dolor la quarte part,
Par poi que li cuers ne me part,
Quant de la rose me souvient
Que si esloignier me couvient.

(vers 2965-2970)

Mais ces douleurs s'accompagnent de joies, et l'amoureux, dans sa longue quête, est soutenu par l'espérance, en l'honneur de qui Amour entonne un véritable hymne :

« Espérance lui apporte du réconfort, et il croit encore à sa délivrance par un moyen quelconque ; et de la même manière c'est à quoi aspire celui qu'Amour tient en sa prison : il s'imagine guérir, cette espérance le réconforte et lui apporte le courage et le désir d'offrir son corps au martyre. Espérance lui fait souffrir les maux dont personne ne sait le nombre pour la joie qui vaut cent fois autant. Espérance triomphe par la souffrance et fait vivre les amants. Bénie soit Espérance qui favorise ainsi les amants ! Espérance est la courtoisie même, car elle n'abandonnera jamais, ne fût-ce que quelques pas, aucun homme de valeur, et ce, jusqu'au bout, quel que soit le danger ou le malheur. » (vers 2615-2634)

Il est d'autres biens qui aident à supporter cette longue douleur, et dont fait état Amour : *Doux Penser*, qui consiste à se rappeler la beauté, le sourire et l'accueil agréable de la dame aimée ; *Doux Parler*, avec un compagnon sage et discret à qui on puisse découvrir son cœur, surtout s'il est lui-même amoureux et que tous deux échangent des confidences sans arrière-pensée ni crainte ; *Doux Regard* qui, par la vision de la dame, chasse les ténèbres de la mélancolie. Dès lors, quand l'amant peut de nouveau se promener dans l'enclos et s'approcher de l'être aimé, il lui semble être tombé *de grant enfer en paradis* (vers 3354).

Mais les joies de l'amour sont éphémères : « Et pourtant quels tourments j'ai soufferts, et combien de nuits atroces, depuis que j'ai baisé la Rose ! La mer ne sera jamais si calme qu'elle ne soit troublée par un peu de vent. Amour change si souvent qu'une heure il caresse et blesse à une autre heure : Amour ne reste guère dans le même état. » (vers 3492-3498). La douleur revient en force : *or revendront plor et sopir, | longues pensees sanz dormir, | friçons, espointes et complaintes. | De tex dolors avré je maintes, | Car je sui en enfer cheois* (vers 3789-3793).

C'est pourquoi on pourrait être tenté de renoncer à l'amour : c'est le sens de l'intervention de Raison, pour qui ce n'est que folie : les peines sont sans commune mesure avec les joies qui sont rares et de courte durée. Mais l'amant refuse de renoncer à sa douloureuse quête, et l'amour courtois devient une religion, celle de la *fin'amor*.

Li diex d'Amors lui dicte un véritable décalogue au cours d'une cérémonie très grave. L'amant devra éviter la vilenie, se garder de médire, se montrer aimable et poli à l'égard de tout le monde, s'abstenir de toute grossièreté de langage, respecter les femmes et prendre leur défense, ne pas être orgueilleux, soigner sa mise, être toujours gai et joyeux, apprendre à mettre en valeur ses dons naturels (qu'il s'agisse de sauter, de monter à cheval, de danser, de chanter et de jouer d'un instrument) et ne pas être avare. De ces dix commandements, Amour, en vrai maître, donne un résumé : « Je veux maintenant te résumer ce que je t'ai dit, car la parole est plus facile quand elle est brève. Celui qui veut faire d'Amour son maître doit être courtois et sans orgueil ; qu'il soit toujours élégant et gai, et réputé pour sa largesse » (vers 2225-2232).

Pour être un *fin amant*, il faut mettre son cœur en un seul lieu, le donner et non pas seulement le prêter, ne cesser de penser à l'objet de son amour. Telle est la *pénitence* qui lui est imposée, et le mot revient au vers 3295 : *il trait* (subit) *trop male penitance*. Cette religion, fondée sur le secret, tend vers le martyre, tandis que le corps de la dame et sa maison deviennent de véritables reliquaires, un *haut saintuaire*, un *sain-tuaire precieus* [1].

VII

Une lecture attentive du *Roman de la Rose* révèle un certain nombre d'écarts par rapport à la courtoisie traditionnelle. C'est ainsi qu'il n'est pas question de promesse de *guerredon*, de récompense, que l'amant prend Ami comme confident et qu'il contrevient au précepte de la discrétion absolue, que Raison cède la place à Vénus sans pouvoir se faire entendre, enfin que le héros se soumet à Amour, au contraire d'Yvain qui, dans *Le Chevalier au lion*, se soumet à Laudine, à genoux, mains jointes, et fait hommage de sa personne à la dame qui, le relevant de sa condition de vassal, l'assied à ses côtés (vers 1972-2014) [2].

En revanche, nous trouvons dans l'œuvre de Guillaume de Lorris les éléments d'un courant spirituel très fort qui font du protagoniste un émule des mystiques et qui, à travers la présentation des grands thèmes du songe, de la rose, de l'amour et de la quête, transforment tous les symboles en autant de signes de la lutte mentale qui est nécessaire à la progression de son âme vers un équilibre spirituel par des épreuves et des humiliations, par le renoncement aux bas instincts et à soi-même, par le secret de l'amour divin. Il passe par une série d'étapes qu'ont signalées les mystiques du Moyen Âge, de saint Bonaventure et Grégoire le Grand à saint Bernard, et qui, sous la variété inhérente   à   l'origine   de   chaque   expérience,

---

1. Tel est du moins le texte de l'édition Lecoy aux vers 2522 et 2711. Dans notre manuscrit, nous avons des leçons beaucoup moins audacieuses : « Si te dirai que tu dois faire/ *Por l'amor de la debonnaire* (au lieu de : *por amor dou haut saintuaire*) / De quoi tu ne pues avoir aise. » (vers 2535-2537) et « Li œl, quant Damediex lor monstre / *Le cors la belle precious* (au lieu de : *le saintuaire precieus)* / De quoi il sont si convoitous ».

2. Dans l'éd. de Michel Rousse, Paris, GF-Flammarion, 1990.

comportent les mêmes phases de purification et de détachement, d'illumination et de vérité, d'identification. Pour Origène, par exemple, la route spirituelle, dans ses *Homélies*, comportait sept étapes, à commencer par l'aspiration à la lumière, suivie de la purgation des péchés : l'âme chante alors dans la joie et la liberté. Elle connaît ensuite la montée aride et la vision intérieure des mystères, la fin de la purgation, l'entrée dans la Terre promise, l'approche de la lumière et la découverte de l'Époux et enfin, par le repos éternel, l'union complète.

De même, les alchimistes faisaient état de quatre étapes dont chacune était symbolisée par une couleur différente : au départ, le *noir* des péchés et des défauts ; ensuite, le *blanc* de la première transmutation et de la purification ; puis le *rouge* de l'amour et de la seconde transmutation ; enfin, l'*or* incorruptible du salut, de l'immortalité et du triomphe ultime.

C'est pourquoi l'on peut, avec Blanche Kamenetz [1], discerner dans *Le Roman de la Rose* cinq périodes dont la dernière est simplement suggérée.

La première, qui est *l'éveil spirituel*, est une prise de conscience de la réalité divine. L'amant, qui croit vivre un songe, se lève et se met en route par un joyeux matin de printemps et parvient à l'enceinte d'un jardin inconnu.

Dans la deuxième, *la purification*, le moi, se rendant compte de son imperfection, élimine tout ce qui s'oppose à son progrès spirituel et qui est représenté par les figures du mur du jardin ; il peut alors pénétrer dans cet endroit merveilleux qui, sous la forme d'une rose, recèle la beauté et la pureté.

La troisième phase, celle de *l'illumination*, apporte la connaissance de la Rose et de l'amour ; la fontaine

---

1. Pour cette partie, nous renvoyons aux travaux stimulants de ce critique, *L'Ésotérisme de Guillaume de Lorris*, thèse soutenue devant la Sorbonne nouvelle (Paris III) en 1980, et « La Promenade d'Amant comme expérience mystique », *Études sur le Roman de la Rose de Guillaume de Lorris*, Paris, Champion, 1984, p. 83-104 (*Unichamp*, 4).

de Narcisse livre son secret. L'âme, qui a entrevu la réalité (le bouton de rose), n'a plus d'autre désir que de l'atteindre. Le pèlerin ne marche plus à tâtons.

Mais, dans la période d'*identification*, se poursuit la purification du moi. Derniers doutes, dernières tentations : l'âme se croit abandonnée. Soumission totale à l'amour divin. La Beauté, après s'être fait connaître, demeure hors d'atteinte. Aussi l'Amant, qui a touché et embrassé la Rose, résisté au discours de Raison, aux commérages de Malebouche, se désespère-t-il devant la tour où est enfermée la Rose.

C'est sur cette image que se termine le roman.

La dernière étape, par laquelle le pèlerin atteint son but, n'est qu'indiquée. C'est *l'union*, le *mariage spirituel*, quand la réalité divine est en soi, non plus devant soi. Y parviendra-t-il ? La quête se poursuivra sans doute inlassablement.

VIII

L'on peut donc penser que *Le Roman de la Rose* se déploie sur quatre niveaux de signification. Au sens *littéral*, un jeune homme, dans un verger, découvre un bouton de rose et veut le cueillir. Au sens *allégorique* ou *typologique*, c'est une histoire d'amour, le rêve préfigurant ce qui s'est depuis lors avéré. Mais cette aventure contient un art d'aimer (sens *tropologique* ou *moral*), et la rose annonce la Rose mystique promise au sein de la joie d'amour : tel est le sens *mystique* ou *anagogique*.

La rose, sans qu'elle soit jamais décrite comme un être, apparaît comme le pivot central de l'œuvre. « La rose, seule immobile, déconcertant objet de toute l'activité qui se déploie autour d'elle, donne à l'invention métonymique du roman une dimension métaphorique, c'est-à-dire poétique » (D. Poirion).

L'allégorie de la rose, objet de la quête du héros et titre du roman, a un rôle fondamental : elle constitue la ligne structurale de l'œuvre capable d'englober tout ce qui concerne l'art de l'amour et demeure la branche centrale d'où sortent tous les autres rameaux ; d'elle dépend chaque élément. De plus, c'est un univers poétique dont certaines pièces apportent peu au récit ou à l'argumentation, mais, par leur aspect sensuel, émouvant, imaginatif, elles touchent le cœur, l'âme et les sens et contribuent à l'enseignement, d'autant plus que la rose était au cœur même de la civilisation médiévale, dans les jardins et la pharmacopée, dans les fêtes où l'on portait des couronnes ou des chapeaux de roses, dans la littérature, les vitraux et la symbolique, dans les recherches des alchimistes pour qui la rose sauvage à huit pétales, l'églantine, représentait « le don de Dieu », la pierre philosophale [1].

C'est Guillaume de Lorris qui a choisi de reprendre l'image de cette fleur *numineuse* par excellence, poétique en soi et riche d'une longue tradition ; mais la richesse symbolique de la rose, qui représente l'amour divin et terrestre et qui contient l'idée de joie, de délicatesse, de pureté et de beauté, sera plus tard bien adaptée au grand dessein de Jean de Meun. Ce symbole floral porté à sa perfection [2] est celui de la plénitude divine, de l'épanouissement de la jeunesse et en particulier de la jeune fille, de la beauté, du raffinement et de la grâce, de l'achèvement de la recherche spirituelle et de la perfection à atteindre. Ce symbole divin, christique et marial est aussi celui de la structure rhétorique et narrative de l'œuvre.

On le retrouvera, peu après, dans *La Divine Comédie* de Dante où Béatrice est la Rose lumineuse qui s'épanouit, et, beaucoup plus tard, dans *La Roue*, le film

1. Sur la symbolique de la rose, on pourra lire, entre autres, outre la thèse citée de Bl. Kamenetz, Charles Joret, *La Rose dans l'Antiquité et au Moyen Âge*, Paris, Bouillon, 1892 ; Jean Chevalier et Alain Gheerbrant, *Dictionnaire des symboles*, Paris, Laffont, 1988 (*Bouquins*) ; J. E. Cirlot, *A Dictionary of Symbols*, New York, Philosophical Library, 1971, 4 vol. ; P. Coats, *Roses*, New York, Putnam's Sons, 1962 ; R. P. Louvel, *Rose mystique*, Lyon, Éd. de l'Abeille, 1943 ; Barbara Seward, *The Symbolic Rose*, New York, Columbia University, 1953 (thèse de doctorat).

2. L'expression est de Daniel Poirion.

d'Abel Gance, dont le premier titre était *La Rose du rail*. Un gros plan de rose se superpose au visage de l'héroïne Norma, à la fin de la scène où elle danse devant Sisif ; et le jeune Élie, qui aspire à retrouver le secret des luthiers de Crémone, aperçoit, dans une vision qui le transporte au Quattrocento, Norma habillée en dame du Moyen Âge, assise dans un vaste jardin à l'italienne où deux haies encadrent un bassin rectangulaire et où un palais se dessine au fond. Ce jardin onirique est d'ailleurs la métamorphose du jardin qui se trouve devant la maison habitée par Élie, jardin carré, fermé de barrières à claire-voie, soigneusement taillé et nettoyé, dont les allées sont disposées selon un rigoureux plan orthogonal et dont un puits marque le centre.

N'est-ce pas un avatar du verger du *Roman de la Rose*, un refuge et un espace du désir, à l'écart du monde moderne et des machines, entre la ville, ses foules, ses vices, et la nature qui est un asile à l'image du paradis ? La musique du violon y a remplacé les chants des oiseaux, et à la Fontaine de Narcisse répond en écho le puits où Sisif tente de mettre fin à ses jours.

Jean DUFOURNET.

NOTE SUR L'ÉDITION

Nous avons choisi de reproduire l'édition de Daniel Poirion qui a été l'un des meilleurs connaisseurs et des plus subtils exégètes du Roman de la Rose. *Nous nous sommes borné, le plus souvent, à corriger un certain nombre de coquilles et à modifier çà et là la ponctuation. On lira ci-dessous la note qui précédait cette édition publiée originellement dans la collection GF-Flammarion.*

Le Roman de la Rose est une des œuvres les plus recopiées à la fin du Moyen Âge. Les 250 manuscrits que l'on a retrouvés représentent une masse difficile à dominer. Les différentes graphies, les variantes, les lacunes, les additions ne se laissent pas classer selon une généalogie incontestable, malgré les recherches faites jadis en ce sens par E. Langlois. L'édition qu'il a ensuite élaborée pour la Société des anciens textes français est la reconstitution de l'œuvre d'après l'idée qu'il se faisait du langage parlé dans la région d'Orléans, et à partir d'une analyse des rimes. Le texte ainsi établi est inégal. Le choix entre les variantes s'est révélé judicieux ; la correction des graphies reste arbitraire. L'édition donnée par F. Lecoy à la collection des Classiques français du Moyen Âge part d'un autre principe. Considérant comme établie la précellence du manuscrit de Paris BN fr. 1573 (sigle H) l'éditeur suit son texte avec fidélité, tout en le contrôlant à l'aide de quatre autres manuscrits retenus pour leur ancienneté et leur qualité. Le résultat est très séduisant en ce qui concerne l'œuvre de Jean de Meun. La première partie, copiée d'une main différente, pose des problèmes plus délicats à résoudre.

À partir de là, comment utiliser les autres manuscrits ? Dès 1814 Méon essaie d'exploiter la lecture de plus de cinquante manuscrits, tout en adoptant la graphie de l'un d'entre eux « dont l'idiome (lui) a paru le plus pur pour le temps ». Jugement téméraire, mais le principe n'est pas dénué de valeur. Malheureusement pour les corrections apportées à ce manuscrit de référence Méon s'en est remis, semble-t-il, à son instinct littéraire plutôt qu'à un raisonnement méthodique. On pourra en juger en comparant son texte avec le nôtre, que nous établissons d'après ce fameux manuscrit de Paris BN fr. 25523 (Z). Il figure parmi les quatre contrôles de F. Lecoy. On doit rendre hommage, néanmoins, au travail de Méon, remarquable pour l'époque, et qui a été largement utilisé par E. Langlois.

Le principal inconvénient de ce manuscrit 25523, très proche d'un autre que l'on date de la fin du XIIIe siècle (BN fr. 1559) et qui représente une bonne tradition du *Roman de la Rose,* réside dans ses nombreuses lacunes. Il ne s'agit pas d'omissions involontaires car, dans ces passages, le texte est rédigé d'une manière plus concise. Nous avons cependant tenté de combler ces lacunes à l'aide du texte de Méon, corrigé au besoin sur les variantes données par E. Langlois et sur le texte de H (ces additions sont mises entre crochets). Notre numérotation suit celle de Langlois, un certain nombre de passages, considérés par lui comme des interpolations, étant signalés par une numérotation décimale. Nous indiquons en marge le feuillet et la colonne de notre manuscrit de base.

Cette édition n'a d'autre ambition que d'offrir au grand public un texte aussi complet que possible du *Roman,* tout en apportant aux étudiants une autre version, mais aussi intéressante à notre avis, que celle donnée par les deux éditions savantes dont nous venons de parler. On peut ainsi espérer enrichir le dossier à partir duquel pourra s'élaborer l'histoire complète du texte, condition préalable à une explication plus rigoureuse.

La langue du manuscrit, sans mériter pleinement les éloges formulés par Méon, se distingue par un système grammatical relativement stable. Elle ne correspond guère aux formes reconstituées par E. Langlois, évidemment plus anciennes d'allure. Nous n'avons pas cru devoir la corriger, sauf quand il s'agit d'évidentes bévues de copiste. D'autres corrections que nous avons faites quand nous ne comprenions pas le manuscrit sont indiquées en note. On trouvera d'importantes convergences avec les formes du manuscrit H édité par F. Lecoy : en cas d'accord on doit se trouver très près des formes authentiques, au moins pour Jean de Meun. Comme nous avons gardé la numérotation de Langlois, les étudiants pourront se reporter à son important glossaire (t. V de son édition). Pour aider le lecteur dans l'utilisation de ce glossaire ou des dictionnaires essayons d'indiquer brièvement (l'espace nous étant mesuré) quelques particularités de notre texte.

1. Graphies et phonétique.

Il fallait résoudre les abréviations. Mais certaines, comme le *p* barré gardent des valeurs multiples, et il est évident d'après la rime qu'un mot peut se présenter sous diverses formes que masque une abréviation comme 9 pour *con-, cou-, ou co-*. Nous écrivons *mout* (beaucoup), *sont, vous, cum* ou *comme* selon les cas. Nous gardons *-x*, notant *-ls/-us* : *ciex, Diex, fox, tex. Couvient* rime avec *souvient, couvent* (engagement) avec *souvent*. Nous écrivons *aperçoit, perdicion,* mais *pardurable, parfont* (profond).

Comme dans d'autres manuscrits de l'époque (début du XIVᵉ siècle), la graphie tolère un grand nombre d'alternances : *ai/é* (du verbe avoir), *amenai/amené, sait/set, paine/pene ; dormant/dorment* (part. pr.) ; *ainsi/ensi, maintenant/mentenant ; apaier/apoier* (satisfaire) ; *moi/mai ; floiches/fleches ; jones/jeunes ; prover/prouver ; buisson/boisson, buisine/boisine* (trompette), *puissance/poissance.*

La graphie *-ue-* se maintient : *mueve* (meuve), *pueent* (peuvent), *suer* (sœur), *trueve.*

Le groupe *-ieu* se réduit à *-eu* : *mileu, leu* ;

le groupe *-iee* à *-ie* ;

le groupe *-iau* est caractéristique : *iaue* (eau), *biau, ciau* (ciel), *escuriaus* (écureuil), *viaus* (veux).

Le *l* palatalisé disparaît : *acuel* (accueil), *despuelle* (dépouille), *oel, vuelle* (mais *vueille* au v. 8300).

On constate une hésitation entre la consonne sourde et la sonore : *decerte/deserte* (cf. *truige* pour *druige* de H).

La graphie *z* se substitue à *s* après un *n*, mais aussi après un *u*. Le copiste multiplie les formes *nouz* et *vouz* dans la deuxième partie du manuscrit ; nous n'avons pas cru devoir les garder.

Enfin notre copiste maintient le hiatus beaucoup plus facilement que celui de H, notamment après la conjonction *que* : d'où une différence dans l'organisation du vers et, au besoin, un remaniement du texte (quel qu'en soit le responsable).

2. Morphologie.

Le *s* final, désignant le cas sujet singulier, est généralement maintenu ou rétabli ; d'où des formes comme *dieus/duel* (deuil), *griés/grief* (grave). La forme *eal* (aïeul) au cas sujet (v. 11988) à côté de *ael* au cas régime (v. 10873) semble due à la rime. Les formes à alternance radicale, résultant d'un déplacement d'accent, sont encore utilisées : *bolierres/boleor* (trompeur), *leschierres/lescheor* (flatteur), *preschierres/prescheor* (prêcheur).

La flexion des pronominaux reste assez régulière : *mes/mon, tes/ton, ses/son* au masculin singulier, *mi/mes* au pluriel. Il y a confusion entre les formes masculines et féminines du pronom personnel *lui/li*. Le pronom féminin sujet au singulier se présente sous trois formes : *ele/elle/el* ; au pluriel on trouve *eus* pour *elles*. Le démonstratif *cis/cest*, prenant la place de *cil/cel*, est plus fréquent que dans H.

La distinction entre *se* conjonction, *si* adverbe n'est pas toujours respectée. On note aussi *ni* pour *ne*.

Pour les verbes il n'y a pas de *-e* pour désigner la 1re personne de l'indicatif présent : *achemin* (de acheminer), *comans* (commence), *cuit/quit* (de *cuidier*). Absence de *-t* à la 3e personne du passé simple. Présence d'un *-e* à la désinence de la 1re p. du conditionnel : *seroie, auroie.* À l'imparfait de l'indicatif 3e p. *amot* (de *amer*) attestée par la rime. Au subjonctif présent 4e p. : *apaians* de *apaier* (calmer), *doien* de *devoir*.

3. Syntaxe.

Là où le manuscrit H met une proposition consécutive, notre texte se contente souvent de la simple parataxe. Le *que* à valeur causale est d'un emploi fréquent. Il est également omis dès que la mesure du vers le demande. Les différences entre les manuscrits, sous ce rapport, coïncident avec celles que l'on remarque dans la pratique de l'élision, modifiant la mesure du vers. Il est évident qu'une subordination explicite facilite la compréhension du texte : c'est l'avantage du manuscrit H.

La forme *qui* est parfois mise pour *qu'il* ; de même *quanqui* = *quanqu'il* (tout ce qu'il). *Qui* peut parfois être rendu par « si l'on ». Au v. 1982 *car* semble avoir la valeur d'un *que* consécutif.

Le déterminant du nom est parfois au cas régime sans préposition : *les fais Nairon* (= de Néron).

4. Vocabulaire.

Certains changements de mots, par rapport à d'autres manuscrits, peuvent s'expliquer par des fautes de lecture : ainsi *torsu* pour *corsu*. Mais si l'on met *cormoran* pour *chat huant*, c'est que le contexte culturel est différent. Une certaine modernisation du langage peut expliquer *boire* au lieu de *boevre* (ms. H) au vers 5745 ; d'où au vers suivant *poire* au lieu de *poevre* (poivre). Certaines leçons de notre texte semblent meilleures que celles de H (v. 2174, 3921, 6207). Mais la plupart des noms antiques sont défigurés par le copiste qui se révèle très ignorant en ce domaine ; nous avons corrigé les plus graves erreurs.

Voici, en résumé, quelques particularités de ce vocabulaire :

Abouter, pousser à bout.
Aconseü (part. passé), atteint.
Acravent (subj. 3), abatte.
Actor, auteur.
Aé, âge.
Afresist (subj. p. 3), convînt.
Ainçois, avant.
Aint (subj. 3), aime.
Amentut (pass. s. 3), mentionna.
Apresmer (s'), s'approcher.
Aut (subj. 3), aille.

Baer, aspirer à.
Bersé (part. p.), percé de flèches.

Boulent (subj. 6 de bouillir).
Bouler/boler, tromper.

Ceint, ceinture.
Cercher, chercher.
Cervi, tête.
Chable, câble.
Chaté/cheté, capital.
Chausist (subj. p. 3), fût important.
Cheaus, petits (d'un animal).
Chuer, cajoler.
Comperra, achètera.
Cotir, heurter.
Covrer, saisir.
Crainsist (subj. p. 3), craignît.
Cuidier, penser.

Desconneüe, action déplorable.

Despire, mépriser.

Dient, disent.

Dui (pass. s. 1), dus.

Emprendre, entreprendre.

Endable, affaibli.

Ens, à l'intérieur.

Envieuse, qu'on regarde avec envie.

Esbaulevrée, effrontée.

Essabouï, étonné.

Estuet, il faut.

Femier, fumier.

Fesommes, faisons.

Fierce, « reine » du jeu d'échecs.

Foï (pass. s. 1), fuis.

Folece, folie.

Forment, fortement.

Fraerie ? (v. 6566, note).

Gaaingne, gain.

Gaus, bois.

Gobe, fière.

Gondrillement, murmure.

Graindre/grignor, plus grand.

Hara (fut. 3), haïra.

Have (*faire-*), faire mat.

Heste, hâte.

Iere, était.

Iert, sera.

Irese, coléreuse.

Issi, ainsi.

Istrai, sortirai.

Jes, je les.

Joinchierre, lieu couvert de joncs.

Lambic, alambic.

Ledengier, injurier.

L'en, on.

Lettreüre, culture.

Leu, loup.

Leu, lieu.

Lez, legs.

Lobierres/lobeor, trompeur.

Loit (ind. p. de *loisir*), permet.

Loquence, éloquence.

Losenge, flatterie.

Mainz (ind. p. 1), je reste.

Mangue (ind. p. 3), mange.

Meesmes/meïsmes, même.

Mendre, moindre.

Mireor, miroir.

Moquaïs, moquerie.

Mugades, muscades.

Naviron, aviron.

Neïs, même.

Noe, nage.

Noer, nager.

Noier, nier.

Noif, neige.

Nuli (aussi cas sujet), personne.

Nus (cas sujet), personne.

Occierre, tuer.

Oi (pass. s. 1), j'eus.

Oï (pass. s. 1), j'entendis.

Onni, égal.

Ooient (imp. 6), entendaient.

Orgueillir (s'), s'enorgueillir.

Orillie, perce-oreille.

Ort/orde, sale.

Ost, armée.

Ot (pass. s. 3), il eut.

Pascoit (imp. 3) faisait paître.

Paston/pastou ? (H : *pestel,* massue).

Pele, pelle.

Peüst (subj. p. 3), pût.

Pior, pire.
Poi (adv.), peu.
Poi (pass. s.), pus.
Poise (ind. pr. 3), pèse.
Pooient, pouvaient.
Poor, peur.
Poutie, fumier.
Pristrent (pass. s. 6), prirent.
Provoire, prêtre.
Putiau, bourbier.

Quoi, tranquille.

Raient (subj. p. 3 de *raembre*), rachète.
Rain, branche.
Recreü, ayant abandonné.
Recroire, renoncer.
Recroist, croît d'un autre côté.
Remés (part. p.), resté.
Repondre, cacher.
Repote, cachée.
Rere, raser.
Resqueut (ind. pr. 3 de *rescueillir*).
Resté, accusé.
Rueille, rancune.

Saïmes, filets de pêche.
Santive, pleine de santé.
Sarcher, chercher.
Sarpens, serpent.

Se (conj.), si.
Segurté, sécurité.
Se... non, sinon.
Seulent (ind. pr. 6), ont l'habitude.
Sevent, savent.
Soef, doux.
Sot (pass. s. 3), sut.
S'ous, si vous.
Sovlement/sovelement, doucement.

Tindrent (pass. s. 6), tinrent.
Torquole, tourterelle.
Torsu ? (H : *corsu*, corpulent).
Tosist (subj. imp. de *toudre*), enlevât.
Trais/trast (pass. s. 1 et 3 de *traire*, tirer).
Tramaux, filets de pêche.
Treceor, démêloir.
Truige (subj. p. 1 et 3 de trouver).

Uevre (ind. p. 3), ouvre.

Veoit, voyait.
Vois, vais.
Vosist, voulût.
Voz, voulus.
Vuit, vide.

La plupart des mots difficiles sont expliqués par F. Lecoy, dans le glossaire de son édition (tome III) : pour la numérotation de ses références, tenir compte d'un décalage de 30 vers (en moins) dans le texte de Jean de Meun.

Daniel POIRION.

NOTE SUR LA TRADUCTION
ET LE COMMENTAIRE

> « Dicebat Bernardus Carnotensis nos esse quasi
> nanos gigantium humeris insidentes, ut possimus plura
> eis et remotiora videre, non utique proprii visus acu-
> mine aut eminentia corporis, sed quia in altum subve-
> himur et extollimur magnitudine gigantea. »

Jean de Salisbury, *Metalogicon*, chap. 136 [1].

I. Comme à l'accoutumée, nous avons tenté d'offrir du
roman médiéval une traduction que puisse directement saisir
le lecteur qui ne connaît pas l'ancien français. Nous n'avons
utilisé aucun mot qui ne se trouve dans les dictionnaires
d'usage courant. Nos principes demeurent l'exactitude, la
modernité, l'agrément et la brièveté. Une traduction doit se
suffire à elle-même, se comprendre d'emblée, sans allonger
le texte sous le fallacieux prétexte d'en exprimer toutes les
nuances. En cela nous suivons les recommandations de saint
Jérôme dans sa lettre à Pammachius (Lettre LVII, dans
Lettres, t. III, Paris, Les Belles Lettres, 1953, traduction de
Jérôme Labourt) : « La traduction d'une langue dans une
autre, si elle est effectuée mot à mot, cache le sens : c'est
comme des herbes trop drues qui étoufferaient les semis.
Pour s'asservir aux cas et aux figures, le style, qui pouvait

1. « Bernard de Chartres disait que nous sommes comme des
nains juchés sur les épaules de géants, de sorte que nous pouvons
voir plus de choses qu'eux et plus loin, non certes à cause de l'acuité
de notre vue ou de notre plus grande taille, mais parce que nous
sommes soulevés en hauteur et élevés à la taille d'un géant » (traduction de François Lejeune).

manifester telle idée en un bref langage, malgré de longs détours ou périphrases, ne parvient qu'à peine à l'exposer. C'est pourquoi, pour ma part, afin d'éviter ce défaut, j'ai, à ta requête, traduit mon saint Antoine de telle sorte que rien ne manque au sens, s'il manque quelque chose aux mots. À d'autres d'aller à la chasse des syllabes et des lettres ; pour toi, recherche les idées. »

Toutefois, notre traduction se tient au plus près de l'original qu'elle ne modifie que lorsque la stricte intelligibilité l'exige. Elle s'efforce d'en préserver la densité, la vigueur, la complexité et surtout la poésie. Elle respecte, autant que possible, les reprises, le mouvement et l'ordre des propositions et des mots. Nous pensons avec Vladimir Nabokov que le traducteur doit se garder de trois péchés capitaux : commettre des erreurs par ignorance, s'estimer supérieur aux auteurs, enjoliver et modifier les œuvres selon ses propres goûts.

II. Pour réaliser cette traduction et son commentaire, nous avons mis à profit les recherches de nos prédécesseurs que nous citons dans la bibliographie et les notes, et en particulier la magistrale édition du grand médiéviste Félix Lecoy qui a élucidé, après Ernest Langlois, force difficultés du texte et nous a constamment guidé dans notre entreprise. Il ne faut pas pour autant mépriser trop facilement l'agréable et utile adaptation du poète André Mary (1879-1962), fondateur de l'École gallicane [1], qui non seulement connaissait bien la littérature et la langue du Moyen Âge dont il a essayé de faire revivre les formes poétiques, mais qui aussi a réussi le tour de force de réduire les vingt et un mille vers du *Roman de la Rose* à un petit volume de 350 pages [2]. C'est

---

1. On lui doit, d'un côté, des œuvres poétiques : *Symphonies pastorales* (1903), *Les Sentiers de Paradis* (1906), ces deux recueils ont été réunis plus tard dans *Forêteries* (1952) ; *Le Cantique de la Seine* (1911) ; *Le Doctrinal des preux* (1919) ; *Le Livre des idylles et passetemps* (1922) ; *Rondeaux* (1924) ; *Poèmes 1903-1928* (1928) ; *Le Livre nocturne* (1935) ; *Rimes et bacchanales* (1942) ; *Arcadie* (1954) ; de l'autre, des adaptations de *L'Escoufle* de Jean Renart (1925), de *La Châtelaine de Vergy* (1920), de *Guingamor* (1942), de *Tristan* (1937), du *Chevalier au lion* et d'*Érec et Énide* (1923), de *Cligès* (1928) de Chrétien de Troyes, de *La Vie de saint Louis* de Joinville (1928), du *Journal d'un Bourgeois de Paris* (1929) ; enfin, une *Anthologie poétique française du Moyen Âge* (dernière éd., 1967 dans la collection GF-Flammarion).

2. La première édition du *Roman de la Rose* d'André Mary date

d'ailleurs cette adaptation qui a maintenu la présence du roman médiéval dans le public français pendant des décennies, et qui contient des trouvailles dont nous avons pu faire notre miel. Il faut aussi saluer les importants travaux d'Armand Strubel.

III. Comme nous souhaiterions faire de ce *Roman de la Rose* — qui est un des textes les plus représentatifs de la littérature médiévale et qui requiert d'être glosé pour être pleinement apprécié — un petit livre d'initiation à la civilisation, à la littérature et à la langue du Moyen Âge, nous avons prévu des notes plus nombreuses que dans nos autres éditions. En fin de volume, elles sont indiquées par les numéros des vers auxquels elles s'appliquent. Un index en facilite l'utilisation.

De ces notes, les unes ressortissent à la philologie et à la sémantique : elles expliquent certaines formes, précisent le sens de mots fréquemment employés ou attirent l'attention sur des termes rares ou qui ont disparu ou que le français contemporain a conservés avec une acception différente de celle de notre texte.

Les autres relèvent de l'histoire et commentent certains faits de civilisation, en particulier tout ce qui a trait au costume et à la symbolique.

D'autres enfin, plus proprement littéraires, visent à éclairer la poétique de Guillaume de Lorris, à présenter les motifs et les thèmes, à élucider les symboles, les personnifications et les allusions, à signaler les vers qui font écho à d'autres œuvres.

Souvent, tout en nous gardant d'une trop lourde érudition, nous avons mentionné des livres et des articles où le lecteur trouvera des renseignements complémentaires et qui constituent, en quelque sorte, un supplément à notre bibliographie.

Jean DUFOURNET.

---

de 1929 ; il a été réédité dans la collection *Folio* en 1984, avec une postface de Jean Dufournet.

LE ROMAN DE LA ROSE

de Guillaume de Lorris

Maintes gens dient que en songes
N'a se fables non et mençonges ;
Mes l'en puet tex songes songier
Qui ne sont mie mençongier,
5 Ains sont aprés apparissant,
Si en puis bien traire a garant
Un actor qui ot non Marcobes,
Qui ne tint pas songes a lobes,
Ainçois escrist la vision
10 Qui avint au roi Cypion.
Quicunques cuide ne qui die
Que soit folece ou musardie
De croire que songes aviegne,
Qui ce vodra, por fol me tiegne,
15 Car endroit moi ai je creance
Que songes soit signifiance
Des biens as gens et des anuis ;
Car li plusor songent de nuis
Maintes choses couvertement
20 Qu'il voient puis apertement.
Ou vintieme an de mon aage
Ou point qu'Amors prent le paage
Des jones gens, couichez estoie
Une nuit si cum je souloie,
25 Et me dormoie mout forment ;
Lor vi un songe en mon dorment
Qui mout fu biaus et mout me plot ;

1. Beaucoup de gens disent que dans les rêves il n'y a que fables et mensonges. Mais l'on peut faire certains rêves qui, loin d'être mensongers, sont par la suite vérifiés : j'en puis prendre pour garant un auteur du nom de Macrobe, qui ne tenait pas les rêves pour des tromperies, mais qui décrivit la vision qui survint au roi Scipion. Libre à tous ceux qui s'imaginent et affirment qu'il faut être fou ou sot pour croire qu'un rêve se réalise, de me tenir, à leur gré, pour fou ! Quant à moi, je suis convaincu qu'un rêve annonce aux gens bonheurs et malheurs, car beaucoup rêvent la nuit, sous une forme voilée, bien des choses qu'ils voient ensuite clairement.

21. Dans la vingtième année de ma vie, au moment où Amour prélève son tribut sur les jeunes gens, j'étais couché une nuit comme à l'accoutumée, et je dormais profondément. Je fis alors, durant mon sommeil, un rêve d'une grande beauté qui me plut beaucoup,

Mes onques riens ou songe n'ot
Qui avenu tretout ne soit
30   Si cum li songes recontoit.
Or veil mon songe rimoier
Por vos cuers fere miex esgaier,
Qu'Amors le me prie et commande.
Et se nus ne nulle demande
35   Comment je veil que cis romans
Soit appellés, que je commans,
Que c'est li *Romans de la Rose*,
Ou l'art d'Amors est toute enclose.
La matire en est bele et noive ;
40   Or doint Diex qu'en gré le reçoive
Cele por qui je l'ai empris :
C'est cele qui tant a de pris
Et tant est digne d'estre amee
Qu'el doit estre rose clamee.
45   Avis m'estoit qu'il estoit maiz,
Il a ja bien cinq ans ou maiz ;
En may estions, si songoie
Ou temps amorous plain de joie,
Ou temps ou toute riens s'esgaie,
50   Que l'en ne voit boisson ne haie
Qui en may parer ne se vueille
Et couvrir de novelle fueille.
Li bois recovrent lor verdure,
Qui sont sec tant cum yver dure ;
55   La terre meïsmes s'orgueille
Por la rosee qui la mueille,
Et oblie la povreté
Ou elle a tout l'yver esté.
Lors devient la terre si gobe
60   Que veut avoir novele robe ;
Si fait si cointe robe faire
Que de colors y a cent paire ;
D'erbes, de flors indes et perses
Et de maintes colors diverses,
65   C'est la robe que je devise
Por quoi la terre tant se prise.
Li oisiau, qui se sont teü

et il n'y eut jamais rien dans le rêve qui ne soit entièrement arrivé comme le rêve le racontait. Maintenant
je veux mettre en vers mon rêve pour mieux remplir
de joie vos cœurs, car Amour m'en prie et me le
commande. Et si un homme ou une femme me
demande comment je veux que soit appelé ce roman
que je commence, je dis : c'est *Le Roman de la Rose*
où l'art d'aimer est tout entier inclus. Le sujet en est
beau et original. Que Dieu fasse qu'il soit favorable-
ment accueilli par celle pour qui je l'ai entrepris ! C'est
celle qui a tant de valeur et qui est si digne d'être aimée
qu'elle doive être appelée « Rose ».

45. J'avais l'impression qu'on était en mai, il y a
bien cinq ans ou plus. Nous étions en mai, et je rêvais
au temps de l'amour qui est plein de joie, au temps
où toute chose s'adonne à la gaieté, en sorte qu'on ne
voit buisson ni haie qui ne veuille en mai se parer et
se couvrir de feuilles nouvelles. Les bois, secs tant que
dure l'hiver, recouvrent leur verdure. La terre elle-
même s'enorgueillit de la rosée qui la mouille,
oublieuse de la pauvreté qui l'a accablée tout l'hiver.
La terre devient alors si fière qu'elle veut avoir une
nouvelle robe, et qu'elle s'en fait faire une si jolie qu'il
y a bien deux cents couleurs : faite d'herbes et de
fleurs violettes et bleues et de beaucoup de couleurs
diverses, voilà la robe que je décris, et qui remplit la
terre d'une si grande fierté.

67. Les oiseaux qui se sont tus

Tant cum il ont le froit eü
Et le fors temps d'iver frarin,
70 Sont en may por le temps serin
Si lié qu'il mostrent en chantant
Qu'en lor cuer a de joie tant
Qu'il lor estuet chanter par force.
Li rossignos lores s'esforce
75 De chanter et de faire noise ;
Lors se resqueut, lors se renvoise
Li papegauz et la calandre ;
Lors estuet jones gens entendre
A estre gais et amoreus
80 Por le temps bel et doucereus.
Mout a dur cuer qui en may n'aime
Quant il ot chanter sus la raime
As oisiaus les dous chans piteus.
En yceli temps deliteus,
85 Que toute riens d'amer s'effroie,
Sonjai une nuit que j'estoie.
Lors m'iere avis en mon dorment
Qu'il estoit matin durement.
De mon lit tantost me levai,
90 Chauçai moi et mes mains lavai.
Lors trais une aguille d'argent
D'un aiguiller mignot et gent ;
Si pris l'aguille a enfiler.
Hors de vile oi talent d'aler
95 Por oïr des oisiaus les sons,
Qui chantoient par ces boissons
En icele saison novele.
Cousant mes manches a vizele
M'en alai touz seus esbatant,
100 Et les oiselés escoutant
Qui de chanter mout s'angoissoient
Par lé vergiers qui floroissoient.
   Jolis, gais et plains de leesce,
Vers une riviere m'adresce
105 Que j'oï pres d'iluecques bruire,
Car ne me soi aler deduire
Plus bel que sus cele riviere.

tant qu'ils ont souffert du froid et de la rigueur du rude hiver, sont en mai, à cause du temps serein, si heureux qu'ils montrent par leurs chants que leur cœur déborde de tant de joie qu'il leur faut à toute force chanter. Le rossignol s'évertue alors à chanter et à mener grand bruit ; alors s'éveillent, alors se réjouissent le perroquet et l'alouette. Alors les jeunes gens doivent se consacrer à la gaieté et à l'amour parce que le temps est beau et doux. Il faut avoir le cœur bien dur pour ne pas aimer en mai quand on entend les oiseaux chanter dans la ramure leurs chants doux et émouvants.

84. Je rêvais une nuit que j'étais en ce temps délicieux où toute créature par amour sort de sa réserve. J'avais alors l'impression, dans mon sommeil, que la matinée était bien avancée. Je me levai aussitôt de mon lit, je mis mes chausses et me lavai les mains. Je tirai une aiguille d'argent d'un ravissant aiguiller, et je me mis à l'enfiler. J'eus envie de sortir de la ville pour écouter les mélodies des oiseaux qui chantaient dans les buissons en cette saison nouvelle. En cousant mes manches de manière à les froncer, je partis tout seul me divertir et écouter les petits oiseaux qui s'appliquaient à chanter parmi les vergers en fleurs.

103. Le cœur en fête et plein d'allégresse, je me dirigeai vers une rivière que j'entendis murmurer près de là : je ne pouvais pas me divertir plus agréablement qu'au bord de cette rivière.

D'un tertre qui pres d'iluec iere
Descendoit l'iaue grant et roide.
110   Clere estoit l'iaue et aussi froide
Comme puis ou comme fontainne,
Et estoit poi mendre de Sainne,
Mes qu'el iere plus espandue.
Onques mes n'avoie veüe
115   Cele yaue qui si bien coroit ;
Mout me plesoit bien et seoit
A regarder le leu plaisant.
De l'iaue clere et reluisant
Mon vis refrechi et lavé ;
120   Si vi tout couvert et pavé
Le fons de l'iaue de gravele.
La praerie grant et bele
Tres au pié de l'iaue batoit.
Clere et serine et bele estoit
125   La matinee et atrempee ;
Lors m'en alai parmi la pree
Contreval l'iaue esbanoiant,
Tout le rivage costoiant.
Quant j'oi un poi avant alé,
130   Si vi un vergier grant et lé,
Tout clos d'un haut mur bataillié,
Portrait defors et entaillié
A maintes riches escritures.
Les ymages et les paintures
135   Le mur volentiers regardai ;
Si conterai et vous dirai
De ces ymages les semblances,
Si cum moi vint en remembrances.
   Enz ou mileu je vi Haïne
140   Qui de corrous et d'ataïne
Sembloit bien estre moverresse ;
Et correceuse et tencerresse
Et plene de grant cuivertage
Estoit par semblant cele ymage ;
145   Si n'estoit pas bien atornee,
Ains sembloit estre forcenee.
Reschignié avoit et froncié

D'une hauteur toute proche descendait l'eau abondante et rapide ; elle était claire et aussi fraîche que celle d'un puits ou d'une fontaine. Son débit était inférieur à celui de la Seine, mais son lit plus large. Je n'avais jamais vu cette eau au cours si régulier. J'éprouvais beaucoup de plaisir et de bien-être à regarder ce lieu ravissant. Dans l'eau claire et brillante, je rafraîchis et lavai mon visage, et je vis le fond de l'eau tout entier recouvert de gravier. La prairie, grande et belle, descendait jusqu'au bord. La matinée était claire, sereine, belle et douce. Alors je m'en allai parmi le pré, me divertissant à suivre le courant, tout le long de la rive.

129. Quand j'eus marché un moment, je vis un grand et vaste verger, entièrement clos d'un haut mur crénelé, dont l'extérieur était peint et sculpté d'un grand nombre de magnifiques inscriptions. J'examinai avec intérêt les figures et les peintures du mur. Aussi vous dépeindrai-je et décrirai-je l'aspect de ces portraits comme ils me sont venus à la mémoire.

139. Au beau milieu, je vis Haine qui semblait bien déchaîner la colère et la fureur. Coléreuse, querelleuse, pleine de bassesse : ainsi apparaissait-elle en ce portrait. De plus, elle n'était pas bien parée, mais avait l'air d'une folle furieuse. Le visage renfrogné et froncé,

Le vis, et le nes secorcié.
Hideuse estoit et roillie ;
150 Et si estoit entortillie
Hideusement d'une toaille.
Une autre ymage d'autre taille
A senestre avoit, dalés lui ;
Son non desus sa teste lui :
155 Appellee estoit Felonnie.
Une ymage qui Vilonnie
Avoit non revi devers destre,
Qui estoit auques d'autel estre
Cum ces deus et d'autel feture ;
160 Bien sembloit male creature,
Et sembloit bien estre outrageuse
Et mesdisans et ramponeuse.
Mout sot bien paindre et bien portraire
Cis qui sot tel ymage faire,
165 Qu'el sembloit bien chose vilaine ;
Bien sembloit estre d'affis plaine
Et fame qui petit seüst
D'onorer ceus qu'ele deüst.
    Aprés fu painte Convoitise.
170 C'est celle qui les gens atise
De prendre et de noient donner ;
El fait grans avoirs amasser ;
C'est cele qui fait a usure
Preter mains, por lor grant ardure
175 D'avoir conquerre et assembler ;
C'est cele qui semont d'embler
Les larrons et les ribaudiaus ;
(Si est grans pechiés et grans diaus,
Qu'en la fin mains en convient pendre) ;
180 C'est cele qui fait l'autrui prendre,
Rober, tolir et bareter,
Et bescocier et mesconter ;
C'est cele qui les tricheors
Fait tous et les faus pledeors,
185 Qui maintes fois par lor faveles
Ont as valés et as puceles
Lor droites herites tolues.

le nez retroussé, elle était d'une laideur repoussante, de surcroît hideusement fagotée d'une serviette.

152. Un autre portrait de forme différente se tenait à sa gauche. Je lus son nom au-dessus de sa tête : il s'appelait Félonie.

156. Je vis d'autre part, sur la droite, un portrait nommé Vilenie, qui avait à peu près le même maintien que les deux autres, et la même apparence. Elle avait tout d'une méchante créature, tout d'une personne impudente, médisante et insolente. Quel bon peintre, quel bon dessinateur que celui qui avait su faire un tel portrait, car elle avait tout l'air d'un être abject, tout l'air d'avoir l'injure à la bouche et d'être femme peu encline à honorer ceux qu'elle aurait dû !

169. Ensuite était peinte Convoitise. C'est elle qui pousse les gens à prendre et à ne rien donner, et qui fait amasser de grands biens. C'est elle qui fait prêter à usure maints individus que brûle le désir d'acquérir et d'entasser des biens. C'est elle qui incite à voler les brigands et les vauriens : c'est un grand et douloureux péché qui, au bout du compte, en fait pendre un bon nombre. C'est elle qui fait prendre le bien d'autrui, et dérober, ravir, tromper, escroquer, truquer. C'est elle qui suscite tous les tricheurs et tous les faux plaideurs qui maintes fois, par leurs mensonges, ont ravi aux jeunes gens et aux jeunes filles leurs légitimes héritages.

Recorbillies et crochues
Avoit les mains icelle ymage ;
190 Ce fu drois, car touz jors errage
Convoitise de l'autrui prendre ;
Convoitise ne set entendre
A riens qu'a l'autrui acroichier :
Convoitise a l'autrui trop chier.
195   Une autre ymage i ot assise
Coste a coste de Convoitise :
Avarice estoit appellee.
Lede estoit et sale et foulee
Cel ymage, et megre et chetive,
200 Et aussi vert cum une cive ;
[Tant par estoit descoloree
Qu'el sembloit estre enlangoree ;]
Chose sembloit morte de fain,
Qui vesquist seulement de pain
205 Petri a lissu, fort et aigre.
Et avec ce qu'ele yere maigre
Ert elle povrement vestue :
Cote avoit viés et derompue
Comme s'el fust as chiens remese ;
210 Povre ert mout sa cote et esrese
Et plene de viés paletiaus.
Delés li pendoit uns mantiaus
A une perchete grelete,
Et une cote de brunete ;
215 Ou mantiau n'ot pas penne vere,
Mes mout viés et de povre afere,
D'agniaus noirs, velus et pesans.
Bien avoit la robe vint ans,
Mes Avarice du vestir
220 Se siaut mout a tart aatir ;
Car sachies que mout li pesast
Se cele robe point usast ;
Car s'el fust usee et mavese,
Avarice eüst grant mesese
225 De nove robe et grant disete
Avant qu'ele eüst autre fete.
Avarice en sa main tenoit

Recroquevillées et crochues étaient les mains de ce personnage : à juste titre, car toujours Convoitise s'acharne à prendre le bien d'autrui. Convoitise ne sait se consacrer à rien d'autre qu'à agripper le bien d'autrui : Convoitise aime trop le bien d'autrui.

195. Un autre portrait était placé tout à côté de Convoitise : il s'appelait Avarice. Laide, sale, mal en point était cette figure, et maigre et chétive, et aussi verte que ciboulette. Elle avait tellement perdu ses couleurs qu'elle semblait languissante ; elle avait l'air d'être morte de faim, comme si elle n'avait vécu que de pain pétri avec de la lessive forte et aigre. Si elle était maigre, elle était aussi pauvrement vêtue. Sa cotte était vieille et déchirée, comme si on l'avait abandonnée aux chiens. Quelle misérable cotte, élimée et toute rapetassée de vieilles pièces ! À côté d'elle un manteau pendait à une perche très grêle, avec une cotte de drap sombre. Le manteau n'était pas fourré de petit gris, mais il était très vieux, sans valeur, en agneau noir, velu et lourd. Son costume avait bien vingt ans, mais Avarice a l'habitude de ne s'occuper de ses vêtements que très tard : sachez qu'il lui en eût coûté d'user un tant soit peu ce costume, car s'il avait été usé et délabré, Avarice eût cruellement souffert de manquer d'un costume neuf, avant qu'elle n'en eût fait un autre. Avarice avait en sa main

Une borce qu'el reponnoit,
Et la nooit si durement
230 Que mout demorast longuement
Ainçois qu'ele en peüst riens traire ;
Mes el n'avoit de ce que faire :
El n'aloit pas a ce beant
Que de la borce ostast neant.

235 　Aprés refu portrete Envie,
Qui ne rist onques en sa vie
N'onques de riens ne s'esjoï,
S'ele ne vit ou s'el n'oï
Aucun grant domage retraire.
240 Nulle riens ne li puet tant plaire
Cum fait maus et male aventure.
Et quant voit grant desconfiture
Sor aucun prodomme cheoir,
Ice li plest mout a veoir.
245 Elle est trop lie en son corage
Quant elle voit aucun linage
Decheoir, ou aler a honte.
Et quant aucuns en honor monte
Par son sens ou par sa proece,
250 C'est la chose qui plus la blece,
Car sachiés que mout la convient
Estre iree quant nus biens vient.
Envie est de tel cruauté
Qu'ele ne porte leauté
255 A compaignon ne a compaigne ;
N'elle n'a parent tant li taigne
A qui el ne soit anemie ;
Car certes elle ne vodroit mie
Que biens venist neis a son pere.
260 Mes bien sachiés qu'ele compere
Sa malice trop ledement ;
Qu'el est en si trés grant torment
Et a tel duel quant gens bien font
Que par un poi qu'ele ne font.
265 Ses felons cuers l'art et detranche
Qui de li Dieu et les gens vanche.
Envie ne fine nulle hore

une bourse qu'elle cachait et qu'elle tenait si serrée
qu'il aurait fallu beaucoup de temps avant qu'elle pût
en tirer quelque chose. Mais elle n'en avait que faire :
elle n'avait pas le moindre désir d'ôter de la bourse
quoi que ce fût.

235. Après, était à son tour représentée Envie qui
ne rit jamais de sa vie et qui jamais pour rien ne se
réjouit, à moins de voir ou d'entendre raconter
quelque grand dommage. Rien ne peut autant lui
plaire qu'un malheur ou une mésaventure. Et quand
elle voit une grande calamité s'abattre sur un homme
de qualité, ce spectacle lui cause un vif plaisir. Elle
ressent en son cœur beaucoup de bonheur quand elle
voit un lignage déchoir ou se déshonorer ; mais quand
quelqu'un connaît la gloire par son esprit ou par sa
prouesse, c'est ce qui la blesse le plus, car sachez qu'il
est conforme à sa nature de s'irriter quand survient
quelque bien. Envie est si cruelle qu'elle ne montre de
loyauté à compagnon ni à compagne, et qu'elle n'a pas
de parent, si proche soit-il, dont elle ne soit l'ennemie.
Car, à coup sûr, elle ne voudrait pas qu'un bien échût
même à son père. Mais sachez bien qu'elle paie hor-
riblement sa méchanceté : elle souffre un tel martyre
et éprouve une telle peine quand les gens font le bien
qu'elle en est presque anéantie. Son cœur pervers la
consume et la déchire, vengeant d'elle Dieu et les gens.
Envie ne cesse une seule heure

D'aucun blame as gens metre sore :
Je croi que s'ele cognoissoit
270 Le plus trés prodome qui soit
Ne deça mer ne dela mer,
Si le vodroit elle blamer ;
Et s'il yere tant bien apris
Qu'el ne peüst du tout son pris
275 Abatre, ne lui desprisier,
Elle vodroit apetisier
Sa proece, au mains, et s'onor
Par parole faire menor.
    Lors vi qu'Envie en la painture
280 Avoit trop lede regardeure :
Elle ne regardoit noient
Fors de travers en bornoient ;
Elle avoit un mavés usage,
Car el ne pooit ou visage
285 Regarder riens de plain en plain,
Ains clooit un oel par desdaing,
Qu'ele fondoit d'ire et ardoit
Quant aucuns qu'ele regardoit
Estoit ou preus ou biaus ou gens
290 Ou amés ou loés de gens.
    Delés Envie auques prés yere
Tristece painte en la maisiere ;
Mes bien paroit a sa colour
Qu'elle avoit au cuer grant dolour ;
295 El sembloit avoir la jaunice ;
Si n'i feïst riens Avarice
De palesce et de megrece,
Car li esmais et la destrece
Et la pesance et li ennuis
300 Qu'el soffroit de jors et de nuis
L'avoient molt fete jaunir
Et megre et pale devenir.
Onques riens nee en tel martire
Ne fu mes, ne n'ot si grant ire
305 Cum il sembloit que elle eüst.
Je croi que nus ne li peüst
Riens faire qui li peüst plaire,

de critiquer : je crois que, si elle connaissait l'homme le meilleur qui soit de ce côté de la mer ou de l'autre, elle voudrait cependant le blâmer ; et s'il était si bien élevé qu'elle ne pût pas du tout ruiner sa renommée ni le déprécier, elle voudrait à tout le moins diminuer sa prouesse et réduire son honneur par ses propos.

279. Je vis alors qu'Envie, dans son portrait, avait un regard hideux : elle ne regardait que de travers, en louchant. Elle avait une fâcheuse habitude, ne regardant personne en face, droit dans les yeux, mais fermant un œil de dédain, car elle bouillait et brûlait de colère quand la personne qu'elle regardait était valeureuse, belle, aimable, aimée et respectée des gens.

291. À côté d'Envie, assez près, Tristesse était peinte sur le mur. On voyait très bien à sa couleur qu'elle avait au cœur une grande douleur : elle semblait avoir la jaunisse, et Avarice n'aurait pu lui être comparée pour la pâleur et la maigreur, car l'affliction, la détresse, la peine et les ennuis qu'elle souffrait le jour et la nuit l'avaient fait terriblement jaunir, maigrir et pâlir. Jamais créature ne fut soumise à un tel martyre ni ne souffrit une aussi grande douleur que celle qui semblait l'accabler. Je crois que personne n'aurait rien pu lui faire qui fût capable de lui plaire,

N'el ne se vosist pas retraire
Ne resconforter a nul fuer
310 Du duel qu'elle avoit a son cuer :
Trop avoit son cuer correcié
Et son duel parfont commencié.
Mout sembloit bien qu'el fust dolente,
Car el n'avoit pas esté lente
315 D'esgratiner toute sa chiere ;
N'el n'avoit pas sa robe chiere,
Ains l'ot en mains leus desciree
Cum cele qui mout fu iree.
Si chevel destrecié li furent,
320 Et espandu par son col jurent,
Que les avoit tretous desrous
De maltalent et de corrous.
Et sachiés bien veritelment
Qu'ele ploroit parfondement :
325 Nus tant fust durs ne la veïst
A qui grans pitié n'en preïst,
Qu'el se desrompoit et batoit
Et les poins ensemble hurtoit.
Mout ert a duel fere ententive
330 La dolereuse, la chetive ;
Il ne li tenoit d'envoisier
Ne d'acoler, ne de baisier,
Car qui le cuer a bien dolent,
Sachiés de voir, il n'a talent
335 De dancier ne de caroler.
Nus ne se porroit amoler,
Qui duel eüst, a joie faire,
Car duel et joie sont contraire.
  Après fu Viellece portraite,
340 Qui estoit bien un pié retraite
De tel cum elle soloit estre ;
A pene qu'el se pooist pestre,
Tant estoit vielle et radotee.
Mout ert sa biauté gastee,
345 Et mout ert lede devenue.
Toute sa teste estoit chenue
Et blanche cum s'el fust florie.

et qu'elle n'aurait voulu à aucun prix échapper ni trouver un réconfort à la douleur qu'elle portait en son cœur : son cœur était trop affligé et son chagrin trop profond. Elle avait tout à fait l'air d'être désolée, car elle n'avait pas tardé à s'égratigner tout le visage et, loin d'avoir soin de ses habits, elle les avait déchirés en mille endroits comme une femme furieuse. Ses cheveux, tout dépeignés, lui tombaient sur le cou ; elle les avait arrachés de colère et de chagrin. Et soyez bel et bien persuadés qu'elle fondait en larmes. Personne n'aurait été assez dur pour ne pas être, à la voir, pris d'une grande pitié, car elle se lacérait et se frappait, et se heurtait les poings l'un contre l'autre. Comme elle s'acharnait à exprimer sa douleur, la pauvre malheureuse ! Elle ne tenait pas à s'adonner à la joie, à prodiguer accolades et baisers : quand on a le cœur rempli de douleur, soyez-en convaincus, on n'a pas envie de participer à des danses et à des rondes. Personne qui aurait de la peine ne pourrait se laisser aller à la joie : la peine et la joie sont incompatibles.

339. Ensuite, c'était le portrait de Vieillesse, qui avait bien perdu un pied de sa taille habituelle. À grand-peine pouvait-elle se nourrir, tant elle était vieille et gâteuse. Bien dégradée était sa beauté, et terriblement enlaidie. Toute sa tête était chenue et blanche, comme en fleurs.

Ce ne fust mie grant morie
S'ele morist, ne grans pechiez,
350 Car tous ses cors estoit sechiez
De viellece, et anoientis.
Mout ere ja son vis fletis,
Qui fu jadis soés et plains.
Mes or est touz de fronces plains.
355 Les oreilles avoit mossues
Et toutes les dens si perdues
Qu'el n'en avoit neïs nesune.
Tant par estoit de grant viellune
Qu'el n'alast mie la montance
360 De quatre toises sans potence.
Li temps qui s'en vait nuit et jor
Sans repos prendre et sans sejor,
Et qui de nous se part et emble
Si celeement qu'il nous semble
365 Qu'il s'arreste adés en un point
Et il ne s'i arreste point,
Ains ne fine de trespasser
Que l'en ne puet neïs penser
Quex temps ce est qui est presens,
370 S'en ne le set par clers lisans,
Qu'ençois que l'en l'eüst pensé
Seroient ja trois temps passé ;
Li temps qui ne puet sejorner
Ains vait tous jors sans retorner,
375 Cum l'iaue qui s'avale toute,
N'il n'en retorne arriere goute ;
Li temps vers qui noient ne dure,
Ne fers ne chose tant soit dure,
Car temps gaste tout et menjue ;
380 Li temps qui toute chose mue,
Qui tout fet croistre et tout norrir,
Et tout user et tout porrir,
Li temps qui enviellist nos peres,
Qui viellist rois et empereres,
385 Et qui tretous nous viellira,
Ou mors nous desavancira ;
Li temps, qui toute a la baillie

Il n'eût pas été dramatique qu'elle mourût, ni très malheureux, car tout son corps était desséché de vieillesse et réduit à rien. Son visage était déjà bien flétri, alors qu'il était jadis doux et lisse ; maintenant il était tout ridé. Ses oreilles étaient velues ; ses dents, elle les avait toutes perdues, sans qu'il lui en restât une seule. Elle était d'un âge si avancé qu'elle n'aurait pas parcouru la distance de quatre toises sans béquille.

361. Le temps qui s'en va nuit et jour sans prendre de repos ni faire de halte, et qui nous quitte et se dérobe si furtivement qu'il nous semble toujours s'arrêter en un point, alors qu'il ne s'y arrête pas un seul instant, et qu'au contraire il ne cesse de passer, en sorte qu'on ne peut même pas saisir par la pensée ce qu'est le temps présent si on ne l'apprend de savants professeurs, car avant qu'on l'eût conçu, il aurait déjà passé trois fois...

374. Le temps qui ne peut demeurer, mais s'en va toujours sans retourner en arrière, comme l'eau qui s'écoule tout entière sans qu'il en revienne en arrière une goutte...

377. Le temps à qui rien ne résiste, ni fer ni chose si dure soit-elle, car le temps corrompt et dévore tout...

380. Le temps qui change toute chose, qui fait tout croître et tout grandir, et qui use tout et gâte tout...

383. Le temps qui a vieilli nos pères, et qui vieillit rois et empereurs, et qui nous vieillira tous, à moins que la mort nous prenne la première...

387. Le temps qui a tout pouvoir

Des gens viellir, l'avoit viellie
Si durement qu'au mien cuidier
390 Qu'el ne se pooit mes aidier,
Ains retornoit ja en enfance,
Car certes el n'avoit poissance,
Ce croi je, ne force ne sen
Nes plusqu'uns enfes d'un en.
395 Neporquant, au mien escientre,
El avoit esté sage et entre,
Quant el ert en [son] droit aage ;
Mes je croi que n'iere mes sage,
Ains ere toute rassotee.
400 El ot d'une chape forree
Mout bien, si cum je me recors,
Abrié et vestu son cors.
Bien fut vestue et chaudement,
Car el eüst froit autrement :
405 Ces vielles gens ont tost froidure ;
Bien savés que c'est lor nature.
    Une ymage ot aprés escrite,
Qui sembloit bien estre ypocrite ;
Papelardie ert appellee.
410 C'est cele qui en recelee,
Quant nus ne s'en puet prendre garde,
De nul mal faire ne se tarde ;
El fait defors le marmiteus,
Si a le vis simple et piteus,
415 Et semble sainte creature,
Mes sous ciel n'a male aventure
Qu'ele ne pense en son corage.
Mout la resembloit bien l'ymage
Qui faite fu a sa semblance ;
420 Qu'el fu de simple contenance,
Et si fu chaucie et vestue
Tout aussi cum fame rendue.
En sa main un sautier tenoit ;
Et sachiés que mout se penoit
425 De faire a Dieu prieres faintes
Et d'apeler et sains et saintes.
El ne fu gaie ne jolive,

pour vieillir les gens, l'avait vieillie si cruellement qu'à mon avis, elle ne pouvait plus rien faire par elle-même, mais retombait déjà en enfance, car à coup sûr elle n'avait pas plus de capacité, je le crois, ni de force ni de raison qu'un enfant d'un an. Et pourtant, à ce que je pense, elle avait été sage et avisée quand elle était dans la force de l'âge. Mais je crois qu'elle n'était plus sage : au contraire, elle était tout à fait gâteuse. D'une cape fourrée, pour autant que je m'en souvienne, elle s'était soigneusement protégé et revêtu le corps ; elle était bien et chaudement vêtue, sinon elle aurait eu froid : ces vieilles gens ont vite froid, vous savez bien que c'est dans leur nature.

407. Suivait un autre personnage qui avait tout l'air d'être hypocrite, et qui s'appelait Papelardie. C'est elle qui furtivement, quand personne n'y peut prendre garde, s'empresse de faire du mal. Elle fait extérieurement la doucereuse, elle a le visage modeste et pieux, elle a tout d'une sainte créature, mais sous le ciel il n'est de mauvais tour qu'elle ne médite en son cœur. Le portrait lui ressemblait parfaitement, il était conforme à son modèle, car son maintien était modeste, et elle était chaussée et vêtue comme une religieuse. Dans sa main, elle tenait un psautier, et sachez qu'elle mettait toute sa peine à feindre de prier Dieu et à invoquer les saints et les saintes. Elle n'était ni enjouée ni joyeuse,

Ains fu par semblant ententive
Du tout a bonnes ovres faire ;
430 Et si avoit vestu la haire.
Et sachiés que n'iere pas grasse,
Ains ere de jeüner lasse,
S'avoit la color pale et morte ;
C'iert du mal qui son cuer enorte,
435 Ice m'estoit il bien avis.
Car iceste gens font lor vis
Amegrir, ce dist l'Euvangile,
Por avoir loz parmi la ville,
Et por un poi de gloire vainne,
440 Qui lor todra Dieu et son rainne.
    Portraite fu au darrenier
Povreté, qui un seul denier
N'eüst pas, s'en la deüst pendre,
Tant seüst bien sa robe vendre,
445 Qu'ele ere nue comme vers.
Se le temps fust un poi divers,
Je croi qu'el acorast de froit,
Qu'el n'avoit qu'un viel sac estroit
Tout plain de mavés paletiaus :
450 S'estoit sa robe et ses mantiaus ;
El n'avoit plus que afubler ;
Grant loisir avoit de trambler.
Des autres fu un poi loignet ;
Cum chiens honteus en un coignet
455 Se cropoit et se tapissoit.
Car povre chose, ou qu'ele soit,
Est tous jors boutee et despite.
L'eure puisse estre la maudite
Que povres hons fu conceüs !
460 Qu'il ne sera ja bien peüs
Ne bien vestus ne bien chauciés.
Il n'est amés ni essauciés.
    Ces ymages bien avisé
Qui, si comme j'ai devisé,
465 Furent a or et a asur
De toutes pars paintes ou mur.
Li murs fu haus et tous quarrés ;

mais elle avait l'air d'être tout absorbée par de bonnes œuvres, et elle avait revêtu la haire. Sachez aussi qu'elle n'était pas grasse mais elle était épuisée par le jeûne, et son teint avait la pâleur de la mort, à cause du mal qui embrase son cœur, j'en étais tout à fait convaincu. Car cette engeance se fait maigrir le visage, dit l'Évangile, pour être glorifiée à travers la ville, et pour un peu de vaine gloire qui les privera de Dieu et de son royaume.

441. Le dernier portrait était celui de Pauvreté qui n'aurait pas disposé d'un seul denier, quand bien même on dût la pendre et qu'elle vendît ses habits au prix fort, car elle était nue comme un ver. Si le temps avait été tant soit peu mauvais, je crois qu'elle aurait péri de froid, ne portant qu'un vieux sac étroit, tout rapetassé de haillons : c'étaient ses habits et son manteau. Elle n'avait rien d'autre à se mettre : elle pouvait trembler tout à son aise. Un peu à l'écart des autres, comme un pauvre chien dans un coin, elle se tenait accroupie et tapie, car un misérable, où qu'il soit, est toujours chassé et méprisé. Puisse être maudite l'heure où le pauvre fut conçu ! Jamais il ne sera bien nourri ni bien vêtu ni bien chaussé ; on ne l'aime pas, ni on ne le favorise.

463. J'examinai bien ces portraits qui, comme je l'ai rappelé, étaient peints d'or et d'azur sur toute la longueur du mur, lequel était haut et formait un carré ;

Si en estoit cloz et barrés,
En leu de haie, li vergiers
470 Ou onc n'avoit entré bergiers.
Cis vergiers en trop biau leu sist :
Qui dedens mener me vousist,
Ou par eschiele ou par degré,
Je l'en seüsse mout bon gré ;
475 Car tel joie ne tel deduit
Ne vit nus hons, si cum je cuit,
Cum il avoit en ce vergier ;
Car li leus d'oisiaus herbergier
N'estoit ne dangereus ne chiches ;
480 Onc mes ne fu nul leus si riches
D'arbres ne d'oisillons chantans,
Qu'il i avoit d'oisiaus trois tans
Qu'en tout le remanant de France.
Mout estoit belle l'acordance
485 De lor piteus chans a oïr ;
Touz li mons s'en dut esjoïr.
Je endroit moi m'en esjoï
Si durement, quant je l'oï,
Que n'en preïsse pas cent livres,
490 Se li passages fust delivres,
Qu'ens n'entrasse, et ne veïsse
L'assemblee, que Diex garisse,
Des oisiaus qui leens estoient,
Qui envoisïement chantoient
495 Les dances d'amors et les notes
Plesans, cortoises et mignotes.
    Quant j'oï les oisiaus chanter,
Forment me pris a dementer
Par quel art ne par quel engin
500 Je porroie entrer ou jardin.
Mes je ne poi onques trouver
Leu par ou g'i peüsse entrer ;
Et sachiés que je ne savoie
S'il y avoit pertuis ne haie
505 Ne leu par ou l'en y entrast ;
Ne hons nez qui le me monstrast
N'estoit iluec, que iere seus.

il servait à fermer et à clôturer, à la place de haies, un verger où jamais n'avait pénétré un berger.

471. Ce verger était situé en un lieu splendide. Si quelqu'un avait accepté de m'y introduire par une échelle ou un escalier, je lui en aurais été très reconnaissant, car personne ne vit, je crois, joie ni plaisir semblables à ceux de ce verger. Ce lieu, pour accueillir les oiseaux, n'était ni réticent ni parcimonieux ; aucun lieu ne fut jamais aussi riche en arbres et en oiseaux chanteurs, car il y avait trois fois plus d'oiseaux que dans le reste de la France. Qu'elle était belle à écouter, l'harmonie de leurs chants émouvants ! Tout le monde aurait dû s'en réjouir. Quant à moi, j'éprouvai, à l'entendre, une joie si profonde que, même contre cent livres, si le passage avait été libre, je n'aurais pas renoncé à y entrer et à voir l'assemblée des oiseaux qui s'y trouvaient (que Dieu la protège !) et qui chantaient à cœur joie les danses d'amour et les airs agréables, courtois et gracieux.

497. Quand j'entendis les oiseaux chanter, je commençai à me désespérer : par quel artifice, par quelle ruse pourrais-je pénétrer dans le jardin ? Mais je ne pus à aucun moment trouver un passage qui me permît d'entrer ; sachez même que je ne savais pas s'il y avait une ouverture, une haie, un passage par où l'on y entrât ; et il n'y avait personne ici pour me l'indiquer, car j'étais seul.

Mout fui destrois et angoisseus,
Tant qu'au darrenier me souvint
510 C'onques a nul jor ce n'avint
Qu'en si biau vergier n'eüst huis,
Ou eschiele ou aucun pertuis.
Lors m'en alai grant aleüre,
Açaignant la compasseüre
515 Et la cloison du mur carré,
Tant que un guichet bien barré
Trovai, petitet et estroit ;
Par autre leu l'en n'i entroit.
A l'uis començai a ferir ;
520 Autre entree n'i soi querir.
Assés i feri et bouté,
Et par maintes fois escouté
Se j'orroie venir nulle arme,
Tant que un huisselet de charme
525 M'ovri une noble pucele
Qui mout estoit et gente et bele.
Cheveus ot blons cum uns bacins,
La char plus tendre qu'uns pocins,
Front reluisant, sorcis votis.
530 Li entriaus ne fu pas petis,
Ains iere assés grans par mesure ;
Le nes ot bien fet a droiture,
Et les yex vairs cum uns faucons
Por fere envie a ces bricons.
535 Douce alene ot et savoree,
Et face blanche et coloree,
La bouche petite et grocete ;
S'ot ou menton une fossete.
Li coz fu de bonne moison,
540 Assés gros et lons par raison,
Si n'i ot bube ne malen :
N'avoit jusqu'en Jherusalen
Fame qui plus biau col portast ;
Poliz ere et soef au tast.
545 Sa gorge estoit autresi blanche
Cum est la noif desus la branche
Quant il a freschement negié.

L'angoisse me paralysa jusqu'à ce que, finalement, il me vînt à l'esprit que jamais de la vie il n'était arrivé qu'un aussi beau verger ne disposât pas d'une porte, ou d'une échelle, ou d'une quelconque ouverture. Alors je m'en allai d'un bon pas, contournant l'enceinte et la clôture du mur carré, tant et si bien que je découvris, fermée à double tour, une petite porte, minuscule et étroite. L'on n'y entrait pas par un autre passage. Je commençai à frapper à la porte, incapable de trouver une autre entrée. Je frappai et tapai à coups redoublés, et à mainte reprise j'écoutai pour savoir si j'entendrais venir quelqu'un, jusqu'au moment où un guichet de charme me fut ouvert par une noble jeune fille, fort gracieuse et très belle.

527. Elle avait les cheveux blond vénitien, la chair plus tendre qu'un jeune poulet, le front brillant, les sourcils arqués. L'intervalle entre les yeux, loin d'être petit, était plutôt grand, selon de justes proportions. Elle avait le nez bien fait et droit, les yeux brillants comme le faucon, pour séduire les jeunes écervelés. Son haleine était douce et parfumée, son visage couleur de lis et de rose, sa bouche petite et charnue, et elle avait une fossette au menton, et un cou de bonnes dimensions, assez gros et de longueur raisonnable, sans bouton ni ulcère : jusqu'à Jérusalem, il n'existait pas de femme dotée d'un plus beau cou ; il était lisse et doux au toucher. Sa gorge avait la blancheur de la neige sur la branche, quand elle est fraîchement tombée.

Le cors ot bien fait et dougié ;
Il n'esteüst en nulle terre
550 Nulle plus belle fame querre.
D'orfrois ot un chapel mignot ;
Onques nulle pucelle n'ot
Plus cointe ne plus desguisé :
Ne l'avroie a droit devisé.
555 Un chapel de roses tout frois
Ot dessus le chapel d'orfrois.
En sa main tint un mireor ;
Si ot d'un riche treceor
Son chief trecié mout richement.
560 Bien et bel et estroitement
Ot andeus cousues ses manches ;
Et por garder que ses mains blanches
Ne halaissent, ot uns blans gans.
Cote ot d'un riche vert de Gans,
565 Cousue a lignoel tout entor.
Il paroit bien a son atour
Qu'ele yere poi enbesoignie.
Quant elle s'ere bien pignie,
Et bien paree et atornee,
570 Elle avoit faite sa jornee.
Mout avoit bon temps et bon may,
Qu'el n'avoit soussi ni esmay
De nulle riens, fors solement
De soi atorner noblement.
575   Quant m'ot overte celle entree
La pucelle ensi acesmee,
Je l'en mercïai bonnement
Et si li demandai coment
Elle avoit non, et qui elle yere.
580 Et el ne fu pas vers moi fiere
De respondre, ne desdaigneuse :
« Je me faiz, dist elle, Oiseuse
Appeler a mes connoissans.
Riche fame sui et poissans,
585 S'ai d'une chose mout bon temps,
Car a nulle [rien] je ne pens
Qu'a moi joer et solacier

Son corps était bien fait et svelte : inutile de chercher en nulle terre une plus belle femme.

551. Elle portait une jolie coiffe d'orfroi ; jamais aucune jeune fille n'en eut de plus élégante ni de plus fabuleuse : je ne saurais la décrire correctement. Elle avait une couronne de roses toutes fraîches sur la coiffe d'orfroi. En sa main, elle tenait un miroir et, d'un luxueux galon, elle avait somptueusement tressé sa chevelure. C'est avec un art parfait qu'elle avait étroitement cousu ses deux manches ; et pour protéger du hâle ses blanches mains, elle portait une paire de gants blancs. Sa cotte, d'une riche étoffe verte de Gand, était bordée d'un petit cordon.

566. Il était clair, à voir sa mise, qu'elle n'était pas accablée de besognes. Une fois qu'elle s'était bien peignée, bien parée et habillée, sa journée était faite. Elle connaissait un bonheur sans nuage, car elle n'avait d'autre souci ni d'autre préoccupation que de s'apprêter noblement.

575. Quand la porte m'eut été ouverte par la jeune fille ainsi parée, je l'en remerciai vivement et je lui demandai comment elle se nommait et qui elle était. Ne faisant pas la fière avec moi, elle ne dédaigna pas de répondre.

582. « Je me fais appeler Oiseuse, dit-elle, par ceux qui me connaissent. Je suis une femme riche et puissante, et une chose me remplit de bonheur : je ne m'occupe de rien d'autre que de jouer et de me réjouir,

Et a moi pignier et trecier.
Privee sui mout et acointe
590 De Deduit, le mignot, le cointe.
Ce est cis cui est cis jardins
Qui de la terre as Sarradins
Fist ça ces arbres aporter
Et fist par ce vergier planter.
595 Quant li arbre furent creü,
Le mur que vous avés veü
Fist lors Deduis tout entor faire ;
Et si fist au dehors portraire
Les ymages qui i sont paintes,
600 Qui ne sont mignotes ne cointes,
Ains sont dolereuses et tristes
Si cum vous orendroit veïstes.
Maintes fois por esbanoier
Se vient en ce vergier joier
605 Deduis et les gens qui le sivent,
Qui en joie et en solas vivent.
Encores y est il, sans doute,
Deduis leens, ou il escoute
A chanter gais rossignolés,
610 Mauvis et autres oiselés.
Il se joe iluec et solace
O ses gens, car plus bele place
Ne plus biau leu por soi joer
Ne porroit il mie trouver.
615 Les plus beles gens, ce sachiés,
Que vous jamés nul leu truissiés,
Si sont li compaignon Deduit
Qu'il mainne avec li et conduit. »
      Quant Oiseuse m'ot ce conté,
620 Et j'oi mout bien tout escouté,
Je li dis lores : « Dame Oiseuse,
Ja de ce ne soiés douteuse,
Puis que Deduis, li biaus, li gens,
Est orendroit avec ses gens
625 En cest vergier, ceste assemblee
Ne m'iert pas, se je puis, emblee
Que ne la voie encore ennuit.

de me peigner et de me tresser les cheveux. Je suis une amie très intime, une proche du gentil et aimable Déduit. C'est lui qui possède ce jardin, et qui, de la terre des Sarrasins, fit apporter des arbres et les fit planter dans ce verger. Quand les arbres eurent grandi, Déduit fit alors construire tout autour le mur que vous avez vu, et dessiner à l'extérieur les portraits qui y sont peints : ils ne sont ni gracieux ni aimables, mais moroses et tristes comme vous venez de le voir. Maintes fois, pour se distraire, Déduit vient jouer en ce verger avec les gens de sa suite qui vivent dans la joie et le plaisir. Sans doute Déduit se trouve-t-il encore à l'intérieur, à écouter chanter les gais rossignols, les grives et d'autres oiseaux. Il joue ici et se distrait avec ses gens, car il ne saurait trouver plus bel endroit ni plus beau lieu pour se divertir. Sachez-le, les plus belles gens que vous puissiez jamais trouver en nulle région, ce sont les compagnons de Déduit qu'il emmène à sa suite. »

619. Quand Oiseuse m'eut tenu ce discours et que je l'eus écouté avec une constante attention, je lui dis alors :

« Dame Oiseuse, n'ayez pas le moindre doute sur ce point : puisque le beau et l'élégant Déduit se trouve en ce moment avec ses gens dans ce verger, cette assemblée ne sera pas, si je puis, dérobée à ma vue dès aujourd'hui.

Veoir la m'estuet, car je cuit
Que bele est celle compaignie
630 Et cortoise et bien ensaignie. »
     Lors entré, sans plus dire mot,
Par l'uis que Oiseuse overt m'ot,
Ou vergier, et quant je fui ens,
Si fui liés et baus et joiens ;
635 Et sachiés que je cuidai estre
Por voir en paradis terrestre ;
Tant estoit li leu delitables
Qu'i sembloit estre esperitables ;
Car si cum il m'iert lors avis,
640 Ne feïst en nul paradis
Si bon estre cum il fesoit
Ou vergier qui tant me plesoit.
     D'oisiaus chantans avoit assés
Par tout le vergier amassés.
645 En un leu avoit rossigniaus,
D'autre part gais et estorniaus ;
Si ravoit aillors grans escoles
De roietiaus et de torquoles,
De chardonereaus, d'arondeles,
650 D'aloes et de lardereles ;
Calandres ravoit amassees
En un autre leu, qui lassees
De chanter furent a envis ;
Melles y avoit et mauvis
655 Qui baoient a sormonter
Ces autres oisiaus par chanter ;
Il avoit aillors papegaus
Et mains oisiaus qui par ces gaus
Et par ces bois ou il habitent
660 En lor biau chanter se delitent.
     Trop par fesoient biau servise
Cil osoillon que je devise.
Il chantoient un chant itel
Cum s'il fussent esperitel ;
665 Et sachiés quant je les oï
Durement m'en essaboï,
Que mes si douce melodie

Il faut que je la voie, car cette compagnie est belle et courtoise et bien élevée. »

631. Alors, sans un mot de plus, par la porte qu'Oiseuse m'avait ouverte, j'entrai dans le verger ; une fois à l'intérieur, je fus heureux, gai et joyeux, et sachez que je croyais être vraiment au paradis terrestre. Le lieu était si délicieux qu'il semblait surnaturel, car, comme je le croyais, en aucun paradis il n'aurait fait si bon vivre qu'en ce verger qui me plaisait tant.

643. Des oiseaux chantaient en grand nombre, rassemblés dans tout le verger : ici, des rossignols ; là, des geais et des étourneaux ; ailleurs, il y avait aussi de nombreuses troupes de roitelets et de tourterelles, de chardonnerets, d'hirondelles, d'alouettes et de mésanges ; en un autre endroit, des calendres s'étaient assemblées, qui s'étaient lassées de chanter à qui mieux mieux ; il y avait des merles et des grives qui s'évertuaient à surpasser les autres oiseaux par leur chant ; ailleurs, se tenaient des perroquets et de nombreux autres oiseaux qui, dans les forêts et les bois où ils habitent, se délectent de leurs belles mélodies.

661. C'était un magnifique service que célébraient ces oiseaux que je cite. Leur chant était si pur qu'on les aurait pris pour des êtres spirituels. Soyez convaincus qu'à les entendre, j'en fus stupéfait, car jamais si douce mélodie ne fut entendue d'homme mortel.

Ne fu d'omme mortel oïe.
Tant estoit li chans dous et biaus
670 Qu'il ne sembloit pas chans d'oisiaus,
Ains le peüst l'en aesmer
A chant de serainne de mer,
Qui por lor vois qu'elles ont sainnes
Et serines ont non serainnes.
675   A chanter furent ententif
Li oisillon qui aprentif
Ne furent pas ne nonsachant ;
Et sachiés quant j'oï lor chant
Et je vi le leu verdaier,
680 Je me pris mout a esgaier ;
Si n'avoie encor esté onques
Si gais cum je devins adonques.
Por la grant delitableté
Fui plains de grant jolieté ;
685 Et lores soi je bien et vi
Que Oiseuse m'ot bien servi,
Qui m'avoit en tel deduit mis.
L'en deüsse estre ses amis,
Quant elle m'avoit deffermé
690 Le guichet du vergier ramé.
Des or mes, si com je savré,
Vous conterai comment j'ovré.
Premiers de quoi Deduit servoit,
Et quel compaignie il avoit,
695 Sans nulle faille vous veil dire.
Et du vergier tretout a tire
La façon vous redirai puis.
Tout ensemble dire ne puis,
Mes tout vous conteré par ordre,
700 Que l'en n'i sache que remordre.
   [Grant servise et doz et plesant
Aloient li oisel fesant ;
Lais d'amors et sonoiz cortois
Chantoient en lor serventois,
705 Li un en haut, li autre en bas.
De leur chant, n'estoit mie gas,
La douçor et la melodie

Si doux et si beau était ce chant qu'il ne semblait pas être un chant d'oiseaux, mais on aurait pu le comparer au chant des sirènes de mer qui, de leurs voix qu'elles ont claires (*saines*) et sereines (*serines*) tirent leur nom de sirènes (*ser-aines*). Les oisillons s'appliquaient à chanter : ils n'avaient rien de novices ni d'ignorants ; et sachez-le : quand j'entendis leur chant et que je vis le lieu verdoyer, je fus éperdu d'allégresse, comme je ne l'avais encore jamais été jusqu'alors. L'enchantement était si grand que je fus envahi d'une intense jubilation. Alors j'eus la certitude et la preuve qu'Oiseuse m'avait bien servi en me faisant connaître un tel plaisir. Je devrais donc être son ami, puisqu'elle m'avait ouvert le guichet du luxuriant verger.

691. Désormais, autant que je le pourrai, je vous raconterai comment je me comportai. En premier lieu, sans rien omettre, je veux vous dire à quoi s'occupait Déduit et quelle compagnie il avait autour de lui. Quant au verger, tout de suite après, je vous en décrirai aussi l'ordonnance. Je ne puis vous dire tout en même temps, mais je vous le raconterai dans l'ordre, afin qu'on ne puisse y trouver à redire.

701. C'était un service solennel, doux et agréable, que les oiseaux étaient en train de célébrer. Ils chantaient en leur langage des lais d'amour et des chansons courtoises, les uns en soprano, les autres en basse. La douce mélodie de leur chant (ce n'était pas pour rire)

     Me mist el cuer grant reverdie.] H.
       Mes quant j'oi escouté un poi
710 Les oisiaus, tenir ne me poi
     Qu'adont Deduit veoir n'alasse,
     Qu'a veoir mout le desirrasse,
     Son contenement et son estre.
       Lors m'en alai tretout a destre
715 Par une petitete sente,
     Plene de fenoil et de mente ;
     Mes auques pres trové Deduit,
     Car maintenant en un reduit
     M'en entré, ou Deduis estoit.
720 Deduis ilueques s'esbatoit ;
     S'avoit si bele gent o soi
     Que quant je les vi je ne soi
     Don si tres beles gens pooient
     Estre venu, car il sembloient
725 Tout por voir anges empenés.
     Si beles gens ne vit hons nés.
     Cestes gens dont je vous parole
     S'estoient pris a la carole,
     Et une dame lor chantoit,
730 Qui Leesce appelee estoit.
     Bien sot chanter et plesamment,
     Ne nulle plus avenamment
     Ne plus bel ses refrais n'assist.
     A chanter merveilles li sist
735 Qu'ele avoit la vois clere et sainne.
     Et si n'estoit mie vilainne,
     Ains se savoit bien debrisier,
     Ferir du pié et envoisier,
     Et estoit adés coutumiere
740 De chanter en tous leus premiere,
     Car chanter estoit un mestiers
     Qu'ele faisoit mout volentiers.
     Lors veïssiés carole aler
     Et gens mignotement baler
745 Et fere mainte bele treche
     Et maint biau tor sor l'erbe freche.
     La veïssiés fleüteors,

m'emplit le cœur d'un joyeux renouveau. Mais quand j'eus écouté un moment les oiseaux, je ne pus me retenir d'aller alors voir Déduit, car je brûlais de le voir, de voir son comportement et sa personne. Je m'en allai tout à fait sur la droite par un petit sentier plein de fenouil et de menthe, mais, assez près, je trouvai Déduit, car aussitôt j'entrai dans un lieu écarté où il se tenait, et où il se divertissait, entouré de si belles gens que, lorsque je les vis, je ne sus d'où pouvaient sortir des personnes d'une si exceptionnelle beauté, car elles avaient vraiment l'air d'anges ailés. Jamais humain ne vit si belles personnes.

727. Ces personnes dont je vous parle s'étaient mises à danser la carole, et une dame les accompagnait de ses chants. Elle s'appelait Liesse. Elle savait bien chanter et de manière charmante, et aucune femme ne modula ses refrains de façon plus agréable ni plus belle. Le chant lui convenait à merveille, car elle avait la voix claire et pure. De plus, elle n'avait rien de vulgaire, mais elle savait bien fléchir le corps, frapper du pied et engendrer la gaieté, et elle avait toujours l'habitude de chanter partout la première, car le chant était une activité qu'elle aimait à pratiquer.

743. Alors vous auriez pu voir se dérouler la ronde, et les gens danser avec élégance, et exécuter à l'envi, en de gracieux ballets, d'admirables figures sur l'herbe fraîche ! Vous y auriez pu y voir flûtistes,

Menestreüs et jongleors ;
Si chantent li un rotuenges,
750 Li autre notes loherenges,
Por ce qu'en set en Loheregne
Plus toutes notes qu'en nul regne.
Assés i ot tabouleresses
Iluec entor et tymbreresses,
755 Qui mout savoient bien joer,
Qu'el ne finoient de ruer
Le tymbre en haut, et recoilloient
Sur un doi, c'onques n'i failloient.
Deus damoiseles mout mignotes
760 Qui estoient en pures cotes
Et trecies a une trece,
Fesoit Deduis par grant noblece
En mi la carole baler,
Mes de ce ne fait a parler,
765 Qui baloient trop cointement ;
L'une venoit tout belement
Contre l'autre, et quant eus estoient
Pres a pres, si s'entregetoient
Les bouches qu'il vous fust avis
770 Que s'entrebaissaissent ou vis.
Bien se savoient debriser,
Ne vous en sai que deviser,
Mes nul jor mes ne me queïsse
Remuer tant que je veïsse
775 Ceste gent issi esforcier
De caroler et de dancier.
La carole tout en estant
Regardai iluec jusqu'a tant
Que une dame mout envoisie
780 Me tresvit : ce fu Cortoisie,
La vaillant et la debonnaire,
Que Diex deffende de contraire !
Cortoisie lors m'apela :
« Biaus amis, que faites vous la ? »
785 Fait Cortoisie, « çа venés
Et aveques nous vous prenés
A la carole, s'il vous plest ! »

ménestrels et jongleurs dont les uns chantaient des rotruenges et les autres des airs de Lorraine, parce qu'on connaît en cette province toutes sortes d'airs plus qu'en aucun royaume. En grand nombre il y avait tout autour des jongleuses et des tambourineuses qui savaient si bien jouer de leur instrument qu'elles ne cessaient de le lancer en l'air et de le rattraper sur un doigt sans jamais le manquer. Déduit, au milieu de la ronde, faisait danser avec une distinction tout aristo-cratique deux demoiselles très gracieuses, en simple cotte, qui portaient une seule tresse. Mais à quoi bon s'attarder ? Elles dansaient avec une rare élégance : l'une s'avançait vers l'autre avec beaucoup de grâce, et quand elles étaient tout près, soudain elles rappro-chaient si bien leurs bouches que vous auriez pensé qu'elles se baisaient le visage. Elles savaient bien flé-chir le corps. Je ne sais que vous décrire, mais jamais je n'aurais cherché à bouger aussi longtemps que j'aurais vu ces gens s'appliquer ainsi à participer à la ronde et à danser.

777. Je restai ici debout à regarder la ronde jusqu'à ce qu'une dame très souriante m'aperçût. C'était Courtoisie, la valeureuse et la noble dame : puisse Dieu la préserver de tout dommage ! Elle m'interpella alors :

784. « Cher ami, fit-elle, que faites-vous là-bas ? Venez ici, et prenez part avec nous à la ronde, s'il vous plaît ! »

Sans demorance et sans arrest
A la carole me sui pris,
790 Si ne fui pas trop entrepris ;
Et sachiés que mout m'agrea
Quant Cortoisie m'en pria
Et me dist que je carolasse,
Car de caroler, se j'osasse,
795 Estoie envieus et sorpris.
A regarder lores me pris
Les cors, les façons et les chieres,
Les semblances et les manieres
Des gens qui iluec caroloient ;
800 Si vous dirai quex il estoient.
Deduis fu biaus et lons et drois ;
Jamés en nul leu ne vendrois
Ou vous voiés nul plus bel homme.
La face avoit cum une pomme
805 Vermoille, et blanche tout entour ;
Cointes fu et de noble atour.
Les yex vairs, la face gente
Et le nés fait par grant entente,
Cheveus ot blons, recercelés ;
810 Par espaules fu auques lés,
Et greles par mi la cainture.
Il ressembloit une peinture,
Tant ere biaus et acesmés
Et de tous membres bien formés.
815 Remuans fu et preus et vites ;
Plus legier homme ne veïtes.
Il n'avoit barbe ne grenon,
Se petiz poilz volages non,
Car il ert jones damoisiaus.
820 D'un samit portret a oisiaus,
Qui ere tous a or batus,
Fu ses cors richement vestus.
Mout fut la robe desguisee,
Et fu mout riche et encisee
825 Et decopee par cointise.
Chauciés refu par grant mestrise
D'uns solers decopés a las.

788. Sans perdre une seule minute, j'entrai dans la ronde, et je ne fus pas trop emprunté. Sachez que je fus très heureux que Courtoisie m'y invitât et me dît de participer à la ronde, car je brûlais de l'envie de danser, si j'en avais eu l'audace. Je me mis alors à regarder la stature, le comportement, le visage, l'air et les manières des personnes qui dansaient ici. Je vais vous les décrire.

801. Déduit était beau, grand et droit : jamais, où que vous alliez, vous ne pourrez voir plus bel homme. Son visage était vermeil comme une pomme, et blanc sur le pourtour. Gracieux et élégant, il avait les yeux vifs, le visage aimable, le nez dessiné avec le plus grand soin, les cheveux blonds et bouclés. Assez large d'épaules, la taille fine, il ressemblait à une peinture, tant il était beau, soigné et bien fait de toute sa personne. Vif, brave, rapide, vous n'avez jamais vu d'homme plus agile. Il n'avait ni barbe ni moustache, seulement de petits poils follets, car c'était un jeune damoiseau. Une riche étoffe de soie, ornée d'oiseaux et recouverte d'or battu, revêtait son corps. Quel extraordinaire vêtement, somptueux et taillé d'élégantes découpures ! D'autre part, il était chaussé, avec un art accompli, de souliers à lacets échancrés.

Par druerie et par solas
Li ot s'amie fet chapel
830 De roses qui mout li sist bel.
Savés vous qui estoit s'amie ?
Leesce qui nel haoit mie,
L'envoisie, la bien chantans,
Qui, des lors qu'el n'ot que set ans,
835 De s'amor li donna l'otroi.
Deduis la tint parmi le doi
A la carole, et elle lui ;
Bien s'antravenoient andui,
Qu'il ere biaus et elle belle.
840 El resembloit rose novelle
De la color, s'ot la char tendre,
Qu'en la li peüst toute fendre
A une petitete ronce.
Le front ot blanc, poli, sans fronce,
845 Les sorcis bruns et entailliés,
Les yex jolis et envoisiés
Si qu'il rioient tout avant
Que la bouchete par covant.
Je ne vous sai du nés que dire :
850 L'en nel feïst pas miex de cire.
Elle ot la bouche petitete
Et por baisier son ami prete.
Le chief ot blonc et reluisant.
Que vous iroie je disant ?
855 El fu bien et bel atornee ;
D'un fil d'or ere galonnee ;
S'ot un chapel d'orfrois tout neuf.
Je, qu'en ai veü vint et nuef,
A nul jor mes veü n'avoie
860 Chapel si bien ovré de soie.
D'un samit qui ert tous dorés
Fu ses cors richement parés,
De quoi son ami avoit robe,
Si en estoit assés plus gobe.
865   A li se tint de l'autre part
Li diex d'Amors, cis qui depart
Amoretes a sa devise.

Par amour et pour lui plaire, son amie lui avait tressé
une couronne de roses qui lui allait très bien.

831. Savez-vous qui était son amie ? C'était Liesse
qui ne le haïssait pas, Liesse l'enjouée qui chantait à
la perfection, et qui, à peine âgée de sept ans, lui fit
don de son amour. Déduit la tenait par le doigt pour
danser, et elle de même. Ils formaient tous deux un
couple bien assorti, car il était beau, et elle tout autant.
Elle ressemblait par son teint à une rose fraîche éclose,
et sa chair était si tendre qu'on aurait pu la fendre avec
une toute petite épine. Elle avait le front blanc, lisse,
sans ride, les sourcils bruns et bien marqués, les yeux
joyeux et gais au point de rire avant la bouche par une
sorte de pacte. Je ne sais que vous dire du nez : on ne
l'eût pas mieux modelé en cire. Elle avait la bouche
toute petite et toujours prête à baiser son ami ; sa chevelure était blonde et brillante. Que vous dire de plus ?
Élégamment parée, elle portait (dans ses cheveux) un
galon d'or et une toute neuve couronne d'orfroi. Moi
qui en ai vu des quantités, jamais de ma vie je n'avais
vu couronne de soie si bien ouvrée. D'une étoffe de
soie toute dorée, son corps était somptueusement
paré : avec la même, on avait fait les habits de son ami,
et elle n'en était pas peu fière.

865. Près d'elle, de l'autre côté, se tenait le dieu
d'Amour, lui qui distribue les amours à sa guise,

C'est cis qui les amans justise
Et qui abat l'orguel des gens,
870 Et si fait des seignors sergens,
Et des dames refait baiesses
Quant il les trove trop engresses.
Li diex d'Amors de la façon
Ne resembloit mie garçon ;
875 De biauté fist mout a prisier.
Mes de sa robe devisier
Criens durement qu'entrepris soie,
Qu'il n'avoit pas robe de soie,
Ains avoit robe de floretes
880 Fete par fines amoretes.
A losenges, a escuciaus,
A oiselés, a lyonciaus
Et a bestes et a lepars
Fu la robe de toutes pars
885 Portraite, et ovree de flors
A diverseté de colors.
Flors y avoit de maintes guises,
Qui furent par grant sens assises.
Nulle flor en esté ne nest
890 Qui n'i fust, nes flors de genest,
Ne violete, ne pervanche,
Ne flor jaune, inde ne blanche.
Si ot par leus entremellees
Foilles de roses grans et lees.
895 Il ot ou chief un chapelet
De roses, mes rossignolet,
Qui entor son chief voletoient,
Les foilles jus en abatoient.
Il ere tous chargiés d'oisiaus,
900 De papegaus, de rossigniaus,
De calandres et de mesanges.
Il sembloit que ce fust un anges
Qui fust tantost venus du ciau.
Et si avoit un jovenciau
905 Qu'il fesoit estre iluec delés :
Douz Regars estoit appelés.
Icis jovenciaus regardoit

lui qui règne sur les amants et brise l'orgueil des gens, et qui fait des seigneurs des serviteurs, et des dames des servantes quand il les trouve trop fières. Le dieu d'Amour, par sa manière d'être, ne ressemblait pas à un misérable valet : sa beauté méritait de vifs éloges, mais, pour décrire son costume, je redoute fort d'être embarrassé, car son costume n'était pas en soie, mais il avait été amoureusement fait de petites fleurs. Des losanges, des écussons, des oiseaux, des lionceaux, des bêtes et des léopards étaient représentés sur toutes les parties du costume, et faits avec des fleurs aux couleurs très variées. Quant aux fleurs, il y en avait de toutes sortes qu'on avait très habilement disposées. Aucune qui pousse en été ne manquait, pas même celle du genêt, ni la violette, ni la pervenche, ni les jaunes, les bleues ou les blanches. Par endroits, on y trouvait, entremêlées, des feuilles de roses grandes et larges. Il portait sur la tête une couronne de roses, mais les rossignols qui voletaient autour, en abattaient les feuilles. Il était tout couvert d'oiseaux, de perroquets, de rossignols, de calendres et de mésanges. Il avait tout l'air d'un ange récemment venu du ciel.

904. Il y avait aussi un jouvenceau qu'il gardait à ses côtés, et qui s'appelait Doux Regard. Ce jouvenceau regardait

Les caroles, et si gardoit
Au dieu d'Amors deus ars turquois.
910 Li uns des ars si fu d'un bois
Dont li fus est mal savorés.
Tous plains de nouz et bocerés
Fu cis ars dessous et desore,
Et si estoit plus noirs que more.
915 Li autres ars fu d'un plançon
Longuet et de gente façon ;
Il fu bien fais et bien dolés
Et si fu mout bien pipelés :
Dames y ot de tous sens pointes,
920 Et valés envoisiés et cointes.
Avec ces ars tint Dous Regars,
Qui ne sembloit mie estre gars,
Jusqu'a dis des floches son mestre.
Il en tint cinc en sa main dextre,
925 Mes mout orent icés cinc floiches
Les penons bien fais et les coiches ;
Si furent toutes a or pointes.
Fors et trenchans orent les pointes
Et aguës por bien percier ;
930 Et si n'i ot fer ni acier ;
Onc riens n'i ot qui d'or ne fust,
Fors que les penons et le fust,
Qu'elles furent encarrelees
De saietes d'or barbelees.
935 La meillor et la plus ynele
Des saietes, et la plus bele,
Et cele ou li meillor penon
Furent enté, Biautez ot non.
Une de celes qui plus blece
940 Ot non, ce m'est avis, Simplece.
Une en y ot appellee
Franchise : cele ert grant et lee,
De valeur et de cortoisie.
La quarte avoit non Compaignie ;
945 En cele ot mout pesant saiete ;
Cele n'est pas d'aler loing preste ;
Mes qui de pres en vosist traire,

les rondes et veillait pour le dieu d'Amour sur deux arcs de Turquie. L'un d'eux, fait d'un bois à l'odeur âcre, était tout plein de nœuds et de bosses tant dessous que dessus, et plus noir que la mûre. L'autre, fait d'une tige assez longue et de forme élégante, était finement taillé et lisse, orné aussi de très belles figures : des dames y étaient peintes de toutes les manières, et des jeunes gens enjoués et gracieux. Avec ces arcs Doux Regard, qui n'avait rien d'un pauvre valet, tenait au moins dix flèches de son maître.

924. Il en tenait dans sa main droite cinq, qui avaient des empennes et des encoches fort bien faites, et qui étaient toutes peintes en or. Les pointes en étaient fortes et tranchantes, acérées au point de transpercer, et pourtant il n'y avait ni fer ni acier : rien que de l'or, hormis les empennes et la tige, car elles étaient toutes munies de carreaux d'or barbelés. La meilleure et la plus rapide des flèches, et aussi la plus belle, celle où l'on avait fixé les meilleures empennes, avait pour nom Beauté. Une de celles qui blesse le plus, était nommée, à mon avis, Simplicité. Une autre était appelée Franchise : elle était grande et large, valeureuse et courtoise. La quatrième portait le nom de Compagnie : pourvue d'une pointe très pesante, elle n'était pas faite pour aller loin ; mais celui qui aurait voulu la tirer de près,

Il en peüst assés mal faire.
La quinte avoit non Biau Semblant :
950 Ce fu toute la mains grevant,
Ne porquant el fait mout grant plaie ;
Mes cis atent bonne menaie
Qui de celle floiche est plaiés ;
Ses maus est mout bien emploiés,
955 S'en doit estre sa dolor mendre,
Car il puet tost santé atendre.
Cinc floiches y ot d'autre guise
Qui furent ledes a devise ;
Li fust estoient et li fer
960 Plus noir que dÿable d'enfer.
La premiere avoit non Orguiaus ;
Li autre qui ne vaut pas miaus
Fu appellee Vilonnie ;
Celle si fu de felonnie
965 Toute tainte et envenimee.
La tierce fu Honte clamee,
Et la quarte Desesperance ;
Noviaus Pensers fu sans doutance
Appelee la darreniere.
970 Ces cinc floiches d'une maniere
Furent, et mout bien resemblables.
Mout par lor estoit convenables
Li uns des ars, tant fu hideus
Et plains de neus et eschardeus ;
975 Il devoit bien tex floiches traire.
Car el orent force contraire
As autres cinc floiches sans doute.
Més ne diré pas ore toute
Lor forces et lor poëtés ;
980 Bien vous sera la verités
Contee et la signifiance.
Nel metré pas en obliance,
Ains vous dirai que tout ce monte
Ainçois que je fine mon conte.
985   Or revendré a ma parole.
Des nobles gens de la carole
M'estuet dire les convenances

aurait pu causer beaucoup de mal. Le cinquième se nommait Beau Semblant : c'était la moins douloureuse, bien qu'elle produise une très grande plaie ; mais on peut espérer une protection efficace quand on est blessé de cette flèche : le mal qu'on en subit est très salutaire, et la douleur en doit être moindre, car on peut espérer une guérison rapide.

957. Il y avait cinq flèches d'une autre sorte, qui étaient laides à souhait. Les tiges et les fers étaient plus noirs que les diables de l'enfer. La première se nommait Orgueil. La deuxième, qui ne valait pas mieux, s'appelait Vilenie ; elle était toute teinte et infectée de tromperie. La troisième était dénommée Honte, et la quatrième Désespoir. Inconstante Pensée était sans aucun doute le nom de la cinquième. Ces cinq flèches appartenaient à la même espèce et se ressemblaient étonnamment. Elles étaient tout à fait assorties à l'un des arcs, tellement il était hideux et plein de nœuds et d'écharbes. Il était normal qu'il tire de telles flèches, car elles avaient une vertu opposée à celle des cinq autres flèches, c'est indubitable. Mais je ne vous dirai pas dès maintenant par le détail leur vertu ni leur pouvoir. La vérité vous en sera révélée, ainsi que la signification. Je ne le passerai pas sous silence, mais je vous dirai ce que tout cela signifie avant de terminer mon récit.

985. Je vais maintenant revenir à mon propos. Des nobles personnes de la ronde, il me faut décrire le caractère,

Et les façons et les semblances.
Li diex d'Amors se fu bien pris ;
990   A une dame de haut pris
Se fu de mout pres ajoustés.
Icele dame ot non Biautés,
Aussi cum une des dis fleches.
En li ot maintes bonnes teches :
995   El ne fu oscure ne brune,
Ains fu clere comme la lune
Envers qui les autres estoiles
Resemblent petites chandoiles.
Tendre ot la char comme rousee,
1000 Simple fu cum une espousee,
Et blanche comme flor de lis,
Si ot le vis cler et alis,
Et fu grelete et alignie.
Ne fu fardee ne guignie,
1005 Car el n'avoit mie mestier
De soi tifer, ne d'afetier.
Les chevous ot blondés et lons,
Qui li batoient as talons.
Nez ot bien fait et yex et bouche.
1010 Mes grant doceur au cuer me touche,
Si m'aïst Diex, quant il me membre
De la façon de chascun membre,
Qu'il n'ot si belle fame ou monde.
Briement el fu jonete et blonde,
1015 Sade et plesant, aperte et cointe,
Grasse, grelete et bien jointe.
    Delez Biauté se tint Richece,
Une dame de grant hautece,
De grant pris et grant afaire.
1020 Qui a li ni as siens mesfaire
Osast riens par fais ou par dis,
Il fust mout fiers et mout hardis,
Qu'ele puet mout nuire et aidier.
[Ce n'est mie ne d'ui ne d'ier]
1025 Que riches gens ont grant poissance
De faire aïde ou nuisance.
Tuit li grignor et li menor

l'allure et la manière d'être. Le dieu d'Amour avait choisi une bonne place, tout près d'une dame de grande valeur.

992. Cette dame se nommait Beauté, tout comme l'une des dix flèches. Elle avait beaucoup de qualités. Elle n'était ni basanée ni brune, mais elle avait la clarté de la lune par rapport à qui les autres étoiles semblent être de petites chandelles. Elle avait la chair tendre comme la rosée ; elle était modeste comme une jeune mariée et blanche comme une fleur de lis. Le visage clair et lisse, mince et élancée, elle n'était ni fardée ni maquillée, car elle n'avait pas besoin de se parer d'ornements. Elle avait les cheveux blonds et longs qui descendaient jusqu'aux talons, le nez bien fait tout comme les yeux et la bouche. Mais une grande douceur me pénètre le cœur, je vous l'affirme, quand je me rappelle la forme de chacun de ses membres : il n'y avait si belle femme au monde. Pour faire bref, elle était très jeune, blonde, agréable, charmante, fine et élégante, potelée, mince et vive.

1017. À côté de Beauté se tenait Richesse, une dame de bonne noblesse, de grande valeur et de haut rang. Celui qui aurait osé lui faire du mal à elle et aux siens, en actes ou en paroles, aurait été bien orgueilleux et audacieux, car elle peut causer de graves préjudices ou apporter une aide précieuse. Ce n'est pas d'aujourd'hui ni d'hier que les riches sont tout-puissants pour aider ou pour nuire. Tous, les plus grands comme les plus humbles,

Portoient a Richece honor ;
Tuit baoient a li servir
1030 Por l'amor de li deservir ;
Chascuns sa dame la clamoit,
Car tous li mondes la cremoit ;
Tous li mons ert en son dangier.
En sa cort ot maint losengier,
1035 Maint traïtor, maint envieus
Ce sont cil qui sont curieus
De desprisier et de blamer
Tous ceus qui font miex a amer.
Par devant, por eus losengier,
1040 Loent les gens li losengier ;
Tout le monde par parole oignent ;
Mes lor losenges les gens poignent
Par derrier ens jusques a l'os,
Qu'il abaissent des bons les los,
1045 Desloiautent les alosés.
Mains prodommes ont accusés
Li losengiers par lor losenges,
Car il font ceus des cors estranges
Qu'en deüssent estre privés.
1050 Mal puissent il estre arivés,
Icil losengier plain d'envie !
Car nus prodons n'aime lor vie.
    Richece ot d'une porpre robe,
Ne le tenés or pas a lobe,
1055 Que je vous dis bien et affiche
Qu'il n'ot si bele ne si riche
Ou monde, ne si envoisie.
La porpre fu toute orfroisie ;
Si ot portraites a orfrois
1060 Istoires de dus et de rois.
Si estoit au col bien orlee
D'une bende d'or naelee
Mout richement, sachiés sans faille ;
Si y avoit tretout a taille
1065 De riches pierres grant plenté,
Qui mout rendoient grant clarté.
[Richeice ot un mout cointe ceint,

révéraient Richesse ; tous aspiraient à la servir pour mériter son amour. Chacun la reconnaissait pour sa dame, car tout le monde la craignait, tout le monde était sous sa coupe. À sa cour vivaient force flatteurs, force traîtres et force envieux : ce sont gens qui n'ont en tête que de déprécier et de blâmer ceux qui méritent le plus d'être aimés. Par-devant, pour les abuser, les flatteurs glorifient les gens et passent de la pommade à tout le monde ; mais leurs flatteries les transpercent par-derrière jusqu'à l'os, car ils rabaissent la renommée des bons et discréditent les gens de renom. Beaucoup d'hommes de bien ont été noircis par les mensonges des flatteurs, car ils bannissent des cours ceux qui devraient en être les habitués. Puissent-ils aborder aux rives du malheur, ces flatteurs pleins d'envie ! Car nul homme de bien n'aime leur vie.

1053. Richesse portait une robe de pourpre : ne le prenez pas pour un mensonge, car je vous l'affirme solennellement, il n'y en avait pas au monde d'aussi belle, ni d'aussi somptueuse, ni d'aussi charmante. La pourpre était toute tissée de fils d'or, avec lesquels on avait brodé des histoires de ducs et de rois ; l'encolure en était ourlée d'une bande d'or somptueusement incrustée d'émaux, soyez-en tout à fait convaincus. Et il y avait sur toute la surface une profusion de pierres précieuses qui projetaient une vive lumière. Richesse avait une très élégante ceinture :

Onc fame plus riche ne ceint.
La boucle d'une pierre fu
1070 Qui ot grant force et grant vertu.] H.
Car cis qui sor soi la portoit
Nes un venin ne redoutoit ;
Nus nel pooit envenimer ;
Tex pierres font bien a porter :
1075 [Ele vausist a un riche home
Plus que trestoz li ors de Rome.] H.
D'une pierre fu li mordens,
Qui garissoit du mal des dens,
Et si avoit un tel aür
1080 Que cis pooit estre aseür
Tretous les jors de sa veüe
Qui au matin l'eüst veüe.
Li clo furent d'or esmeré
[Qui furent el tesu doré ;] H.
1085 Et estoient gros et pesant :
En chascun ot bien un besant.
   Richece ot sus ses treces sores
Un cercle d'or ; onques encores
Ne fu veüs si biaus, ce cuit.
1090 Li cercles fu d'or fin recuit ;
Mes cis seroit bons devisierres
Qui vous savroit toutes les pierres
Qui y estoient deviser,
Car nus ne les peüst priser.
1095 Mes les pierres forment valoient
Qui en l'or assises estoient.
Rubis y ot, safirs, jagonces,
D'esmeraudes plus de dix onces.
S'ot pardevant par grant mestrise
1100 Une escharboucle ou cercle assise,
Dont la pierre si clere estoit
Que maintenant qu'il anuitoit
L'en s'en veïst bien au besoing
Conduire d'une liue loing.
1105 Tel clarté des pierres issoit
Qu'a Richece en resplendissoit
Durement le vis et la face,

jamais femme n'en porta d'aussi riche. La boucle était faite d'une pierre dotée d'une grande puissance et d'une grande vertu, car celui qui la portait sur lui ne redoutait pas un seul poison : personne ne pouvait l'empoisonner. Il fait bon porter de telles pierres. Aux yeux d'un riche, elle aurait valu plus que tout l'or de Rome. Le fermoir était fait d'une pierre qui guérissait du mal de dents, et dont la vertu était telle qu'on pouvait être en sécurité tous les jours où on l'avait vue, quand on l'avait vue le matin. Les clous étaient en or pur dans le tissu doré ; gros et pesants, chacun équivalait bien à un besant.

1087. Richesse portait sur ses tresses blondes un cercle d'or ; jamais encore on n'en avait vu d'aussi beau, je crois. Ce cercle était en or fin recuit. Mais ce serait un bon narrateur que celui qui saurait vous décrire toutes les pierres qu'on y trouvait, car personne n'aurait pu en estimer le prix : à elles seules les pierres, serties dans l'or, valaient une fortune. Il y avait des rubis, des saphirs, des hyacinthes, et plus de dix onces d'émeraudes ; et, sur le devant, était sertie dans le cercle, avec un art consommé, une escarboucle dont la pierre était si lumineuse que, aussitôt qu'il faisait nuit, on aurait vu distinctement, en cas de besoin, pour se guider, jusqu'à une lieue. Il sortait des pierres une telle clarté que Richesse en avait tout le visage qui brillait d'un vif éclat,

Et entour li toute la place.
　　Richece tint parmi la main
1110 Un vallet de grant biauté plain :
Ce fu ses amis verités.
Ce fu uns blons qui en biautés
Maintenir mout se delitoit.
Cis se chauçoit bien et vestoit
1115 Et avoit les chevaus de pris.
Cis cuidast bien estre repris
Ou de murtre ou de larrecin
S'en s'estable eüst nul roncin.
Por ce amoit mout l'acointance
1120 De Richece et la connoissance,
Qu'il avoit tous jors son apens
A demener les grans despens ;
Et el le pooit bien soffrir
Et tous ses despens maintenir :
1125 El li donnoit autant deniers
Cum s'el les puisast en greniers.
　　Aprés se fu Largece prise,
Qui fu bien duite et bien aprise
De fere honor et de despendre.
1130 El fu du linage Alixandre,
Si n'avoit tel joie de rien
Cum quant el pooit dire : « tien ».
Nes Avarice la chetive
N'ert pas si a prendre ententive
1135 Cum Largece ere de donner ;
Et Diex li fesoit foisonner
Ses biens, si qu'ele ne savoit
Tant donner cum el plus avoit.
Mout a Largece pris et los ;
1140 El a les sages et les fos
Outreement a son bandon,
Car el savoit fere biau don.
S'ensi fust qu'aucuns la haïst,
Je croi bien que elle en feïst
1145 Son ami par son grant servise ;
Et por ce ot elle a devise
L'amor des povres et des riches.

comme, autour d'elle, toute la place.

1109. Richesse tenait par la main un jeune homme resplendissant de beauté. C'était son ami de son cœur. Il était blond et se plaisait à vivre dans la beauté : il se chaussait et s'habillait avec goût, et il avait des chevaux de prix. Il aurait pensé être accusé de meurtre ou de vol s'il avait eu dans son écurie un vulgaire roussin. C'est pourquoi il appréciait beaucoup l'amitié et la compagnie de Richesse, ne pensant tous les jours qu'à mener grand train ; et elle pouvait bien en supporter les frais et faire face à toutes ses dépenses : elle lui donnait autant de deniers que si elle les avait puisés dans des greniers.

1127. À la suite avait pris place Largesse qu'on avait bien éduquée et instruite à honorer les gens et à prodiguer l'argent. Elle était du lignage d'Alexandre, et n'était jamais aussi heureuse que lorsqu'elle pouvait dire : « Tiens ! » Même la misérable Avarice n'était pas aussi attentive à prendre que Largesse à donner ; et Dieu multipliait ses biens en sorte que ses dons ne pouvaient suivre la progression de sa fortune. Très estimée et renommée, Largesse dispose totalement des sages et des fous, car elle sait faire de beaux dons. S'il était arrivé que quelqu'un la haït, je crois qu'elle aurait fait de lui son ami par sa grande obligeance. C'est pour cette raison qu'elle disposait à discrétion de l'amour des pauvres et des riches.

[Moult est fos haus hons qui est chiches.]
Haus hons ne puet avoir nul vice
1150 Qui tant li griet cum avarice ;
Car hons avers ne puet conquerre
Ne seignorie ne grant terre,
Car il n'avra d'amis plenté
Dont il face sa volenté.
1155 Mes qui amis vodra avoir,
Si n'ait mie chier son avoir,
Mes par biaus dons amis aquiere ;
Car trestout en autel maniere
Cum la pierre de l'aïmant
1160 Trait a soi le fer soutilmant,
Aussi atrait les cuers des gens
Li ors qu'en done et li argens.

      Largece ot robe toute freche
D'une porpre Sarrazineche.
1165 S'ot le vis bel et bien formé ;
Mes el ot son col desfermé,
Qu'el avoit iluec en present
A une dame fet present,
N'avoit gueres, de son fremau ;
1170 Et ce ne li seoit pas mau
Que sa chevessaille ere ouverte,
Et sa gorge si descouverte
Que parmi outre la chemise
Li blanchoioit sa char alise.
1175 Largece la vaillant, la sage,
Tint un chevalier du linage
Le bon roi Artu de Bretaigne ;
Ce fu cis qui porta l'ensaigne
De Valour et le confanon.
1180 Encor est il de tel renon
Que l'en conte de lui les contes
Et devant rois et devant contes.
Cis chevaliers novelement
Fu venu d'un tornoiement,
1185 Ou il ot faite por s'amie
Mainte jouste et mainte envaïe ;
Maint hiaume y avoit desseclé

C'est grande folie pour un homme de haut rang que d'être chiche. Un homme de haut rang ne peut avoir de vice qui lui nuise autant que l'avarice ; car un homme avare ne peut conquérir seigneurie ni grand territoire, car il n'aura pas quantité d'amis dont il fasse ce qu'il veut. Mais si l'on veut avoir des amis, qu'on ne soit pas attaché à sa richesse, mais que par de beaux dons on se gagne des amis. En effet, exactement de la même manière que la pierre de l'aimant attire à soi le fer insensiblement, de même les cœurs de gens sont attirés par l'or et l'argent qu'on donne.

1163. Largesse portait une robe toute neuve en pourpre sarrasine, et son visage était beau et bien conformé. Mais elle avait le col ouvert, car elle venait tout juste de faire présent ici même à une dame de sa broche ; et il ne lui convenait pas mal que son encolure fût ouverte et sa gorge découverte si bien que, sous sa chemise, éclatait la blancheur de sa douce peau.

1175. Largesse, la valeureuse et la sage Largesse, tenait la main d'un chevalier du lignage du bon roi Arthur de Bretagne : ce fut lui qui porta l'enseigne et le gonfanon de Valeur, et dont le renom est encore tel qu'on raconte sur lui des contes devant les rois et les comtes. Ce chevalier était récemment revenu d'un tournoi, où il avait fait pour son amie mainte joute et mainte charge, où il avait brisé le cercle de maint heaume,

Et percié maint escu bouclé,
Et maint chevalier abatu
1190 Et pris par force et par vertu.
     Aprés ceus se tenoit Franchise,
Qui n'ere pas brune ne bise,
Ains ere blanche comme noiz,
Et n'avoit pas nés d'Orlenoiz,
1195 Ainçois ot nés lonc et traitis,
Iex vairs, rians, sorcis votis,
S'ot les chevous blondés et lons,
Et fu plus simple qu'uns coulons.
Le cuer ot dous et debonnere,
1200 Elle n'osast dire ne fere
A nuli riens qu'el ne deüst ;
Et s'ele un homme cogneüst
Qui fust destrois por s'amitié,
Tost en eüst, ce croi, pitié ;
1205 El ot le cuer si piteable
Et si dous et si amiable
Que se nus por li mal traisist,
S'el ne li aidast, el crainsist
Qu'el feïst molt grant vilonnie.
1210 El fu en une souquanie
Qui ne fu mie de borras :
N'ot si friche jusqu'à Arras,
Car el fu si coillie et jointe
Qu'il n'i avoit pas une pointe
1215 Qui a son droit ne fust assise.
Mout fu bien vestue Franchise,
Car nulle robe n'est si belle
Que souquanie a damoiselle.
Fame est plus cointe et plus mignote
1220 En souquanie que en cote
La souquanie, qui fu blanche,
Segnefioit que douce et franche
Estoit cele qui la vestoit.
Uns bachelers jones s'estoit
1225 Pris a Franchise lez a lez.
Ne sai comment ert appelez
Mes biaus estoit, se il fust ores

et percé la bosse de maint bouclier, et abattu et capturé maint chevalier par sa force et son efficacité.

1191. Après ceux-ci se tenait Franchise qui n'était ni brune ni basanée, mais elle était blanche comme neige. Elle n'avait pas le nez (camus) des gens d'Orléans, mais elle avait un nez long et bien fait, des yeux vifs et riants, des sourcils arqués, et aussi des cheveux blonds et longs, et elle était plus modeste qu'une colombe. Le cœur doux et généreux, elle n'aurait osé dire ni faire à personne rien qu'elle n'aurait dû, et si elle avait connu un homme qui fût en difficulté par amitié pour elle, elle l'aurait vite, je crois, pris en pitié ; elle avait le cœur si miséricordieux, si doux et si tendre que, si quelqu'un avait souffert pour elle et qu'elle ne l'eût pas aidé, elle aurait craint de commettre une grande infamie. Elle portait une souquenille qui n'était pas en gros drap : il n'y en avait pas d'aussi fringante jusqu'à Arras, car elle était si bien ajustée et assemblée qu'il n'y avait pas un point de couture qui ne fût à sa place. Franchise était fort bien habillée, car aucun habit n'est aussi beau pour une demoiselle qu'une souquenille : une femme est plus distinguée et plus élégante en souquenille qu'en cotte. La souquenille, qui était blanche, signifiait que douce et généreuse était celle qui la portait. Un jeune gentilhomme s'était placé tout à côté de Franchise. Je ne sais comment on l'appelait, mais il était d'une beauté qui n'eût pas déparé

Fix au seigneur de Guinesores.
　　Aprés se tenoit Cortoisie,
1230　Qui mout estoit de tous prisie ;
　　Si n'ere orguilleuse ne fole.
　　C'est cele qui a la quarole,
　　La soe merci, m'apela
　　Ains que nulle, quant je vins la.
1235　Elle ne fu nice n'ombrage,
　　Mes sage et entre et sans outrage,
　　De biaus respons et de biaus dis ;
　　Onc nus ne fu par li laidis,
　　N'a autrui ne porta rancune.
1240　Elle fu une clere brune
　　A vis escuré et luisant ;
　　Je ne sai fame plus plesant.
　　El ere en toutes cors bien digne
　　D'estre empereris ou roÿne.
1245　A li se tint uns chevaliers
　　Acointables et biaus parliers,
　　Qui sot bien faire honor as gens.
　　Li chevaliers fu biaus et gens,
　　Et as armes bien acesmés,
1250　Et de s'amie bien amés.
　　　La bele Oiseuse vint aprés,
　　Qui se tint de moi assés prés.
　　De cele vous ai dit sans faille
　　La façon et toute la taille ;
1255　Ja plus ne vous en iert conté,
　　Car ce fu cele qui bonté
　　Me fist si grant qu'elle m'ovri
　　L'uis du vergier, soe merci.
　　　Aprés se tint, mien esciant,
1260　Jonece au vis cler et riant,
　　Qui n'avoit pas encor passés,
　　Si cum je croi, quinze ans d'assés.
　　Nice fu et si ne pensoit
　　Nul mal, ne nul engin qui soit,
1265　Ainçois ert envoisie et gaie,
　　Car jone chose ne s'esmaie
　　Fors de joer, bien le savés.

le fils du seigneur de Windsor.

1229. Après se tenait Courtoisie que tout le monde vénérait. Elle n'était ni orgueilleuse ni folle. C'est elle qui m'invita, avant toute autre, à entrer dans la ronde (je l'en remercie) lorsque j'arrivais en ce lieu. Elle n'était ni niaise ni ombrageuse, mais avisée et raisonnable, et jamais outrancière ni dans ses réponses ni dans ses propos qui étaient aimables. Jamais personne ne fut par elle outragé, jamais elle ne fut rancunière envers autrui. Brune au teint clair, elle avait un visage immaculé et brillant. Je ne connais pas de femme plus avenante. Elle était bien digne d'être dans toutes les cours impératrice ou reine. Elle donnait la main à un chevalier affable et disert qui savait bien honorer les gens. Ce chevalier était beau et élégant, habile aux armes, et tendrement aimé de son amie.

1251. La belle Oiseuse venait ensuite : elle se tenait tout près de moi. De celle-ci je vous ai exactement décrit le maintien et l'allure. Il ne vous en sera rien dit de plus car c'est elle qui fut à mon égard si bienveillante qu'elle m'ouvrit la porte du verger, je l'en remercie !

1259. Après se tenait, à ma connaissance, Jeunesse au visage clair et riant, qui n'avait pas encore, à mon avis, dépassé de beaucoup les quinze ans. Elle était candide et ne songeait à aucun mal ni à aucune finesse quelle qu'elle soit, mais elle était folâtre et gaie, car une jeune créature ne se préoccupe que de jouer, vous le savez bien.

Ses amis fu de li privés
En tel guise qu'il la besoit
1270 Toutes les fois que li plesoit,
Voians tous ceus de la quarole ;
Car qui d'aus deus tenist parole,
Il n'en fussent ja vergondeus,
Ains les veïssiez entr'aus deus
1275 Baisier cumme deus colombiaus.
Li valés fu jones et biaus,
Si estoit bien d'autel aage
Com s'amie et d'autel corage.
      Ensi quaroloient ilueques
1280 Cestes gens, et autres aveques,
Qui estoient de lor mainnies.
Franches gens et bien enseignies
Et gens de bel afetement
Estoient tuit communement.
1285 Quant j'oi veües les semblances
De ceus qui menoient les dances,
J'oi lors talent que le vergier
Alasse veoir et cerchier,
Et remirer ces biaus loriers,
1290 Ces pins, ces codres, ces moriers.
Les quaroles ja remanoient,
Et tuit li plusor s'en aloient
Ô lor amies ombroier
Sous ces arbres por donoier.
1295 Diex ! cum menoient bonne vie !
Fox est qui de tel n'a envie.
Qui autel vie avoir porroit
De mendre bien se sofferroit.
Il n'est nus graindres parevis
1300 D'avoir amie a son devis.
      D'ilueques me parti atant,
Si m'en alai seus esbatant
Par le vergier de ça en la ;
Et li diex d'Amors appella
1305 Tretout maintenant Dous Regart.
N'a plus cure que il li gart
Son arc ; donques sans plus atendre

Son ami était familier avec elle à un point tel qu'il l'embrassait aussi souvent qu'il le désirait, sous le regard de tous les danseurs de la ronde : même si l'on avait bavardé sur leur compte, loin d'en éprouver de la honte, on les aurait vus se baiser l'un l'autre comme deux tourtereaux. Le garçon était jeune et beau, et il avait bien le même âge que son amie, et les mêmes sentiments.

1279. Ainsi dansaient en ce lieu ces gens, et d'autres avec, qui faisaient partie de leurs maisons. Noblesse, bonne éducation, manières distinguées : voilà ce que tous avaient en commun.

1285. Quand j'eus vu la figure de ceux qui conduisaient les danses, j'eus alors envie d'aller voir et explorer le verger, et de contempler les beaux lauriers, les pins, les noisetiers, les mûriers. Les rondes alors s'achevaient, et la plupart s'en allaient rechercher avec leurs amies l'ombre des arbres pour s'adonner à l'amour. Dieu ! Comme ils menaient une vie agréable ! Fou est celui qui n'en a pas envie. Qui pourrait avoir une telle vie se passerait d'un bien inférieur. Il n'existe pas de plus grand paradis que d'avoir une amie à sa disposition.

1301. Je quittai alors cet endroit, et je m'en allai seul, me divertissant ici et là dans le verger. Or voici que le dieu d'Amour appela sur-le-champ Doux Regard. Il ne se préoccupait plus qu'il lui gardât son arc, mais, sans plus attendre,

L'arc li a commandé a tendre,
Et cis gaires n'i atendi :
1310 Tout maintenant l'arc li tendi,
Si le li baille, et cinc saietes
Fors et poissans, de trere prestes.
Li diex d'Amors tantost de loing
Me prist a sivre, l'arc ou poing.
1315 Or me gart Diex de mortel plaie,
Se il fait tant qu'il a moi traie !
Je qui de ce ne soi noiant,
Touz jors m'alai esbanoiant
Par le vergier tout a delivre ;
1320 Et cis pensa bien de moi sivre,
Mes en nul leu ne m'arresté
Devant que j'oi par tout esté.
Li vergiers par compasseüre
Si fu de droite quarreüre,
1325 S'ot de lonc autant cum de large.
Nus arbres qui soit, qui fruit charge,
Se n'est aucuns arbres hideus,
Dont il n'i ait ou un ou deus
Ou vergier, ou plus, ce devient.
1330 Pomiers y ot, bien m'en sovient,
Qui chargoient pomes grenades :
C'est uns fruis mout bons a malades.
De noiers y ot grant foison
Qui chargoient en lor saison
1335 Un tel fruit cum sont nois mugades,
Qui ne sont ameres ne fades ;
Alemandiers y ot planté,
Et si ot ou vergier planté
Maint figier, et maint biau datier ;
1340 I trouvast, qu'en eüst mestier,
Cloz de girofle et requelice,
Ou vergier, et mainte device,
Graine de paradis novelle,
Citoal, anis et canelle,
1345 Et mainte espice delitable
Que bon mengier fait aprés table.
Ou vergier ot arbres domeches

il lui commanda de le lui tendre, et l'autre ne tarda guère : incontinent, il lui tendit l'arc, il le lui donna, ainsi que cinq flèches fortes et puissantes, prêtes au tir. Le dieu d'Amour, aussitôt, se prit à me suivre de loin, l'arc au poing. Puisse Dieu me garder d'une plaie mortelle, s'il en vient à tirer sur moi ! Or moi qui ne savais rien de cela, je continuai à me distraire à travers le verger, en toute liberté, et lui, de s'appliquer à me suivre, mais je ne m'arrêtai nulle part, avant d'avoir parcouru tout le verger.

1323. Celui-ci, par son tracé exact, constituait un carré parfait, étant aussi long que large. Nul arbre existant, porteur de fruit (hormis quelque espèce hideuse) dont il n'y eût un ou deux spécimens en ce verger, ou plus peut-être. Il y avait des pommiers, je m'en souviens bien, porteurs de grenades : c'est un fruit très bon pour les malades. Il y avait des noyers à profusion qui produisaient en leur saison un fruit comme les noix muscades qui ne sont ni amères ni fades. Il y avait des amandiers en quantité ; et l'on avait aussi planté dans le verger maint figuier et maint beau dattier. En cas de besoin, on eût trouvé dans le verger des clous de girofle et de la réglisse, et maint aromate, de la graine de paradis nouvelle, de la zédoaire, de l'anis et de la cannelle, et mainte épice délicieuse qu'il fait bon manger après le repas.

1347. Dans le verger, il y avait des arbres fruitiers

Qui chargoient et coins et peches,
Nefles, prunes blanches et noires,
1350 Chataignes, nois, pommes et poires,
Cerises freches, vermeilletes,
Cormes, alies et noizetes.
De grans loriers et de haus pins
Refu tous peuplés li jardins,
1355 Et d'oliviers et de ciprés
[Dont il n'a gaires ici pres.]
Ormes y ot, branchus et gros,
Et avec ce charmes et fos,
Codres droites, trembles et frenes,
1360 Erables, haus sapins et chenes.
Que vous iroie je notant ?
De divers arbres y ot tant
Que molt en seroie encombrés
Ains que les eüsse nombrés.
1365 Sachiés por voir li arbre furent
Si loing a loing cum estre durent ;
Li uns fu loing de l'autre assis
Plus de cinc toises ou de sis ;
Mes li rain furent lonc et haut,
1370 Et por le leu garder de chaut
Furent si espés par deseure
Que li solaus en nes une eure
Ne pooit a terre descendre
Ne faire mal a l'erbe tendre.
1375   Ou vergier ot dains et chevrions ;
Si y ot plenté d'escoirions
Qui par ces arbres gravissoient.
Connins y avoit, qui issoient
Toute jor hors de lor tenieres,
1380 Et en plus de trente manieres
Aloient entr'eus tornoiant
Sor l'erbe freche verdoiant.
Il ot par leus bonnes fontainnes,
Sans barbelotes et sans rainnes,
1385 Cui li arbre fesoient umbre,
Mes n'en sai pas dire le numbre.
Par petis tuiaus que Deduis

qui produisaient des coings et des pêches, des nèfles, des prunes blanches et noires, des châtaignes, des noix, des pommes et des poires, des cerises fraîches et vermeilles, des sorbes, des alizes et des noisettes. D'autre part, le jardin était couvert de grands lauriers et de hauts pins, d'oliviers et de cyprès dont il n'y a guère en cette région-ci. Il y avait des ormes branchus et gros, et aussi des charmes et des hêtres, des noisetiers tout droits, des trembles et des frênes, des érables, de grands sapins et des chênes. Que continuerais-je à noter ? De toutes sortes d'arbres il y avait tant que je serais dans un grand embarras avant de les avoir dénombrés. Soyez sûrs que les arbres étaient disposés de loin en loin à la distance qui convenait : ils étaient distants l'un de l'autre de plus de cinq toises ou de six ; mais les branches étaient longues et hautes ; et, pour protéger le lieu de la chaleur, elles étaient si épaisses par-dessus que le soleil ne pouvait, fût-ce une heure, descendre jusqu'à terre, ni nuire à l'herbe tendre.

1375. Dans le verger il y avait des daims et des chevreuils, et quantité d'écureuils qui grimpaient aux arbres, et des lapins qui sortaient toute la journée de leurs terriers, et qui en plus de trente manières faisaient entre eux des sauts et des gambades sur l'herbe fraîche qui verdoyait.

1383. Il y avait, de place en place, de bonnes sources, sans bestioles ni grenouilles, que les arbres ombrageaient, mais je ne puis les dénombrer. Par de petits tuyaux que Déduit

Y ot fet fere et par conduis
S'en aloit l'iaue aval, fesant
1390 Une noise douce et plesant.
Entor les ruissiaus et les rives
Des fontainnes sainnes et vives
Poignoit l'erbe espesse et drue ;
Aussi y peüst l'en sa drue
1395 Couchier comme sor une coite,
Car la terre estoit douce et moite
Por la fontainne, et y venoit
Tant d'erbe cum il convenoit.
Mes molt embelissoit l'afere
1400 Li leus, qui estoit de tel ere
Qu'il y avoit de flors plenté
Tous jors et yver et esté.
Violete y avoit trop bele,
Et pervenche freche et novele ;
1405 S'i ot flors blanches et vermeilles,
De jaunes en y ot merveilles ;
Trop par estoit la terre cointe,
Qu'elle ere piolee et pointe
De flors de diverses colors,
1410 Dont mout sont bonnes les odors.
Ne vous tendré pas longue fable
Du leu plesant et delitable ;
Orendroit m'en convendra tere,
Que je ne porroie retraire
1415 Du vergier toute la biauté
Ne la grant delitableté.
Je alai tant dextre et senestre
Que j'oi tout l'afere et tout l'estre
Du vergier cerchié et veü.
1420 Et li diex d'Amors m'a seü
Endementiers, en aguetant,
Cum li venierres qui atent
Que la beste en bon leu se mete
Por lessier aler la saiete.
1425   En un trop biau leu arrivé
Au darrenier, ou je trouvé
Une fontaine sous un pin.

avait fait agencer et par des conduits s'écoulait l'eau
avec un doux et agréable bruit. Autour des ruisseaux
et sur les bords des fontaines pures et vives, poussait
l'herbe épaisse et drue : aussi aurait-on pu y coucher
son amie comme sur un lit de plume, car la terre y
était douce et fraîche à cause de la source, et il en
sortait autant d'herbe qu'il fallait. Mais ce qui contri-
buait à la beauté du spectacle, c'est que le lieu était
d'une telle nature qu'il y avait toujours des fleurs à
profusion, hiver comme été — de très belles violettes,
des pervenches fraîches et nouvelles, des fleurs
blanches et vermeilles, et des jaunes à merveille.
L'endroit était particulièrement joli, car il était décoré
et peint de fleurs multicolores au parfum suave. Je ne
vous tiendrai pas de long discours sur les délices de ce
lieu charmant ; désormais je dois me taire, car je ne
pourrais pas retracer toute la beauté du verger, ni son
charme extraordinaire.

1417. J'allai tant à droite et à gauche que j'eus
exploré et examiné le verger dans tous ses aspects, et
le dieu d'Amour m'avait suivi pendant tout ce temps,
aux aguets comme le chasseur qui attend que la bête
soit en bonne position pour laisser partir sa flèche.

1425. J'arrivai, en fin de compte, en un endroit
magnifique où je trouvai une fontaine sous un pin.

Mes puis Charle ne puis Pepin
Ne fu aussi biaus pins veüs ;
1430 Et si estoit si haus creüs
Que ou vergier n'ot plus bel arbre.
Dedens une pierre de marbre
Ot Nature, par grant metrise,
Sous le pin la fontainne assise ;
1435 Si ot dedens la pierre escrites,
Ou bout amont, lectres petites,
Qui disoient que ci dessus
Se mori li biaus Narcissus.
     Narcisus fu uns damoisiaus
1440 Que Amors tint en ses roisiaus,
Et tant le sot Amors destraindre,
Et tant le fist plorer et plaindre
Que li convint a rendre l'ame ;
Car Equo, une haute dame,
1445 L'avoit amé plus que riens nee,
Et fu por lui si mal menee
Qu'el li dist que il li donroit
S'amor, ou elle se morroit.
Mes cis fu por sa grant biauté
1450 Plains de desdaing et de fierté,
Si ne la li vost otroier
Ne por chuer ne por proier.
Quant celle s'oï escondire,
Elle en ot tel duel et tel ire
1455 Et le tint en si grant despit
Qu'elle morut sans lonc respit.
Mes tout avant qu'ele morist
Elle pria Dieu et requist
Que Narcisus au cuer forache,
1460 Qu'elle trova d'amors si lasche,
Fust aproiés encore un jour
Et eschaufés de tel amour
Dont il ne peüst joie atendre ;
Si poroit savoir et entendre
1465 Quel duel ont li loial amant
Que l'en refuse si vilment.
     Cele priere fu renable,

Mais depuis Charlemagne et Pépin, on ne vit si beau
pin, et il avait poussé si haut que dans le verger il n'y
avait de plus bel arbre. Dans une pierre de marbre,
Nature, avec un art souverain, avait placé sous le pin
la fontaine ; et dans la pierre, au bord supérieur, il était
inscrit en petites lettres que là-dessus était mort le
beau Narcisse.

1439. Narcisse était un jeune homme qu'Amour
retint dans ses filets, et Amour sut tant le harceler, et
le fit tant pleurer et se plaindre qu'il lui fallut rendre
l'âme, car Écho, une grande dame, l'avait aimé plus
qu'aucun être au monde, et elle fut par lui si rudement
traitée qu'elle lui dit qu'il lui accorderait son amour ou
qu'elle en mourrait. Mais lui, à cause de sa grande
beauté, fut plein de dédain et de cruauté, et il ne vou-
lut pas lui céder en dépit de ses cajoleries et de ses
prières. Quand elle entendit qu'il l'éconduisait, elle en
éprouva un tel chagrin et une telle colère, elle se sentit
si humiliée qu'elle en mourut sans aucun délai. Mais
juste avant de mourir, elle pria et supplia Dieu de lui
accorder que Narcisse au cœur farouche, qu'elle avait
trouvé si indifférent à l'amour, fût à son tour un jour
oppressé et brûlé par un amour tel qu'il ne pût en
attendre de joie ; ainsi pourrait-il savoir et comprendre
quelle est la souffrance des amants loyaux qu'on
repousse si honteusement.

1467. Comme cette prière était fondée,

Et por ce la fist Diex estable,
Que Narcisus par aventure
1470 A la fontaine clere et pure
S'en vint dessous l'arbre umbroier,
Un jor qu'il venoit de chacier.
Il avoit soffert grant travau
De corre amont, de corre avau,
1475 Tant qu'il ot soif, por l'apreté
Du chaut, et pour la lasseté
Qui li ot tolue l'alainne.
Et quant il vint a la fontainne
Que li pins de ses rains covroit,
1480 Il se pensa que il bevroit.
Sus la fontaine tout adens
Se mist lors por boire dedens,
Si vit en l'iaue pure et nete
Son vis, son nés et sa bouchete,
1485 Et cis maintenant s'esbahi,
Car ses ombres l'ot si trahi
Qu'i cuida veoir la feture
D'un enfant bel a desmesure.
Lors se sot bien Amors vengier
1490 Du grant orgueil et du dangier
Que Narcisus li ot mené.
Bien li fu lors guerredonné,
Qu'il musa tant a la fontainne
Qu'il ama son umbre demainne,
1495 Si en fu mors a la parclose ;
Ce est la somme de la glose.
Car quant il vit qu'il ne porroit
Acomplir ce qu'il desirroit,
Et qui l'avoit si pris par fort
1500 Qu'il n'en pooit avoir confort
En nulle fin, ne en nul sens,
Il perdi d'ire tout son sens,
Et fu mors en peu de termine.
Ainsi si ot de la meschine
1505 Qu'il avoit d'amors escondite
Son guerredon et sa merite.
Dames, cest exemple aprenés,

Dieu l'exauça, si bien qu'il se trouva que Narcisse s'en vint à la fontaine claire et pure prendre le frais à l'ombre de l'arbre, un jour qu'il venait de chasser. Il avait souffert de grandes fatigues à courir par monts et par vaux, tant et si bien qu'il eut soif à cause de la chaleur torride et de l'épuisement qui l'avait mis hors d'haleine. Arrivé à la fontaine que le pin couvrait de ses rameaux, il eut l'idée de boire. Au-dessus de la fontaine, il se pencha alors pour y boire, et il vit dans l'eau pure et claire son visage, son nez et sa petite bouche : aussitôt il en fut frappé de stupeur, car son reflet le trompa si totalement qu'il crut voir les traits d'un enfant d'une beauté exceptionnelle. Alors Amour sut bien se venger du grand orgueil et de la fierté que Narcisse lui avait manifestés. Il en fut bien récompensé, car il musarda tant à la fontaine qu'il aima son propre reflet, et qu'il en mourut au bout du compte. Voilà l'essentiel de l'histoire. En effet, quand il vit qu'il ne pourrait obtenir ce qu'il désirait et qui le captivait si inéluctablement qu'il ne pouvait en trouver d'aucune manière aucune sorte de réconfort, il perdit la raison de chagrin et mourut en peu de temps. Ainsi reçut-il de la jeune fille dont il avait repoussé l'amour, sa juste récompense.

1507. Mesdames, méditez cette histoire,

Qui vers vos amis mesprenés ;
Car se vous les lessiés morir,
1510 Diex le vous saura bien merir.
   Quant li escris m'ot fait savoir
Que ce estoit tretout por voir
La fontainne au biau Narcisus,
Je m'en trais lors un poi ensus,
1515 Que dedens n'osai regarder,
Ains commençai a coarder,
Que de Narcisus me souvint
Cui malement en mesavint.
Mes je pensai puis qu'a seür,
1520 Sans poor de mavés eür,
A la fontainne aler pooie,
Por folie m'en retornoie.
De la fontainne m'apressai ;
Quant je fui prés, si m'abessai
1525 Por veoir l'iaue qui coroit,
Et la gravele qui paroit
Au fons, plus clere qu'argens fins.
De la fontainne c'est la fins,
Qu'en tout le monde n'ot si belle.
1530 L'iaue est tous jors freche et novelle,
Qui nuit et jor sort a granz ondes
Par deus doiz greuses et parfondes.
Tout entor croist l'erbe menue
Qui vient por l'iaue espesse et drue,
1535 Et en yver ne puet morir
Nes que l'iaue ne pot tarir.
Ou fons de la fontainne aval
Avoit deus pierres de cristal
Qu'a grant entente remirai.
1540 Et une chose vous dirai
Qu'a merveilles, ce croi, tendrés
Maintenant que vous l'entendrés.
Quant li solaus, qui tout aguiete,
Ses rais en la fontainne giete,
1545 Et la clartés aval descent,
Lors perent colors plus de cent
Es cristaus, car por le solel

vous qui êtes coupables envers vos amis ; car, si vous les laissez mourir, Dieu saura bien vous le faire payer.

1511. Quand l'inscription m'eut révélé que c'était certainement la fontaine du beau Narcisse, je m'en écartai un peu, car, loin d'oser y plonger mes regards, je commençai à avoir peur, me souvenant que Narcisse avait été victime d'une cruelle mésaventure. Mais je pensai ensuite que, en toute sécurité, sans redouter un malheur, je pouvais aller à la fontaine et que c'était folie de retourner sur mes pas. Je m'approchai de la fontaine ; une fois là, je me baissai pour voir l'eau qui coulait et le gravier qui apparaissait au fond, plus clair que l'argent pur. Pour la fontaine, voici le fin mot de l'histoire : dans le monde entier, il n'y en eut pas d'aussi belle. L'eau, toujours fraîche et nouvelle, jaillit nuit et jour à grandes ondes par deux conduites profondément creusées. Tout autour pousse l'herbe menue, épaisse et drue à cause de l'eau ; elle ne peut mourir en hiver, pas plus que l'eau ne peut tarir.

1537. Au fond de la fontaine, en bas, il y avait deux pierres de cristal, que je contemplai avec une grande attention. Et je vous dirai une chose que vous tiendrez, je crois, pour une merveille dès que vous en aurez connaissance. Quand le soleil, qui observe tout, projette ses rayons dans la fontaine et que sa clarté descend jusqu'au fond, alors apparaissent dans les cristaux plus de cent couleurs, car le soleil

Deviennent jaunes et vermel.
Si sont cil cristal merveilleus
1550 Et tel force ont que tous li leus,
Arbres et flors, et quanqu'aorne
Li vergiers, i pert tous a orne.
Et por faire la chose entendre
Un exemple vous vueil aprendre :
1555 Aussi cum li mirëoirs montre
Les choses qui li sont encontre
Et y voit l'en sans couverture
Et lor color et lor faiture,
Tretout aussi vous di por voir
1560 Que li cristal, sans decevoir,
Tout l'estre du vergier accusent
A ceus qui dedens l'iaue musent ;
Car touz jors, quel que part qu'il soient,
Grant partie du vergier voient ;
1565 Et s'il se tornent, maintenant
Pueent veoir le remanant.
Si n'i a si petite chose,
Tant soit repote ne enclose,
Dont demonstrance n'i soit faite
1570 Com s'el ert es cristaus portraite.
    C'est li mireors perilleus,
Ou Narcisus li orguilleus
Mira sa face et ses yex vers,
Dont il jut puis mors touz envers.
1575 Qui en cest mirëor se mire
Ne puet avoir garant ne mire
Que tel chose a ses yex ne voie
Qui d'amer l'a tost mis en voie.
Maint vaillant homme a mis a glaive
1580 Cis mirëors, car li plus saive,
Li plus preu, li miex afetié
I sont tost pris et aguetié.
Ci sort as gens noveles rages,
Ici se changent li corage,
1585 Ci n'a mestier sens ne mesure,
Ci est d'amer volenté pure,
Ci ne se set consillier nus ;

les fait devenir jaunes et vermeils. Ces cristaux sont si merveilleux et leur vertu est telle que tout le lieu, les arbres et les fleurs, et tout ce que le verger met en valeur, s'y voient dans son ordre exact. Pour faire comprendre ce qui se passe, je veux vous donner un exemple : de même que le miroir montre les choses qui lui font face et que l'on y voit nettement leur couleur et leur forme, exactement de même, je vous l'affirme comme la stricte vérité, les cristaux révèlent parfaitement toute l'ordonnance du verger à ceux qui musardent à contempler l'eau, car toujours, en quelque endroit qu'ils soient, ils voient une grande partie du verger, et s'ils font le tour, ils peuvent voir aussitôt le reste, et il n'existe pas de chose minuscule, si cachée et dissimulée soit-elle, qui ne soit dévoilée comme si elle était gravée dans les cristaux.

1571. C'est le miroir périlleux où Narcisse l'orgueilleux contempla son visage et ses yeux étincelants : il en mourut étendu sur le dos. Qui se contemple dans ce miroir ne peut trouver de protecteur ni de médecin qui l'empêche de voir de ses yeux tel objet qui a tôt fait de le mettre sur la voie de l'amour. Ce miroir a mis à mort maint homme de valeur, car les plus sages, les plus hardis, les mieux éduqués sont vite pris à son piège. Ici surgit au cœur des gens une rage nouvelle ; ici changent les sentiments ; ici sont sans pouvoir le bon sens et la mesure ; ici n'existe que le désir d'aimer ; ici nul ne sait se conduire,

Car Cupido, li filz Venus,
Sema ici d'Amors la grainne,
1590 Qui toute a tainte la fontainne,
Et fist ses las environ tendre,
Et ses engins i mist pour prendre
Damoiseles et damoisiaus,
Qu'Amors ne veut autres oisiaus.
1595 Por la grainne qui fut semee
Fu celle fontainne clamee
La Fontainne d'Amors par droit,
Dont plusor ont en lor endroit
Parlé en romans et en livre.
1600 Mes jamés n'orrés miex descrivre
La verité de la matere
Com je la vous vodré retrere.
    Après me pris a regarder
Et la fontainne a remirer
1605 Et les escris, qui me monstroient
Cent mile choses qui paroient.
Mes de fort hore m'i miré.
Las ! tant en ai puis soupiré !
Cis mirëors m'a deceü :
1610 Se j'eüsse avant cogneü
Quex sa force ert et sa vertus,
Ne m'i fusse ja embatus,
Car mentenant ou las chaï
Qui maint homme a pris et trahi.
1615 Ou miroër, entre mil choses
Choisi rosiers chargiés de roses
Qui estoient en un destour,
D'une haie clos tout entour ;
Adont me prist si grant envie
1620 Que ne lessasse por Pavie
Ne por Paris que je n'alasse
La ou je vi la grignor tasse.
Quant cele rage m'ot si pris,
Dont maint autre ont esté espris,
1625 Vers les rosiers tantost me trés ;
Et sachiés bien, quant j'en fui prés
[L'odor des roses savorees

car Cupidon, le fils de Vénus, sema ici la graine d'Amour qui a teint toute la fontaine, et fit tendre alentour ses lacets, et y mit ses pièges pour prendre demoiselles et damoiseaux, Amour ne voulant pas d'autres oiseaux. À cause de la graine qui fut semée, cette fontaine fut à bon droit appelée la Fontaine d'Amour, dont plusieurs ont parlé de leur côté en langue romane et en latin. Mais jamais vous n'entendrez mieux énoncer la vérité du sujet que de la manière dont je vous l'exposerai.

1603. Ensuite je me mis à regarder et à contempler la fontaine et les inscriptions, qui me montraient cent mille choses qui apparaissaient. Mais c'est sous de funestes auspices que je m'y contemplai. Hélas ! j'en ai depuis poussé tant de soupirs ! Ce miroir m'a trompé : si j'avais su quelles étaient sa force et sa puissance, je ne m'y serais pas précipité, car sur-le-champ je tombai dans les lacets qui ont pris et trahi plus d'un homme.

1615. Dans le miroir, entre mille choses, je discernai des rosiers chargés de roses qui étaient en un lieu écarté, complètement entourés d'une haie. Alors je fus pris d'une si forte envie que ni pour Pavie ni pour Paris je n'aurais laissé d'aller là où je vis le massif le plus dru. Quand j'eus été ainsi envahi de cette rage dont beaucoup d'autres ont été enflammés, je me dirigeai aussitôt vers les rosiers, et soyez persuadés que, lorsque j'en fus près, le parfum subtil des roses me pénétra

M'entra jusques en la coree,
Que por noiant fusse embasméz.
1630 Estre assailliz ou mesaméz] H.
Se ne criensisse, j'en coillisse
Au moins une que je tenisse
En ma main por l'odor sentir.
Mes poor oi du repentir,
1635 Car il en peüst de legier
Peser au seigneur du vergier.
    Des roses y ot grant monciau,
Aussi beles n'avoit sous ciau ;
Boutons y ot petis et clos,
1640 Et tex qui sont un poi plus gros ;
Si en y ot d'autre moison,
En tex leus y ot grant foison
Qui s'aprestoient d'espanir.
Et cil ne font pas a haïr :
1645 Les roses ouvertes et lees
Sont en un jor toutes alees,
Et li bouton durent tuit frois
A tout le mains deux jors ou trois.
Et cil bouton mout m'abelurent,
1650 Onc en nul leu si biau ne furent.
Qui em porroit un accrochier,
Il le devroit avoir mout chier ;
Se chapel en peüsse avoir,
Je n'amasse tant nul avoir.
1655 Entre ces boutons en eslui
Un si tres bel, qu'envers celui
Nus des autres riens ne prisé
Puisque je l'oi bien avisé ;
Car une color l'enlumine
1660 Qui est si vermeille et si fine
Con Nature la pot plus faire.
De foilles y ot quatre paire,
Que Nature par grant mestire
I ot assises tire a tire ;
1665 La coe est droite comme jons
Et par dessus siet li boutons
Si qu'il ne cline ne ne pent.

jusqu'aux entrailles, si bien qu'il eût été inutile de
m'embaumer. Si je n'avais craint d'être attaqué ou haï,
j'en aurais cueilli au moins une que j'aurais tenue dans
ma main pour en sentir le parfum. Mais j'eus peur de
le regretter, car ce geste aurait pu facilement déplaire
au seigneur du verger.

1637. Il y avait un grand amoncellement de roses :
il n'en existait pas d'aussi belles sous le ciel. Il y avait
des boutons petits et fermés, et certains un peu plus
gros ; il y en avait aussi d'une autre dimension, et par
endroits une grande quantité qui étaient sur le point
de s'épanouir. Ceux-ci ne sont pas à dédaigner : les
roses largement ouvertes sont en un seul jour toutes
passées, alors que les boutons gardent leur fraîcheur à
tout le moins deux jours ou trois. Ces boutons me
plurent beaucoup : jamais en aucun lieu il n'y en eut
d'aussi beaux. Celui qui pourrait en attraper un seul,
devrait y tenir infiniment ; si j'avais pu en faire une
couronne, je l'aurais aimée plus qu'aucune richesse.

1655. Parmi ces boutons, j'en choisis un d'une
beauté si exceptionnelle que, par rapport à celui-ci, je
n'accordai pas le moindre prix à aucun des autres, une
fois que je l'eus examiné, car une couleur l'illuminait,
aussi vermeille et aussi délicate que Nature pouvait la
faire. Pour les feuilles, il y en avait quatre paires que
Nature, avec un art consommé, avait disposées l'une
après l'autre. La tige était droite comme un jonc, et
au sommet se tenait le bouton sans retomber ni
pendre.

L'odor de lui entor s'espent ;
La soatume qui s'en ist
1670 Toute la place replennist.
Quant je le senti si flairier,
Je n'oi talent de repairier,
Ains m'en apressai por lui prendre,
Se g'i osasse la main tendre ;
1675 Mes chardons agus et poignant
M'en aloient mout esloignant ;
Espines tranchans et aguës,
Orties et ronces crochues
Ne me lessierent avant traire,
1680 Que je m'en cremoie mal faire.
     Li diex d'Amors, qui l'arc tendu
Avoit touz jors mout entendu
A moi porsivre et espier,
Arrestez ere lez un fier ;
1685 Et quant il ot aperceü
Que j'avoi ensint esleü
Ce bouton qui plus me plesoit
[Que nus des autres ne fesoit,]
Il a tantost pris une floiche ;
1690 Et quant la corde fu en coche,
Il entesa jusqu'à l'oreille
L'arc qui estoit fort a merveille,
Et trait a moi par tel devise
Que parmi l'oel m'a ou cors mise
1695 La saiete par grant roidor.
Et lors me prist une froidor
Dont j'ai dessous chaut peliçon
Sentue mainte grant friçon.
Quant j'oi issi esté bersés,
1700 Tantost fui a terre versés ;
Li cors me faut, li cuers me ment ;
Pamez fui iluec longuement ;
Et quant je vins de pameson
Et j'oi mon sens et ma reson,
1705 Je fui tous sains, et si cuidié
Grant fez de sanc avoir vuidié ;
Mes la saiete qui m'ot point

Son parfum se répandait tout autour, et la suavité qu'il diffusait emplissait tout l'endroit. Quand je le sentis ainsi embaumer, je n'eus plus envie de m'en retourner, et je me serais approché pour le prendre si j'avais osé tendre la main. Mais des chardons aigus et piquants m'en tenaient à bonne distance ; des épines tranchantes et aiguës, des orties et des ronces crochues ne me permirent pas d'avancer, car je craignais de me faire mal.

1681. Le dieu d'Amour qui, l'arc tendu, s'était sans relâche appliqué à me poursuivre et à m'épier, s'était arrêté auprès d'un figuier ; et quand il se fut aperçu que j'avais ainsi choisi ce bouton qui me plaisait plus qu'aucun des autres, il prit aussitôt une flèche ; et, une fois la corde dans l'encoche, il tendit jusqu'à son oreille l'arc qui était merveilleusement robuste, et il tira sur moi de telle manière que, à travers l'œil, il me planta violemment la flèche dans le cœur : je fus alors saisi d'un froid qui me secoua de grands frissons sous ma chaude pelisse. Ainsi percé de la flèche, je fus sur-le-champ renversé sur le sol. Le corps me fit défaut, mon cœur défaillit. Je restai longuement évanoui sur place. Quand je revins à moi et que j'eus recouvré mon sens et ma raison, je fus tout à fait en bonne santé, et cependant je croyais avoir perdu une grande quantité de sang. Mais la flèche qui m'avait frappé

Ne trast onques sanc de moi point,
Ains fu la plaie toute soiche.
1710 Je pris lors a deus mains la floiche
Et la commençai a tirer
Et en tirant a soupirer ;
Et tant tirai que j'amené
Le fust o moi tout empené,
1715 Mes la saiete barbelee
Qui Biautés estoit appellee
Fu si dedens mon cors fichie
Qu'ele n'en puet estre errachie,
Ains remest ens, encors l'i sans,
1720 Car il n'en issi onques sans.
Angoisseus fui mout et troblez.
Por le peril qui fu doublez,
Ne soi que faire ne que dire
Ne de la plaie ou trouver mire,
1725 Que par herbe ne par racine
N'en atendoie medecine,
Mes vers le bouton se traioit
Mon cuer, qui avoir le vouloit.
Se je l'eüsse en ma baillie
1730 Il m'eüst rendue la vie.
Le vooir sans plus et l'odor
M'alejast mout de ma dolor.
Je me commençai lors a traire
Vers le bouton qui soef flaire.
1735   Et Amors avoit ja couvree
Une autre saiete ouvree ;
Simplece ot non, c'est la seconde,
Qui maint homme parmi le monde
Et mainte fame a fait amer.
1740 Quant Amors me vit apresmer
Il trast a moi sans menacier
La floiche ou n'ot fer ni acier,
Si que par l'oel ou cors m'entra
La saiete, qui n'en istra
1745 Jamés, ce croi, par homme né,
Car au tirer en amené
Le fust o moi sans nul contens,

ne fit pas couler de mon corps une goutte de sang ;
bien au contraire, la plaie était toute sèche. Je pris alors
la flèche à deux mains et commençai à la tirer et, tout
en tirant, à soupirer ; et je tirai tant que j'amenai à moi
la tige tout empennée, mais la pointe barbelée, qui
avait pour nom Beauté, était si bien plantée dans mon
corps qu'elle n'en put être arrachée et qu'elle resta à
l'intérieur ; je la sens encore, sans qu'il en sortît jamais
de sang.

1721. J'étais angoissé et perplexe. Le danger étant
redoublé, je ne savais que faire ni que dire, ni, pour
ma plaie, où trouver un médecin, car ni d'une herbe
ni d'une racine je n'attendais de remède. Mais mon
cœur était attiré par le bouton : il voulait le posséder.
Si je l'avais eu en mon pouvoir, il m'aurait rendu la
vie. Rien que sa vue et son parfum auraient bien allégé
ma douleur. Je commençai alors à m'avancer vers le
bouton au délicat parfum.

1735. Amour, lui, s'était déjà emparé d'une autre
flèche ouvragée : elle s'appelait Simplicité, et c'est la
deuxième qui, de par le monde, a fait aimer plus d'un
homme et plus d'une femme. Quand Amour me vit
approcher, il tira sur moi, sans m'avoir menacé, la
flèche qui ne comportait ni fer ni acier, si bien que par
l'œil pénétra dans mon corps le trait qui n'en sortira
jamais, je crois, pour personne au monde, car, en
tirant, j'en amenai à moi la tige sans aucun effort,

Mes la saiete remest ens.
Or sachiés bien de verité
1750 Que se j'avoie avant esté
Du bouton bien entalentés,
Or fu graindre ma volentés.
Et quant li maus plus m'angoissoit,
Et la volentés me croissoit
1755 Touz jors d'aler vers la rosete
Qui oloit miex que violete ;
Et si m'en venist miex ruser,
Mes ne pooie refuser
Car mes cuers le me commandoit ;
1760 Tout adés la ou il tendoit
Me convenoit aler par force.
    Mes li archiers, qui mout s'efforce
De moi grever et mout se pene,
Ne m'i lest pas aler sans pene,
1765 Ains m'a fait por miex afoler
La tierce floiche au cuer voler
Qui Cortoisie ert appellee.
La plaie fu parfonde et lee,
Si me convint cheoir pamé
1770 [Desoz un oliver ramé.] H.
Grant piece jui sans remuer.
Quant je me poi resvertuer,
Je pris la floiche et si osté
Tantost le fust de mon costé,
1775 Mes la saiete n'en poi traire
Por riens que je peüsse faire.
En mon seant lores m'assis
Mout angoisseus et mout pensis.
Mout me destraint icelle plaie
1780 Et me semont que je me traie
Vers le bouton qui m'atalente.
Mes li archiers me respoente
Et me doit bien espoenter,
Qu'eschaudés doit yaue douter.
1785 Mes grant chose a en estevoir :
Se je veïsse iluec plovoir
Carriaus et pierres pelle melle

mais le fer resta à l'intérieur. Soyez sûrs et certains que, si j'avais été auparavant impatient de posséder le bouton, mon désir en fut alors plus fort et plus le mal me tourmentait, plus grandissait en moi, à chaque instant, le désir d'aller vers la petite rose au parfum plus suave que celui de la violette. Cependant il eût mieux valu pour moi renoncer, mais je ne pouvais le refuser, car mon cœur me le commandait : là où il se dirigeait, il me fallait toujours aller, contraint et forcé.

1762. Mais l'archer qui multipliait les efforts et se dépensait pour me faire souffrir, ne me laissa pas y aller sans peine, mais, pour aggraver ma blessure, il fit voler dans mon cœur la troisième flèche qui était appelée Courtoisie. Comme la plaie était profonde et large, il me fallut tomber évanoui sous un olivier touffu. Un long moment je restai étendu sans remuer. Quand je pus me servir de mes forces, je saisis la flèche et j'ôtai aussitôt la tige de mon côté, mais je n'en pus retirer le fer, quels que fussent mes efforts. Je m'assis alors sur mon séant, plein d'angoisse et de perplexité.

1779. Cette plaie me tourmentait affreusement et m'incitait à me diriger vers le bouton qui me ravissait. Mais l'archer, d'un autre côté, m'épouvantait, et c'était à juste titre, car échaudé doit craindre l'eau. Mais c'est une grande force que la nécessité : si j'avais vu pleuvoir en ce lieu carreaux d'arbalète et pierres, pêle-mêle,

Aussi espés comme chiet grelle,
Convenist il que g'i alasse,
1790 Qu'Amors qui toutes choses passe,
Me donnoit cuer et hardement
De faire son commandement.
Je me sui lors en piés levés,
Foibles et vains cum hons bercés,
1795 Et mout m'efforçai de marchier
(Ne lessai onques por l'archier)
Vers le rosier ou mon cuer tent ;
Mes espines y trouvé tant,
Chardons et ronces, c'onques n'oi
1800 Pooir de passer l'espinoi
Si qu'au bouton peüsse ataindre.
Lés la haie m'estuet remaindre
Qui estoit au rosier joignans,
Fete d'espines bien poignans.
1805 Mes mout bel me fu dont j'estoie
Si pres que du bouton sentoie
La douce odor qui en issoit,
Qui mout forment m'abelissoit
Si que le veoie a bandon ;
1810 S'en avoie tel guerredon
Que mon mal en entroblioie
Por le delit et por la joie.
Mout fui garis et mout fui aise,
Jamés n'iert riens qui tant me plaise
1815 Cum estre ilueques a sejor ;
N'en queïsse partir nul jour.
　　Mes quant g'i oi esté grant piece,
Li diex d'Amors qui tout depiece
Mon cuer dont il a fait bersaut,
1820 Me redonne un novel assaut
Et trait, por moi metre a meschief,
Une autre floiche de rechief,
Si qu'ou cuer dessous la mamelle
Me fait une plaie novelle.
1825 Compaignie ot nom la saiete,
Il n'est nulle qui si tost mete
A merci dame ou damoiselle.

aussi dru que grêle, j'aurais dû y aller, car Amour, qui
est plus fort que tout, me donnait le cœur et la hardiesse d'obéir à son commandement. Je me dressai
alors sur mes pieds, faible et exténué comme un
homme blessé, et je fis bien des efforts pour marcher,
sans y renoncer jamais par crainte de l'archer, vers le
rosier qui attire mon cœur ; mais les épines étaient si
nombreuses, et les chardons et les ronces, que je fus
dans l'incapacité de passer la haie pour atteindre le
bouton. Il me fallut rester à côté de la haie qui touchait
au rosier et qui était faite d'épines très piquantes. Mais
j'avais beaucoup de plaisir à être assez près pour sentir
le doux parfum que répandait le bouton ; ce qui me
causait un profond plaisir d'autant plus que je le
voyais à discrétion, et c'était pour moi une telle récompense que j'en oubliais mon mal pour le plaisir et la
joie. Je fus tout à fait guéri, dans une parfaite félicité.
Il n'existera jamais rien qui me plaise autant que d'être
là à demeure : je ne chercherais jamais à en partir.

1817. Mais quand j'y fus resté un bon moment, le
dieu d'Amour, qui brise mon cœur qu'il a pris pour
cible, me livra un nouvel assaut et tira de nouveau,
pour me faire du mal, une autre flèche, si bien qu'au
cœur, sous la poitrine, il me fit une nouvelle plaie.
Compagnie était le nom de la flèche : il n'en est
aucune qui réduise aussi vite à merci une dame ou une
demoiselle.

La grant dolor me renovelle
De mes plaies de maintenant ;
1830 Trois fois me pame en un tenant.
Au revenir plains et soupire,
Car ma dolor croist et empire
Si fort que je n'ai esperance
De garison ne d'aligance.
1835 Miex vousisse estre mors que vis,
Car en la fin, ce m'est avis,
Fera Amors de moi martir :
Je ne m'en puis par el partir.
   Il a endementieres prise
1840 Une autre floiche, qu'il mout prise,
Et je la tiens a mout poissant :
C'est Biau Semblant qui ne consent
A nul amant qu'il se repente
De bien amer por mal qu'il sente.
1845 Elle est aguë por percier
Et tranchans cum rasoir d'acier.
Mes Amors a mout bien la pointe
D'un oignement precieus ointe
Por ce que trop me peüst nuire,
1850 Et il ne viaut pas que je muire,
Ains viaut que j'ai aligement
Par l'ointure de l'oignement
Qui estoit tous de confort plains.
Amors l'avoit fait a ses mains
1855 Por les fins amans conforter
Et por lor maus miex deporter.
Il a ceste floiche a moi traite,
Si m'a au cuer grant plaie faite ;
Mes li oignemens s'espandi
1860 Par les plaies, si me rendi
Le cuer qui m'ere tous faillis.
Je fusse mors et mal baillis
Se li dous oignemens ne fust.
Lors ai a moi tiré le fust,
1865 Mes la saiete est ens remese,
Qui de novel ot esté rese,
Si en y ot cinc encrotees

Sur-le-champ elle raviva l'atroce douleur de mes
plaies ; trois fois de suite je m'évanouis. En reprenant
mes esprits, je me plaignis et soupirai, car ma douleur
crut et empira si fort que je n'espérais plus de guérison
ni de soulagement. J'aurais préféré être mort plutôt
que vif, car, en fin de compte, je le crois, Amour fera
de moi un martyr : je ne puis m'en sortir autrement.

1839. Cependant, il prit une autre flèche qu'il prise
fort et que je tiens pour très puissante : c'est Beau
Semblant qui ne permet à aucun amant de se repentir
d'aimer parfaitement, quelque mal qu'il ressente. Elle
est acérée pour percer et tranchante comme un rasoir
d'acier. Mais Amour a soigneusement enduit la pointe
d'un précieux onguent, parce qu'elle aurait pu me
causer beaucoup de mal et qu'Amour ne veut pas que
je meure, mais il veut que je sois soulagé par l'application de l'onguent qui apporte un puissant réconfort.
Amour l'avait fait de ses mains pour réconforter les
parfaits amants et pour adoucir leurs maux. Il tira
donc sur moi cette flèche, me faisant ainsi au cœur
une grande plaie ; mais l'onguent se répandit à travers
les plaies et ranima mon cœur qui était complètement
défaillant. Je serais mort et en piteux état sans le doux
onguent. Alors j'ai tiré à moi la tige, mais la pointe
resta à l'intérieur, qui avait été récemment aiguisée.
Ainsi y en eut-il cinq bien incrustées

Qui onc n'en porent estre ostees.
Cis oignemens mout me valu,
1870 Mes toute voie me dolu
La plaie, si que la dolor
Me fesoit muer la color.
Ceste floiche a tele coustume :
Douceur y a et amertume.
1875 J'ai bien sentu et cogneü
Qu'el m'a aidié et m'a neü,
Que l'angoisse et la pointure
Si me rassouage l'ointure ;
D'une part m'oint, d'autre me cuit,
1880 Ici m'aïde, ici me nuit.
     Lors est tantost tout droit venus
Amors vers moi les saus menus.
A ce qu'il vint si m'escria :
« Vassiaus, pris es, noient n'i a
1885 Du contredire ne du deffendre ;
Ne fai pas dangier de toi rendre.
Quant plus volentiers te rendras,
Et plus tost a merci vendras.
Il est fos qui mene dangier
1890 Vers celi qu'il doit losengier
Et qu'il convient a supploier.
Tu ne pues vers moi forçoier,
Et si te veil bien enseigner
Que tu ne pues riens gaaignier
1895 En folie ne en orgueil ;
Mes ren toi pris, car je le veil,
En pes et debonnerement. »
Et je respondi simplement :
« Sire, volentiers me rendré,
1900 Ja vers vous ne me deffendré ;
A Dieu ne plasse que je pense
Que j'aie ja vers vous deffense,
Car il n'est pas reson ne drois !
Vous poés ce que vous vodrois
1905 Fere de moi, pendre ou tuer ;
Bien sai que je ne puis muer,
Car ma vie est en vostre main.

qui jamais ne purent en être ôtées. Cet onguent me fut bénéfique, bien que la plaie fût douloureuse à un point tel que la douleur me faisait changer de couleur. Cette flèche a la propriété de conjuguer douceur et amertume. J'ai bien ressenti et reconnu qu'elle m'a aidé tout en me nuisant, car l'angoisse et la piqûre sont soulagées par l'onguent : d'une part, elle m'enduit de son baume, de l'autre, elle me brûle ; elle m'aide autant qu'elle me fait du mal.

1881. Alors Amour, sur-le-champ, est venu tout droit vers moi à petits sauts. Tout en venant, il me cria :

« Vassal, tu es pris : inutile de discuter et de résister. Ne fais pas de difficultés pour te rendre. Plus facilement tu te rendras et plus vite tu obtiendras ton pardon. C'est folie que de regimber contre celui qu'on doit flatter et qu'il convient de supplier. Tu n'es pas de force contre moi ; aussi veux-je bien t'enseigner que tu ne peux rien gagner par la folie et l'orgueil. Mais rends-toi, je le veux, de bonne grâce et gentiment. »

1898. Je répondis humblement :

« Sire, c'est volontiers que je me rendrai, jamais contre vous je ne me défendrai. À Dieu ne plaise que j'envisage de me défendre contre vous, car ce n'est ni raisonnable ni juste ! Vous pouvez faire de moi ce que vous voudrez, me pendre ou me tuer. Je sais bien que je n'y peux rien changer, car ma vie est entre vos mains.

Ne puis vivre jusqu'a demain,
Se n'est pas vostre volenté.
1910 J'atens par vous avoir santé,
Car ja par autre ne l'avré,
Se vostre main, qui m'a navré,
Ne me donne la garison ;
Et se de moi vostre prison
1915 Voulés faire, ne ne daigniés,
Ne m'en tiens pas a engigniés ;
Et sachiés je n'en ai point d'ire.
Tant ai oï de vous bien dire
Que metre veil tout a devise
1920 Cuers et cors en vostre servise,
Car, se je sai vostre voloir,
Je ne m'en puis de riens doloir ;
Qu'encor, ce croi, en aucun temps
Avré la merci que j'atens ;
1925 Et par tel convent me rent gié. »
A cest mot voz baisier son pié,
Mes il m'a parmi la main pris,
Et me dist : « Je t'aim mout et pris
Dont tu as respondu ainsi.
1930 Onques tel response n'issi
D'omme vilain mal enseignié ;
Et tu y as tant gaaignié
Que je veil por ton avantage
Que tu me faces ci hommage ;
1935 Et me baiseras en la bouche,
A qui nus vilains hons ne touche.
Je n'i lesse mie touchier
Chascun vilain, chascun bergier,
Ains doit estre cortois et frans
1940 Cis que ensi a homme prens.
Sans faille, il i a pene et fes
A moi servir, mes je te fes
Honor mout grant, et si dois estre
Mout liés dont tu as si bon mestre
1945 Et seignor de si grant renon,
Qu'Amors porte le confanon
De Cortoisie et la baniere ;

Je ne peux vivre jusqu'à demain, si ce n'est pas votre volonté. J'attends de vous la santé, car jamais je ne l'aurai de personne d'autre, si votre main qui m'a blessé ne me donne pas la guérison ; et si vous voulez faire de moi votre prisonnier ou que vous ne daigniez le faire, je ne me tiens pas pour dupé, et sachez que je n'en ai pas d'amertume. J'ai entendu dire de vous tant de bien que je veux mettre totalement à votre service mon cœur et mon corps, car, si je sais ce que vous voulez, je ne peux m'affliger de rien, parce qu'un jour, je le crois, dans quelque temps, j'obtiendrai la grâce que j'attends ; et c'est à ces conditions que je me rends. »

1926. À ces mots, je voulus baiser son pied, mais il me prit par la main et me dit :

« Je t'aime et t'estime beaucoup, pour m'avoir répondu ainsi. Jamais une telle réponse ne vint d'un vilain sans délicatesse ; tu y as gagné cette faveur : je veux, pour ton bien, que tu me fasses ici même hommage, et tu me baiseras sur la bouche que ne touche aucun vilain. Je ne permets de la toucher à aucun vilain, à aucun berger, mais il doit être courtois et noble celui que je prends ainsi pour vassal. Il est indéniable qu'il est pénible et pesant de me servir, mais je te fais un honneur considérable, et tu dois être ravi d'avoir un si bon maître et un seigneur de si grand renom, car Amour porte le gonfanon et la bannière de Courtoisie,

Si est de si bonne maniere
[Si douz, si frans et si gentis,]
1950   Car quiconques est ententis
A li servir et honorer,
Dedens lui ne puet demorer
Vilonnie ne mesprison
[Ne nule mauvese aprison. »]
1955   Atant devins ses hons mains jointes,
Et sachiez que mout me fis cointes
Dont sa bouche baissa la moie :
Ce fu ce dont j'oi graignor joie.
Il m'a lores requis ostages :
1960   « Amis, dist il, j'ai mains hommages
Et d'uns et d'autres receüs
Dont j'ai puis esté deceüs.
Li felon plain de fauceté
M'ont par maintes fois bareté.
1965   D'aus ai oïe mainte noise ;
Mes il savront cum il m'en poise :
Se je les puis a mon droit prendre
Je lor vodré chierement vendre.
Mes or veil, por ce que je t'ains,
1970   De toi estre si bien certains
Et te veil si a moi lier
Que tu ne me puisse nier
Ne promesse ne couvenant
Ne faire nul desavenant.
1975   Pechiés seroit se tu trichoies,
Car il me semble que loial soies.
— Sire, fis je, or m'entendés :
Ne sai por quoi vous demandés
Pleges de moi ne seürtés.
1980   Car sachiés bien de verités
Que mon cuer m'avés si toloit
Et si pris, car s'il bien vouloit,
Ne puet il riens faire por moi,
Se ce n'estoit par vostre otroi.
1985   Li cuers est vostres, non pas miens,
Car il couvient, soit maus ou biens,
Que il face vostre plaisir,

et il a tant de distinction, de douceur, de générosité et de noblesse qu'en celui qui s'applique à le servir et à l'honorer, il ne peut demeurer ni vilenie ni écart de conduite ni aucune mauvaise habitude. »

1955. Sur ce, je devins son vassal, mains jointes, et sachez que je fus très fier que sa bouche baisât la mienne : c'est ce qui me procura la plus grande joie. Alors, il me demanda des gages :

1960. « Ami, fit-il, j'ai reçu de nombreux hommages et des uns et des autres qui m'ont ensuite abusé. Les traîtres pleins de fausseté m'ont plus d'une fois trompé. D'eux j'ai entendu force récriminations, mais ils sauront à quel point j'en suis mécontent : si je peux les soumettre à ma loi, je le leur ferai payer cher. Maintenant, je veux, parce que je t'aime, être si sûr de toi et je veux te lier si bien à moi que tu ne puisses envers moi renier ni promesse ni accord ni rien faire d'inconvenant. Ce serait péché si tu trichais, car il me semble que tu es loyal.

1977. — Sire, fis-je, écoutez-moi. Je ne sais pourquoi vous me demandez des garanties et des assurances. Soyez tout à fait certain que vous m'avez si bien ravi et pris mon cœur que, le voulût-il, il ne pourrait rien faire pour moi, si ce n'est avec votre accord. Le cœur est à vous, non pas à moi, car il est bien obligé de faire, en mal comme en bien, votre bon plaisir ;

Nus ne vous em puet dessaisir ;
Tel garnison y avés mise
1990 Qui le garde bien et joutise ;
Et sor tout ce, se riens doutés,
Faites y clef et l'en portés,
Et la clef soit en leu d'otages.
— Par mon chief, ce n'est pas outrages,
1995 Respont Amors, je m'i acors :
Il est assés sires du cors
Qui a le cuer a sa commande.
Outrages est, qui plus demande. »
    Lors a de s'aumoniere traite
2000 Une petite clef bien faite,
Qui fu de fin or esmeré :
« A ceste, fet il, fermeré
Ton cuer, ne quier autre apoiau ;
Sous ceste clef sont mi joiau.
2005 [Ele est mendre de ton doi mame,
Mes ele est de mon escrin dame,] L.
Et si a mout grant poesté. »
Lors la me toucha au costé
Et ferma mon cuer si soef
2010 Qu'a grant pene senti la clef.
Ensi fis sa volenté toute,
Et quant je l'oi mis fors de doute :
« Sire, fis je, grant talent é
De faire vostre volenté.
2015 Mes mon servise recevés
En gré, foi que vous m'i devés.
Nel di pas por recreantise,
Car point ne dout vostre servise,
Mes sergens en vain se travaille
2020 De faire servise qui vaille,
Se li servises n'atalente
A celui cui l'en le presente. »
    Amors respont : « Or ne t'esmaie.
Puis que mis t'ies en ma menaie,
2025 Ton servise prendré en gré
Et te metrai en haut degré,
Se mauvestié ne le te tost ;

personne ne peut vous en dessaisir. Vous y avez mis
une si bonne garnison pour bien le garder et le gouverner ! Malgré tout, si vous avez un doute, fermez-le
à clé et emportez-la, et que la clé tienne lieu de gage ! »

1994. — Par ma tête, il n'y a rien en cela d'excessif,
répondit Amour, j'y consens. On est bien maître du
corps quand on commande au cœur. Il est excessif
d'en demander plus. »

1999. Alors, il tira de son aumônière une petite clé
bien faite, en or fin très pur :

« Avec cette clé, fit-il, je fermerai ton cœur, je ne
demande pas d'autre garantie : sous cette clé sont mes
joyaux. Elle est plus petite que ton doigt même, mais
elle est la dame de mon écrin ; aussi a-t-elle une très
grande puissance. »

2008. Alors il me toucha avec elle au côté et ferma
mon cœur si doucement qu'à peine je la sentis. Ainsi
fis-je toutes ses volontés et, quand je l'eus rassuré,

« Sire, dis-je, j'ai grande envie de faire votre volonté.
Mais veuillez agréer mon service, par la foi que vous
me devez. Je ne le dis pas par lâcheté, car je ne crains
pas de vous servir ; mais un serviteur s'épuise en vain
à faire un service de qualité, si ce service ne convient
pas à son destinataire. »

2023. Amour répondit :

« Ne te tourmente donc pas. Puisque tu t'es mis
sous ma dépendance, j'accepterai volontiers ton service et je t'élèverai très haut, si la bassesse ne t'en prive
pas.

Mes, espoir, ce n'iert mie tost.
Grans biens ne vient pas en poi d'ore ;
2030 Il y couvient pene et demore.
Aten et soffre ta destrece
Qui orendroit forment te blece,
Car je sai bien par quel poison
Tu seras trais a garison.
2035 Se tu te tiens en loiauté,
Je te donrai tel dÿauté
Qui de tes plaies te garra.
Mes, par mon chief, or y parra
Se tu de bon cuer serviras
2040 Et comment tu acompliras
Nuit et jor les commandemens
Que je commande as fins amans.
     — Sire, fis je, por Dieu merci,
Avant que vous movés de ci
2045 Vos commandemens m'enchargiés.
Je sui du faire encoragiés,
Car, espoir, se je nes savoie,
Tost porroie issir hors de voie.
Por ce sui en grant de l'aprendre ;
2050 De tout mon cuer y veil entendre. »
Amors respont : « Tu dis mout bien.
Or les enten et les retien.
Li maistres pert sa pene toute
Quant li desciples qui escoute
2055 Ne met son cuer au retenir
Si qu'il en puisse souvenir. »
     Li diex d'Amors lors m'encharga,
Tout ensi cum vous orrés ja,
Mot a mot les commandements.
2060 Bien les devise cis romans.
Qui amer vuet, or y entende,
Car li romans des or amende ;
Des or le fet bon escouter,
S'il est qui le sache conter,
2065 Car la matire en est novelle
Et la fin du songe est mout belle.
Qui du songe la fin orra,

Mais peut-être que ce ne sera pas tout de suite. Grand
bien ne vient pas en peu de temps : il y faut peiner et
patienter. Patiente et endure ta souffrance qui en ce
moment te blesse cruellement, car je sais bien par quel
remède tu seras amené à la guérison. Si tu restes loyal,
je te donnerai un onguent qui te guérira de tes plaies.
Mais, par ma tête, on verra bientôt si tu serviras de
bon cœur et comment tu accompliras nuit et jour les
commandements que j'impose aux vrais amants.

2043. — Sire, dis-je, par la grâce de Dieu, avant
que vous ne partiez d'ici, dictez-moi vos commandements. Je suis déterminé à les exécuter, car peut-être,
si je les ignorais, aurais-je tôt fait de sortir du bon
chemin. C'est pourquoi j'ai grande envie de les
apprendre ; de tout mon cœur je veux m'y appliquer. »

Amour répondit :

« Tu parles très bien. Écoute-les donc et retiens-les.
Le maître peine en pure perte quand le disciple qui
écoute ne met pas son cœur à les retenir de façon à
s'en souvenir. »

2057. Le dieu d'Amour me dicta alors, tout comme
vous allez l'entendre, mot à mot ses commandements.
C'est exactement que les énonce ce roman. Que celui
qui veut aimer y soit donc attentif, car le roman dès
maintenant prend toute sa valeur ; dès maintenant, il
est utile de l'écouter, s'il est quelqu'un qui sache le
raconter, car la matière en est nouvelle et la fin du rêve
très belle. Celui qui entendra la fin du rêve,

Je vous di bien que il porra
Des jeus d'Amors assés aprendre,
2070 Par quoi il vueille bien entendre
[Que je die et que j'encomance
Dou songe la senefiance.] H.
La vérité qui est couverte
Vous sera lores descouverte
2075 Quant espondre m'orrés le songe,
Car il n'i a mot de mençonge.
     « Vilenie premierement,
Ce dist Amors, vueil et commant
Que tu guerpisses sans reprendre ;
2080 Cortoisie t'estuet aprendre.
Si maudi et escommenie
Tous ceus qui aiment Vilonnie.
Vilonnie fait les vilains,
Por ce n'est pas drois que je l'ains.
2085 Vilains est fel et sans pitié,
Sans servise et sans amitié.
Or te garde bien de retraire
Chose des gens qui face a taire :
N'est pas proesce de mal dire.
2090 A Queux le seneschal te mire,
Qui jadis par son moquaïs
Fu mal renomés et haïs.
Tant cum Gauvains, li bien apris,
Por sa cortoisie ot de pris,
2095 Autretant ot de blame Queux,
Por ce qu'il fu fel et crueux,
Ramponierres et mal parliers
Dessus tous autres chevaliers.
     Sages soies et acointables,
2100 Et de paroles dous et stables
Et as grans gens et a menues ;
Et quant tu iras par les rues,
Si soies tous jors coustumiers
De saluer les gens premiers ;
2105 Et s'aucuns avant te salue,
Si n'aies pas ta langue mue,
Ains te garni du salu rendre

je vous certifie qu'il pourra beaucoup apprendre des jeux d'Amour pour peu qu'il veuille comprendre que je commence à exposer la signification du rêve. La vérité qui est voilée vous sera alors dévoilée quand vous m'entendrez expliquer le rêve, car il ne comporte pas un seul mot mensonger.

2077. « Vilenie en premier lieu, dit Amour, je veux et commande que tu l'abandonnes sans retour ; il te faut apprendre la courtoisie. Je maudis et excommunie tous ceux qui aiment Vilenie. Vilenie fait les vilains ; c'est pourquoi il n'est pas juste que je l'aime. Le vilain est trompeur et impitoyable, incapable de servir et d'aimer.

2087. Garde-toi donc bien de raconter sur les gens quelque chose qu'il convient de taire. Ce n'est pas une prouesse que de dire du mal. Réfléchis au cas de Keu le sénéchal qui jadis, par son esprit moqueur, fut mal renommé et haï. Autant Gauvain, qui était bien élevé, fut estimé pour sa courtoisie, autant Keu fut blâmé parce qu'il était fourbe et cruel, insolent et venimeux, plus que tous les autres chevaliers.

2099. Sois sage et avenant, doux et constant dans tes paroles envers les grands comme envers les petits. Quand tu iras par les rues, garde toujours l'habitude de saluer les gens le premier ; et si quelqu'un le fait avant toi, loin de demeurer muet, aie soin de rendre le salut

Sans demorer et sans atendre.
    Aprés garde que tu ne dies
2110 Ces laiz mos [ne] ces ribaudies :
Ja por nomer vilene chose
Ne doit ta bouche estre desclose.
Je ne tiens pas a cortois homme
Qui orde chose et lede nomme.
2115   Toutes fames serf et honore
Et au servir pene et labore ;
Et se tu ois nul mesdisant
Qui aille fame despisant,
Blame le et di qu'il se taise.
2120 Fais se tu pues chose qui plaise
As dames et as damoiseles,
Si qu'eus oient bonnes noveles
De toi dire et raconter :
Par ce porras en pris monter.
2125   Aprés tout ce d'orgoil te garde ;
Car qui bien entent et esgarde,
Orguex est folie et pechiés ;
Et qui d'orgueil est entechiés,
Il ne puet son cuer aploier
2130 A servir ne a souploier ;
Orguilleus fait tout le contraire
De ce que fins amans doit faire.
    Mes qui d'amors se viaut pener
Il se doit cointement mener.
2135 Hons qui porchace druerie
Il ne vaut riens sans cointerie.
Cointerie n'est pas orguiaus.
Qui cointes est il en vaut miaus,
Por quoi il soit d'orgueil vuidiés,
2140 Qu'il ne soit fox n'outrecuidiés.
Mene toi bel, selonc ta rente,
De robes et de chaucemente :
Belle robe et biau garnement
Amendent homme durement ;
2145 Et si dois ta robe baillier
A tel qui sache bien taillier,
Qui face bien seans les pointes,

sans tarder ni attendre.

2109. Ensuite, garde-toi de dire des mots grossiers et des obscénités : jamais, pour nommer de vilaines choses, tu ne dois ouvrir la bouche. Je ne tiens pas pour un homme courtois celui qui nomme une chose répugnante et laide.

2115. Sers et honore toutes les femmes ; à les servir, mets toute ta peine ; et si tu entends quelque médisant qui décrie une femme, blâme-le et dis-lui de se taire. Agis, si tu peux, de façon à plaire aux dames et aux demoiselles, en sorte qu'elles entendent dire et raconter du bien sur ton compte ; ainsi pourras-tu gagner en réputation.

2125. En plus de tout cela, garde-toi de l'orgueil, car, tout bien considéré, l'orgueil est une folie et un péché, et qui est entaché d'orgueil, ne peut plier son cœur à servir et à implorer. L'orgueilleux fait tout le contraire de ce qu'un vrai amant doit faire.

2133. Mais quand on veut s'appliquer à aimer, on doit se comporter avec élégance. Si l'on cherche à se faire aimer, on ne vaut rien sans l'élégance. L'élégance n'est pas l'orgueil. Celui qui est élégant a plus de valeur, pourvu qu'il soit exempt d'orgueil, qu'il ne soit pas insensé ni outrecuidant.

2141. Choisis bien, selon tes revenus, tes vêtements et tes chaussures : de beaux vêtements et de belles parures embellissent un homme considérablement. Aussi dois-tu donner tes vêtements à un tailleur très habile qui sache faire de très seyantes pointes

Et les manches soient bien jointes.
Solers a las et estivaus
2150 Aies sovent fres et noviaus,
Et gar qu'il soient si chauçant
Que cil vilain aient tançant
En quel guise tu y entras
Et de quel part tu en istras.
2155 De gans, d'aumoniere de soie
Et de çainture te cointoie.
Et se tu n'es de la richece
Que fere puisses, si t'estrece ;
Mes au plus biau te dois deduire
2160 Que tu porras, sans toi destruire.
Chapiau de roses qui poi couste
Ou de boutons a Pentecouste,
Ice puet bien chascun avoir,
Qu'il n'i couvient pas grant avoir.
2165 Ne soffre sor toi nulle ordure,
Leve tes mains, tes dens escure ;
S'en tes ongles a point de noir,
Ne l'i lesse pas remanoir.
Cous tes manches, tes cheveus pigne,
2170 Mes ne te farde ne ne guigne,
Ce n'apartient s'a dames non,
Ou a ceus de mavés renon,
Qui amors par male aventure
Ont trovée contre nature.
2175   Aprés ce te doit sovenir
D'envoiseüre maintenir.
A joie et a deduit t'atorne ;
Amors n'a cure d'omme morne ;
C'est maladie mout cortoise :
2180 L'en en jue, rit et envoise.
Il est ensi que li amant
Ont par ores joie et torment ;
Amant sentent les maus d'amer
Une hore dous, autre hore amer ;
2185 Maus d'amors est mout orageus ;
Or est li amans en ses geus,
Or est destrois, or se demente,

et des manches bien ajustées. Porte des souliers à lacets et des bottines que tu renouvelleras fréquemment, et veille à ce qu'ils te chaussent si bien que les rustres te demandent en raillant comment tu y entres et de quel côté tu en sortiras. Pare-toi de gants, d'une aumônière de soie et d'une ceinture. Si tu n'es pas assez riche pour le faire, modère-toi ; mais tu dois te comporter le plus élégamment possible sans te ruiner. Une couronne de roses qui coûte peu, ou de fleurs en bouton à la Pentecôte, voilà ce que chacun peut se procurer, car il n'y faut pas beaucoup d'argent.

2165. Ne tolère sur toi rien de sale, lave-toi les mains, cure-toi les dents ; si sous tes ongles tu vois quelque chose de noir, ne le laisse pas subsister. Couds tes manches, peigne tes cheveux, mais ne te farde pas ni ne te maquille : c'est le fait des dames et des gens de mauvaise réputation qui ont eu le malheur de s'adonner à des amours contre nature.

2175. Ensuite, tu dois te souvenir de cultiver la gaieté. Tourne-toi vers la joie et le plaisir. Amour n'a que faire d'un homme morose. C'est une maladie fort courtoise qui incite à jouer, à rire et à se réjouir. C'est un fait que les amants connaissent, selon les moments, joie et tourment. Les amants éprouvent le mal d'amour qui tantôt est doux et tantôt amer. Le mal d'amour est traversé d'orages : tantôt l'amant est tout entier à ses jeux, tantôt il se désespère et se lamente ;

Une hore plore et autre chante.
[Se tu ses nul bel deduit faire
2190 Par quoi tu puisses a gent plaire
Je te comant que tu le faces.
Chascuns doit faire en toutes places
Ce qu'il sait qui miauz li avient,
Car los et pris et grace en vient.]
2195 Se tu te sens aste et legier,
Ne fai pas de saillir dangier ;
Et se tu yés bien a cheval,
Tu dois poindre amont et aval ;
Et se tu ses lances brisier,
2200 Tu t'en pues mout fere prisier ;
Et se d'armes iés acesmés,
Par ce seras dis tans amés.
Se tu as la vois clere et sainne,
Tu ne dois mie querre ensoine
2205 De chanter, se l'en t'en semont,
Car biau chanter embelist mont ;
Si avient bien a bacheler
Que il sache de vïeler,
De fleüter et de dancier ;
2210 Par ce se puet mout avancier.
Ne te fai tenir por aver,
Car ce te porroit molt grever.
Il avient bien que li amant
Doignent du lor plus largement
2215 Que cil vilain entulle et sot.
Onques hons riens d'amer ne sot
Cui il n'abelist a donner.
Se nus se viaut d'amors pener,
D'avarice tres bien se gart ;
2220 Car cis qui a pour un regart
Ou pour un ris dous et serin
Donné son cuer tout enterin
Doit bien, aprés si riche don,
Donner son amour a bandon.
2225 Or te vuel briement recorder
Ce que t'ai dit por remembrer,
Car la parole mains est grieve

un moment il pleure et un autre il chante.

2189. Si tu connais un beau divertissement qui te permette de plaire aux gens, je te commande de le pratiquer. Chacun doit faire en toute occasion ce qu'il sait lui convenir le mieux, car il lui en revient gloire, réputation et faveur. Si tu te sens vif et alerte, ne renâcle pas à sauter ; si tu montes bien à cheval, tu dois galoper par monts et par vaux ; si tu sais rompre des lances, tu peux en retirer beaucoup d'honneur ; si tu portes bien les armes, tu en seras dix fois plus aimé. Si tu as la voix claire et juste, tu ne dois pas chercher d'excuse quand on t'invite à chanter, car une belle voix augmente la séduction ; de plus, il est bon qu'un jeune homme sache jouer de la vielle et de la flûte, et qu'il sache danser : il peut en retirer de grands avantages.

2211. Ne te fais pas passer pour avare, car tu pourrais en subir de graves dommages. Il est très bon que les amants donnent de leurs biens plus largement que les rustres niais et sots. On ne connut jamais rien à l'amour si l'on n'a pas de plaisir à donner. Si quelqu'un veut se vouer à l'amour, qu'il se garde avec soin de l'avarice, car celui qui, pour un regard ou un sourire doux et ravissant, a donné son cœur tout entier, doit, après un si riche don, prodiguer son amour.

2225. Je veux maintenant te résumer ce que je t'ai dit, car la parole est plus facile

A retenir, quant el est brieve.
Qui d'Amors vuet fere son mestre
2230 Cortois et sans orguel doit estre,
Cointes se tiengne et envoisiés
Et de largece soit prisiés.
      Aprés te doins en penitance
Que nuit et jor sans repentance
2235 En amor metes ton penser.
Tous jors i pense sans cesser,
Et te membre de la douce ore
Dont la joie tant te demore.
Et por ce que fins amans soies,
2240 Vueil je et commans que tu aies
En un seul leu tout ton cuer mis,
Si qu'il n'i soit mie demis,
Mes tous entiers sans tricherie,
Car je n'aim pas moiteierie.
2245 Qui en mains leus son cuer depart
Par tout en a petite part ;
Mes de celi point ne me dout
Qui en un leu met son cuer tout.
Por ce vueil qu'en un leu le metes,
2250 Mes garde bien que tu nel pretes ;
[Car se tu l'avoies preté,
Jou tendroie a chaitiveté.]
Ainçois le donne en dont tout quite,
Si en avras grignor merite,
2255 Car bontés de chose pretee
Est tost rendue et aquitee ;
Mes de chose donnee en don
Doit estre grans li gerredons.
Donne le dont tout quitement,
2260 Et le fai debonnairement :
L'en doit la chose avoir mout chiere
Qui est donnee a belle chiere,
Et je ne pris le don un pois
Que l'en donne dessus son pois.
2265   Quant tu avras ton cuer donné
Si cum je t'ai ci sermonné,
Lors t'avendront les aventures

à retenir quand elle est brève. Celui qui veut faire d'Amour son maître doit être courtois et sans orgueil ; qu'il soit toujours élégant et gai, et réputé pour sa largesse.

2232. Ensuite, je te donne cette pénitence : que nuit et jour, sans regret, l'amour occupe tes pensées. Penses-y toujours et sans cesse, et rappelle-toi l'heure délicieuse dont la joie tarde tant pour toi. Pour que tu sois un parfait amant, je veux et commande que tu aies mis tout ton cœur en un seul lieu si bien qu'il n'y soit pas à moitié, mais entièrement, sans tricher, car je n'aime pas partager. Quand on disperse son cœur en de nombreux endroits, on n'en donne partout qu'une petite part ; mais je ne redoute rien de celui qui en un seul lieu met tout son cœur. Pour cette raison, je veux que tu le mettes en un seul lieu, mais garde-toi bien de le prêter, car si tu l'avais prêté, ce serait à mes yeux une infamie. Donne-le au contraire sans restriction, ton mérite en sera plus grand : l'avantage qu'on retire d'une chose prêtée est vite rendu et acquitté, mais pour une chose qu'on a donnée, grande doit être la récompense. Donne-le donc totalement, et fais-le de bonne grâce : l'on doit faire grand cas de ce qu'on donne avec le sourire, et je n'accorde pas la moindre valeur à ce qu'on donne à contrecœur.

2265. Dès que tu auras donné ton cœur comme je te l'ai dit dans mon prêche, ce sera alors pour toi le temps des aventures

Qui as amans sont griés et dures.
Souvent, quant il te souvendra
2270 De tes amors, te couvendra
Partir des gens par estevoir,
Qu'il ne puissent apercevoir
Les maus dont tu es angoisseus.
A une part iras tous seus.
2275 Lors te vendront soupirs et plaintes,
Friçons et autres dolors maintes ;
En plusors sens seras destrois,
Une hore chaus et autre frois,
Vermaus une ore, autre pales :
2280 Onques fievres n'eüs si males
Ne cotidiennes ne quartes.
Bien avras, ains que tu t'en partes,
Les dolors d'amors essaïes ;
Si t'avendra maintes foïes
2285 Qu'en pensant t'entroblieras
Et une grant piece seras
Aussi cum une ymage mue
Qui ne se crole ne remue,
Sans pié, sans mains, sans doi croler,
2290 Sans toi mouvoir et sens parler.
A chief de piece revendras
En ta memoire, et tressaudras
Au revenir en esfraor ;
Aussi cum hons qui a poor
2295 Soupireras du cuer parfont,
Car bien saches qu'ensi le font
Cil qui ont les maus essaiés
Dont tu es ores esmaiés.
    Aprés est drois qu'il te soviegne
2300 Que t'amie est trop lontaigne ;
Lors diras : « Diex ! cum sui mavés
Quant la ou mon cuer est ne vois !
Mon cuer seul por quoi y envoi ?
Adés y pens et rien n'en voi !
2305 Quant g'i puis mes yex envoier
Aprés, por mon cuer convoier,
Se mi oil mon cuer ne convoient,

qui pour les amants sont douloureuses et dures. Souvent, quand tu te souviendras de ton amour, tu seras contraint de t'éloigner des gens pour qu'ils ne puissent remarquer les maux qui te serrent le cœur. Tu t'en iras tout seul de ton côté. Ce sera alors le temps des soupirs et des plaintes, des frissons et d'autres douleurs en grand nombre. De plusieurs manières tu seras tourmenté, tantôt brûlant et tantôt glacé, tout rouge un moment et à un autre livide. Jamais tu n'eus d'aussi mauvaises fièvres, ni quotidiennes ni quartes. Tu auras, avant de t'en aller, éprouvé toutes les douleurs de l'amour. Il t'arrivera aussi, et plus d'une fois, que, tout à tes pensées, tu sois absent à toi-même et qu'un long moment tu sois comme une statue muette qui ne bouge ni ne remue, sans bouger ni pied ni mains ni doigt, sans te déplacer et sans parler. Au bout d'un bon moment, tu recouvreras tes esprits et, en revenant à toi, tu sursauteras de frayeur ; tout comme un homme en proie à la peur, tu soupireras du fond du cœur, car sache bien que c'est ce que font ceux qui ont éprouvé les maux qui te bouleversent en ce moment.

2299. Ensuite, il est naturel que tu te souviennes que ton amie est bien loin ; tu diras alors :

« Mon Dieu, comme je suis abject de ne pas aller là où se trouve mon cœur ! Pourquoi n'y envoyer que mon cœur ? Toujours je pense à elle et d'elle je ne vois rien ! Puisque je peux envoyer mes yeux après elle pour escorter mon cœur, si mes yeux n'accompagnent pas mon cœur,

Je ne pris riens quanque il voient.
Se doivent il ci arrester ?
2310 Nennil, mes ailleurs visiter
Ce dont li cuers a tel talent.
Je me puis bien tenir a lent
Quant de mon cuer sui si lointains ;
Si m'aïst Diex, por fol m'en tains.
2315 Or iré, plus ne sousferré,
Jamés a aise ne seré
Devant qu'aucune ensaigne en voie. »
Lores te metras a la voie
Et iras la par tel couvent
2320 Qu'a ton esme faudra souvent
Et gasteras en vain tes pas :
Ce que querras ne verras pas,
Si couvendra que tu retornes
Sans plus fere, pensis et mornes.
2325   Lors reseras a grant meschief
Et te vendront tout derechief
Soupirs, espointes et friçons
Qui poignent plus que heriçons.
Qui ne le set, si le demant
2330 A ceus qui sont loial amant.
Ton cuer ne porras apaier,
Ains iras encor essaier
Se tu verras par aventure
Ce dont tu es en si grant cure ;
2335 Et se tu te pues tant pener
Qu'au veoir puisses assener,
Tu vodras mout ententis estre
A tes yex saouler et pestre.
Grant joie en ton cuer demenras
2340 De la biauté que tu verras,
Et saches que du regarder
Feras ton cuer frire et larder,
Et tout adés en regardant
Recouverras le feu ardant.
2345 Qui ce qu'il aime plus regarde
Plus alume son cuer et larde.
Cis lars alume et fet flamer

c'est que je n'accorde aucun prix à ce qu'ils voient. Doivent-ils se fixer ici ? Que non pas ; mais rendre visite ailleurs à ce que le cœur désire tant. Je peux bien me trouver paresseux, puisque je suis si loin de mon cœur. Oui, par Dieu, je me trouve insensé. J'irai donc, je ne le supporterai plus, jamais je ne serai heureux avant d'en voir quelque trace. »

2318. C'est alors que tu te mettras en route et que tu te rendras là-bas dans des conditions telles que tu seras souvent trompé dans ton attente et que tu feras des pas inutiles : ce que tu chercheras, tu ne le verras pas, et il te faudra revenir sans rien obtenir, pensif et morne.

2325. C'est alors que tu retomberas dans la détresse et que de nouveau t'assailliront soupirs, élancements et frissons qui piquent plus douloureusement que le hérisson. Que celui qui ne le sait pas le demande aux amants loyaux ! Tu ne pourras rendre la paix à ton cœur, mais tu tenteras encore l'aventure de voir l'objet de tes inquiétudes ; et si tu peux supporter tant de tourments que tu réussisses à la voir, tu voudras t'occuper tout entier à repaître et à rassasier tes yeux. La joie inondera ton cœur à la vue de la beauté, et sache qu'à la regarder tu retourneras ton cœur sur le gril, et tout le temps que tu la regarderas, tu raviveras le feu ardent. Plus on regarde l'objet de son amour, plus on enflamme et embrase son cœur. Ce tison allume et fait flamber

Le feu qui fait les gens amer.
[Chascuns amanz suit par costume
2350 Le feu qui l'art et qui l'alume.]
Quant il le feu de plus pres sent,
Et il plus s'en vait apressent.
Li feus si est ce qu'il remire :
S'amie qui tout le fet frire ;
2355 Quant il de li se tient plus pres,
Et il plus est d'amors engrés.
Ce sevent bien sage et musart :
Qui plus est pres du feu plus s'art.
       Tant cum t'amie plus verras,
2360 Jamés movoir ne te querras ;
Et quant partir t'en couvendra,
Tout le jor puis t'en sovendra
De ce que tu auras veü ;
Si te tendras a deceü
2365 D'une chose mout ledement,
Car onques cuer ne hardement
N'eüs de li aresonner,
Ains as esté sans mot sonner
Les li, cum enfés entrepris.
2370 Bien cuideras avoir mespris
Quant tu n'as la belle aparlee
Avant qu'ele s'en fust alee.
Tourner te doit a grant contraire,
Car se tu n'en pooies traire
2375 Fors seulement un biau salu,
Si eüst il cent mars valu.
       Lors te prendras a demaler,
Et querras ochoison d'aler
Derechief encore en la rue
2380 Ou tu auras celle veüe
Que tu n'osas metre a raison ;
Mout iroies en la maison
Volentiers, s'ochoison avoies.
Il est drois que toutes tes voies
2385 Et tes alees et ti tour
S'en revengnent par la entour.
Mes vers la gent tres bien te celle,

le feu qui pousse les gens à aimer. Chaque amant a coutume de suivre le feu qui le brûle et l'enflamme. Plus il sent le feu de plus près, plus il s'en rapproche. Le feu, c'est ce qu'il admire, son amie qui le fait se consumer. Plus il se tient près d'elle, et plus il a d'ardeur à aimer. Les sages et les sots le savent bien : plus on est près du feu, plus on (se) brûle.

2359. Aussi longtemps que tu verras ton amie, jamais tu ne chercheras à bouger, et quand il te faudra partir, tout le jour tu te souviendras de ce que tu auras vu, et sur un point tu te tiendras pour indignement trompé, car jamais tu n'as eu le courage ni la hardiesse de lui adresser la parole, mais tu as été sans dire un mot à côté d'elle, comme un enfant embarrassé. Tu seras persuadé d'avoir commis une faute pour ne pas avoir parlé à la belle avant son départ. Cela te portera un grave préjudice, car si tu avais pu en obtenir ne fût-ce qu'un beau salut, il aurait valu une fortune.

2377. Tu commenceras alors à maudire ton sort, et tu chercheras une occasion d'aller une nouvelle fois dans la rue où tu auras vu celle à qui tu n'as pas osé adresser la parole. Très volontiers tu irais dans sa maison si tu en trouvais l'occasion. Il est normal que toutes tes allées et venues et tous tes tours te ramènent de ce côté-là. Mais aux yeux des gens dissimule-toi bien

Et quier autre ochoison que celle,
Qui cele part te face aler,
2390 Que c'est grans sens de soi celer.
       S'il avient chose que tu troves
La bele en point que tu la doives
Araisonner ne saluer,
Lors t'estevra color muer,
2395 Si te fremira tous li sans,
Et te faudra parole et sens
Quant tu cuideras commencier ;
Et se tant te pues avancier
Que tu raison commencier oses,
2400 Quant tu devras dire trois choses,
Tu n'en diras mie les deus,
Tant seras vers li vergondeus.
Il n'iert ja nus si apensés
Qui en ce point n'oblit assés,
2405 Se tex n'est qui de guile serve.
Mes faus amant content lor verve
Si cum il veulent, sans poour ;
Et cil sont fort losengeor ;
Il dient un et pensent el,
2410 Li traïtor felon mortel.
       [Quant ta raison avras fenie
Sans dire mot de vilonie]
Lors te tendras a conchié
Quant tu avras riens oblié
2415 Qui te fust avenant a dire,
Lors seras a mout grant martire :
C'est la bataille, c'est l'ardure,
C'est li contens qui tous jors dure.
Amans n'avra ja ce qu'il quiert,
2420 Tous jors li faut, ja en pez n'iert,
Ja fin ne prendra ceste guerre
Tant que j'en veille la pez querre.
       Quant ce vendra qu'il sera nuis,
Lors avras plus de mil anuis.
2425 Tu te coucheras en ton lit,
Ou tu avras poi de delit,
Car quant tu cuideras dormir,

et invente une autre raison qui explique que tu viennes de ce côté-là, car c'est sagesse que de dissimuler.

2391. S'il arrive que tu trouves la belle dans une situation où tu doives lui parler ou la saluer, alors fatalement tu changeras de couleur, et tout ton sang frémira, et tu perdras la parole et l'esprit au moment où tu penseras commencer ; et si tu peux avancer ton affaire au point d'oser commencer à parler, sur trois choses que tu devras dire, tu n'en diras pas deux, tant tu seras honteux devant elle. Il n'existera jamais personne assez maître de soi pour ne pas perdre ses moyens en la circonstance, s'il n'est pas de ceux qui pratiquent la tromperie. Mais ce sont les faux amants qui bavardent à tort et à travers sans crainte : ce sont d'intrépides flatteurs, disant une chose et en pensant une autre, que ces perfides traîtres qui apportent la mort.

2411. Quand tu auras fini ton discours sans rien dire de vulgaire, tu penseras avoir été leurré pour avoir oublié quelque chose qu'il t'aurait fallu dire. Alors tu souffriras le martyre : c'est la bataille, c'est la brûlure, c'est le débat sans fin. L'amant n'aura jamais l'objet qu'il recherche, et qui toujours lui échappe ; jamais il ne sera en paix, jamais ne finira cette guerre jusqu'à ce que je veuille rechercher la paix.

2423. Quand reviendra la nuit, tu seras en proie à une multitude d'ennuis. Tu te coucheras dans ton lit où tu auras peu de plaisir, car quand tu croiras t'endormir,

Tu commenceras a fremir,
A tressaillir, a demener ;
2430 Sor couté t'estovra torner,
Et puis envers et puis adens,
Con fait hons qui a mal es dens.
Lors te vendra en remembrance
Et la façon et la semblance
2435 A qui nulle ne s'appareille.
Si te dirai fiere merveille :
Tel foiz sera qu'il t'iert avis
Que tendras cele au cler vis
Entre tes bras tretoute nue,
2440 Aussi cum s'el fust devenue
Du tout t'amie et ta compaigne.
Lors feras chatiaus en Espagne
Et avras joie de noient
Tant cum tu seras solement
2445 En la pensee delitable
Ou il n'a que mençonge et fable.
Mes poi y porras demorer ;
Lors commenceras a plorer,
Et diras : « Diex ! ai je songié ?
2450 Qu'est ice ? ou estoie gié ?
Ceste pensee, dont me vint ?
Certes dis fois le jor ou vint
Vodroie qu'ele revenist ;
Ele me pest et replenist
2455 De joie et de bonne aventure ;
Mes ce m'a mort que poi me dure.
Diex ! verré je ja que je soie
En tel point cum je pensoie ?
G'i vodroie estre par couvent
2460 Que je morusse maintenant.
La mors ne me greveroit mie
Se je moroie es bras m'amie.
Mout me grieve Amors et tormente ;
Sovent me plains et me demente.
2465 E ! Amors, car fai tant que j'oie
De m'amie enterine joie !
Je l'ai par mon mal acheté.

tu commenceras à trembler, à tressaillir, à t'agiter ; il faudra que tu te mettes sur le côté, puis sur le dos et puis sur le ventre, comme un homme qui a mal aux dents. Alors surgiront dans ta mémoire les traits et l'apparence à nuls autres pareils. Et je vais te dire une extraordinaire merveille : parfois tu auras l'impression de tenir la belle au clair visage, toute nue, entre tes bras, comme si elle était devenue tout à fait ton amie et ta compagne. Alors tu feras des châteaux en Espagne et tu en auras une joie imaginaire seulement tant que tu seras absorbé par cette charmante pensée où il n'y a que mensonge et fable. Mais ton illusion sera de courte durée, et alors tu commenceras à pleurer, et tu diras :

2449. « Mon Dieu, ai-je rêvé ? Qu'est cela ? Où étais-je ? Cette pensée, d'où me vint-elle ? Oui, vraiment, je voudrais que, le jour, elle me revînt dix fois ou vingt : elle me rassasie et me remplit de joie et de bonheur ; mais ce qui m'a tué, c'est qu'elle ne dure guère. Grand Dieu, me verrai-je un jour dans cette situation que j'imaginais ? Je voudrais y être, même au prix d'une mort immédiate. La mort ne me serait pas cruelle si je mourais dans les bras de mon amie.

2463. Amour m'afflige et me tourmente, souvent je me plains et me lamente. Ah ! Amour, fais donc que j'obtienne de mon amie une joie parfaite ! Je l'ai mérité par ma souffrance.

Je mens : trop y a chier cheté !
Je ne m'en tiens mie por sage
2470 Dont j'ai demandé tel outrage ;
Car qui demande musardie,
Il est bien drois qu'en l'escondie.
Ne sai comment dire l'osé :
Maint plus preu et plus alosé
2475 De moi avroient grant honor
En un loier assés menor.
Mes se sans plus d'un seul baisier
Me vouloit la belle aaisier,
Mout avroie riche desserte
2480 De la pene que j'ai soufferte.
Mes fors chose est a avenir ;
Je m'en puis bien por fol tenir
Dont je mis mon cuer en tel leu
Dont ja n'avré joie ne preu.
2485 Si di je que fox et que gars,
Car miex vaut de li uns regars
Que d'autre li deduis entiers.
Mout la verroie volentiers
Orendroites, se Diex m'aïst ;
2490 Garis fust qui or la veïst.
Diex, quant sera il ajorné ?
Trop ai en ce lit séjorné ;
Je ne pris gaires tel gesir
Quant je n'ai ce que je desir.
2495 Gesir est enuieuse chose
Quant l'en ne dort ne ne repose.
Mout m'ennuie certes et grieve
Quant l'aube orendroit ne crieve
Et quant la nuit tost ne trespasse ;
2500 Car s'il fust jors je me levasse.
Ha ! solaus ! por quoi ne te heste ?
Ne sejorne ne ne t'areste !
Fai departir la nuit oscure
Et son anui qui trop me dure ! »
2505   La nuit issi te contendras
Et de repos petit prendras
Se j'onques mal d'amors connui ;

Je mens : c'est un bien tellement précieux ! Je ne me trouve pas raisonnable d'avoir proféré une telle exigence, car quand on demande quelque chose d'inepte, il est normal qu'on soit éconduit. Je ne sais pas comment j'ai osé le dire : beaucoup de gens plus valeureux et plus réputés que moi se tiendraient très honorés d'une récompense bien inférieure. Mais même si c'était d'un seul baiser que la belle acceptait de me donner la jouissance, je serais largement dédommagé de la peine que j'ai soufferte. Mais un fort temps est à redouter : je peux bien me tenir pour fou d'avoir mis mon cœur en un lieu tel que je n'en aurai jamais joie ni avantage. En cela, je parle comme un fou et comme une canaille, car un seul regard venant d'elle vaut mieux que la jouissance complète d'une autre. Je la verrais bien volontiers à l'instant même, grand Dieu ! Il serait guéri celui qui la verrait à l'instant.

2491. Mon Dieu, quand fera-t-il jour ? Je suis trop resté en ce lit. Je n'apprécie guère d'être ainsi couché quand je n'ai pas ce que je désire. Il est désagréable d'être couché quand on ne dort pas et qu'on ne se repose pas. Oui, il m'est très désagréable et pénible que l'aube n'éclate pas sur-le-champ, et que la nuit ne se dépêche pas de passer ; car, s'il faisait jour, je me lèverais. Ah ! soleil, pourquoi ne te hâtes-tu pas ? Ne perds pas de temps à t'arrêter ! Disperse la nuit obscure et son supplice qui pour moi dure trop longtemps ! »

2505. Ainsi te comporteras-tu la nuit et prendras-tu peu de repos, si je m'y connus jamais en mal d'amour.

Et quant tu ne porras l'ennui
Soffrir en ton lit de veillier,
2510 Lors t'estovra appareillier,
Vestir, chaucier et atorner,
Ains que tu voies ajorner.
Lors t'en iras a recelee,
Soit par pluie ou par gelee,
2515 Tout droit vers la meson t'amie,
Qui se sera bien endormie
Et a toi ne pensera guieres.
Une hore iras a l'uis derrieres
Savoir s'il est remés desfers,
2520 Et soucheras iluec defors,
Tous seus, a la pluie et au vent.
Aprés vendras a l'uis devent
Et se tu troves fendeüre,
Ne fenestre, ne serreüre,
2525 Oreille et escoute par mi
S'il se sont leens endormi ;
Et se la belle sans plus veille,
Ce te lo je bien et conseille
Qu'el t'oie plaindre et doloser,
2530 Si qu'el sache que reposer
Ne pues en lit por s'amitié.
Bien doit fame aucune pitié
Avoir de celi qui endure
Tel mal por li, se trop n'est dure.
2535 Si te dirai que tu dois faire
Por l'amor de la debonnaire
De quoi tu ne pues avoir aise :
Au departir la porte baise,
Et por ce que l'en ne te voie
2540 Devant la maison n'en la voie,
Gar que tu soies repairiés
Ains que li jors soit esclairiés.
    Icis venirs, icis alers,
Icis veilliers, icis parlers
2545 Font as amans sous lor drapiaus
Maintes fois amegrir lor piaus,
Bien le savras par toi meïmes.

Et quand tu ne pourras plus supporter dans ton lit les affres de la veille, alors il faudra te préparer, te vêtir, te chausser et t'apprêter, avant de voir le jour se lever. Alors tu t'en iras en cachette, par la pluie ou par la gelée, tout droit vers la maison de ton amie qui se sera profondément endormie et ne pensera guère à toi.

2518. Une fois tu iras à la porte de derrière pour voir si elle est restée ouverte, et tu resteras planté là, dehors, tout seul à la pluie et au vent. Après, tu iras à la porte de devant et, si tu trouves une fente, une fenêtre ou une serrure, tends l'oreille et écoute si les gens à l'intérieur sont endormis. Et si la belle est seule à veiller, je te recommande vivement qu'elle t'entende te plaindre et te lamenter, en sorte qu'elle sache que tu ne peux reposer dans un lit par amour pour elle.

2532. Une femme doit bien éprouver de la pitié pour celui qui endure de telles peines pour elle, si elle n'est pas trop cruelle. Je te dirai aussi ce que tu dois faire pour l'amour de la noble créature dont tu ne peux obtenir de soulagement : quand tu partiras, baise la porte et, de peur qu'on ne te voie devant la porte ou sur le chemin, veille à t'en retourner avant le lever du jour.

2543. Ces allées et venues, ces veilles, ces entretiens font souvent que les amants flottent dans leurs vêtements à force de maigrir : tu l'apprendras bien par toi-même.

Il couvient que tu t'essaïmes,
Car bien saches qu'amors ne lesse
2550 Sor fins amans color ne gresse.
A ce sont cil bien cognoissent
Qui vont les dames traïssent :
[Il dient, por eus losengier,
Qu'il ont perdu boivre et mengier,] H.
2555 Et je les voi, ces jengleors,
Plus gras que abbés ne preors.
    Encor te commant et encharge
Que tenir te faces a large
A la pucele de l'ostel :
2560 Un garnement li donne tel
Qu'el die que tu es vaillans.
T'amie et tous ses bienveillans
Dois honorer et chiers tenir,
Grans biens te puet par eus venir ;
2565 Car cil qui sont de li privé
Li conteront qu'il t'ont trouvé
Preu et cortois et affaitié ;
Miex t'en prisera la moitié.
Du païs gaires ne t'esloigne ;
2570 Et se tu as si grant besoigne
Que il esloignier t'en couviengne,
Garde bien que ton cuer remaigne,
Et pense tost de retorner.
Tu ne dois gaires sejorner ;
2575 Fai semblant que veoir te tarde
Cele qui a ton cuer en garde.
Or t'ai dit comment n'en quel guise
Tu feras des or mon servise.
Or le fai donques se tu viaus
2580 De la bele avoir tes aviaus. »
    Quant Amors m'ot ce commandé,
Je li ai lores demandé :
« Sire, en quel guise ne comment
Pueent endurer cil amant
2585 Les maus que vous m'avés contés ?
Forment m'en sui espoentés.
Comment vit hons et comment dure

Il faut que tu maigrisses, car sois convaincu que l'amour ne laisse aux parfaits amants ni couleur ni graisse. C'est à cela qu'on reconnaît bien ceux qui ne cessent de trahir les dames : ils disent, pour se mettre en valeur, qu'ils ont perdu le boire et le manger, et je les vois, ces beaux parleurs, plus gras que des abbés ou des prieurs.

2557. De plus, je te recommande et prescris de passer pour généreux auprès de la servante de l'hôtel ; donne-lui une parure si belle qu'elle te trouve homme de valeur. Tu dois honorer et affectionner ton amie et tous ses fidèles : tu peux en retirer un grand profit, car ses familiers lui raconteront qu'ils t'ont trouvé honnête et courtois et distingué : elle t'en appréciera deux fois plus. Ne t'éloigne guère du pays ; et si tu as une affaire si importante qu'il te faille t'en éloigner, prends bien garde de laisser ton cœur et pense à revenir bien vite. Tu ne dois guère t'attarder, montre bien qu'il te tarde de voir celle qui a ton cœur en garde. Maintenant je t'ai dit comment et de quelle manière tu dois désormais me servir. Fais-le donc si tu veux que la belle satisfasse tes désirs. »

2581. Quand Amour m'eut dicté ces commandements, je lui ai alors demandé :

« Seigneur, de quelle manière et comment ces amants peuvent-ils endurer les maux que vous m'avez décrits ? J'en suis rempli d'épouvante. Comment vit et comment résiste un homme

Qui est en pene et en ardure,
En duel, en sopirs et en lermes,
2590 Et en tous poins et en tous termes
Est en soucis et en esveil ?
Si m'aïst Diex, mout me merveil
Comment hons, s'il n'ere de fer,
Puet vivre un mois en tel enfer. »
2595 Li diex d'Amors lors me respont
Et ma demande bien m'espont :
« Biau Amis, par l'ame mon pere,
Nus n'a bien s'il ne le compere ;
Si aime l'en miex le chaté,
2600 Quant l'en l'a plus chier achaté ;
Et plus en gré sont receü
Li bien dont l'en a mal eü.
Il est voirs que nus maus n'ataint
A celi qui les amans taint.
2605 Nes qu'en puet espoisier la mer
Ne porroit l'en les maus d'amer
Conter en romans ne en livre ;
Et tout adés couvient il vivre
Les amans, qu'il lor est mestiers.
2610 Chascuns fuit la mort volentiers.
Cis que l'en met en chartre oscure,
En verminier et en ordure,
Qui n'a que pain d'orge et d'avene,
Ne se muert mie por la pene.
2615 Esperance confort li livre,
Et se cuide veoir delivre
Encor par aucune chevance ;
Et tretout autele beance
A cis qu'Amors tient en prison :
2620 Il cuide avoir sa garison,
Ceste esperance le conforte
Et cuer et talent li aporte
De son cors a martire offrir.
Esperance li fait soffrir
2625 Les maus dont nus ne set le conte
Por la joie qui cent tans monte.
Esperance par soffrir vaint

en proie à la peine et à la souffrance, à la douleur, aux soupirs et aux larmes, quand partout et toujours le souci le tient éveillé ? Dieu m'aide ! Je trouve extraordinaire qu'un homme, à moins qu'il ne soit de fer, puisse vivre un mois dans un tel enfer. »

2595. Le dieu d'Amour me répondit alors, m'expliquant ce que je lui avais demandé :

« Cher ami, par l'âme de mon père, personne n'obtient d'avantage sans le payer ; et l'on aime d'autant plus un bien qu'on l'a payé plus cher, et l'on trouve plus agréable ce qu'on a acquis à grand-peine. Il est vrai qu'aucun mal ne se compare à celui qui fait pâlir les amants. Pas plus qu'on ne peut assécher la mer, on ne pourrait dénombrer les maux de l'amour dans un roman ou dans un livre ; et pourtant il faut que les amants continuent à vivre, car c'est nécessaire. Chacun fuit la mort volontiers. Celui qu'on met dans une prison obscure, parmi la vermine et l'ordure, et qui n'a que du pain d'orge et d'avoine, ne succombe pas à cette peine.

2615. Espérance lui apporte du réconfort, et il croit encore à sa délivrance par un moyen quelconque ; et de la même manière c'est à quoi aspire celui qu'Amour tient en sa prison : il s'imagine guérir, cette espérance le réconforte et lui apporte le courage et le désir d'offrir son corps au martyre. Espérance lui fait souffrir les maux dont personne ne sait le nombre pour la joie qui vaut cent fois autant. Espérance triomphe par la souffrance

Et fet que li amant vivaint.
Beneoite soit Esperance,
2630 Qui les amans issi avance !
Mout est Esperance cortoise,
Qu'el ne lera ja une toise
Nul vaillant homme jusqu'au chief
Ne por peril ne por meschief.
2635 Nes au larron que l'en veut pendre
Fet elle adés merci atendre.
Iceste te garantira,
Ne ja de toi ne partira
Qu'el ne te secore au besoing.
2640   Et aveques ce je te doing
Trois autres biens qui grans solas
Font a ceus qui sont en mes las.
Li premerains bien qui solace
Ceus qui li maus d'Amors enlace,
2645 C'est Dous Pensers, que l'en recorde
Ce ou s'Esperance s'acorde.
Quant li amans plaint et soupire,
Et est en duel et en martire,
Dous Pensers vient a chief de piece,
2650 Qui l'ire et le corrous depiece,
Et a l'amant en son venir
Fet de la joie souvenir
Quë Esperance li promet.
Et après au devant li met
2655 Les yex rians, le nez tretiz,
Qui n'est trop grans ne trop petiz,
Et la bouchete coloree
Dont l'aleine est si savoree ;
Si li plaist mout quant il li membre
2660 De la façon de chascun membre.
Amors vait ses solas doublant,
Quant d'un ris et d'un bel semblant
Li membre, ou d'une bele chiere
Que fait li a s'amie chiere.
2665 Dous Pensers issi assoage
Les dolors d'amors et la rage.
Icest vueil je bien que tu aies ;

et fait vivre les amants. Bénie soit Espérance qui favorise ainsi les amants ! Espérance est la courtoisie
même, car elle n'abandonnera jamais, ne fût-ce que
quelques pas, aucun homme de valeur, et ce, jusqu'au
bout, quel que soit le danger ou le malheur. Même au
brigand que l'on veut pendre, elle fait toujours
attendre sa grâce. C'est Espérance qui te protégera et
qui jamais ne te quittera sans te secourir en cas de
besoin.

2640. En plus, je te donne trois autres biens qui
apportent beaucoup de réconfort à ceux qui sont pris
dans mes lacs.

2643. Le premier bien qui soulage ceux qu'enser-
rent les maux d'Amour, c'est Douce Pensée par
laquelle on se rappelle les promesses d'Espérance.
Quand l'amant se plaint et soupire, et que la souffrance le martyrise, Douce Pensée survient au bout
d'un moment, dissipant la douleur et la colère et, par
sa venue, rappelant à l'amant la joie que lui promet
Espérance. Ensuite, elle lui présente les yeux riants, le
nez bien fait qui n'est ni trop grand ni trop petit, et la
petite bouche vermeille dont l'haleine est un si doux
parfum, et son plaisir est grand à se rappeler la forme
de chaque membre. Amour redouble son réconfort au
rappel d'un sourire ou d'une mine aimable ou d'un
visage accueillant que lui a faits sa chère amie. Douce
Pensée apaise ainsi les douleurs et la rage de l'amour.
Ce bien, j'accepte que tu l'aies ;

Et se tu l'autre refusoies,
Qui n'est mie mains doucereus,
2670 Tu seroies mout dangereus.
    Li autres biens est Dous Parlers,
Qui a fait a mains bachelers
Et a maintes dames secors,
Car chascuns qui de ses amors
2675 Oit parler, tous s'en esbaudist ;
Si me semble que por ce dist
Une dame qui d'amer sot,
En sa chançon un cortois mot :
« Je sui, dist elle, a bonne escole,
2680 Quant de mon ami oi parole.
Si m'aïst Diex, mout m'a garie
Qui m'en parle, quoi qu'il en die. »
Cele de Dous Parlers savoit
[Quanqu'il en iert, car el l'avoit]
2685 Essaié en maintes manieres.
Or te lo et vueil que tu quieres
Un compaignon sage et celant
A qui tu diras ton talant
Et descouvreras ton corage ;
2690 Cis te fera grant avantage.
Quant ti mal t'angoisseront fort,
Tu iras a lui por confort :
Et parlerés andui ensemble
De la bele qui ton cuer t'emble,
2695 De sa biauté, de sa semblance,
Et de sa simple contenance.
[Tout ton estre li conteras,
Et conseil li demanderas] H.
Comment tu porras chose faire
2700 Qui a t'amie puisse plaire.
Se cis qui tant iert tes amis
En bien amer a son cuer mis,
Lors voudra miex ta compaignie.
Si est raisons que il te die
2705 Se s'amie est pucele ou non,
Qui elle est et de quel renon ;
Si n'avras pas poor qu'il muse

mais si tu refusais l'autre qui n'est pas moins agréable, tu serais bien difficile.

2671. L'autre bien, c'est Douce Parole qui a secouru plus d'un jeune homme et plus d'une dame, car chacun, entendant parler de ses amours, en éprouve une joie profonde, et il me semble que c'est pour cette raison qu'une dame, qui s'y connaissait en amour, tient dans sa chanson des propos courtois :

2679. « Je suis, dit-elle, à bonne école quand j'entends parler de mon ami. Que Dieu m'aide ! je suis complètement guérie par celui qui m'en parle, quoi qu'il en dise. »

2683. Celle-ci, sur Douce Parole, savait à quoi s'en tenir, car elle en avait ressenti les effets de bien des manières. Je te conseille donc, je veux que tu recherches un compagnon sage et discret à qui tu feras part de tes désirs et découvriras tes sentiments : il te sera d'un grand secours. Quand tes maux t'accableront, tu iras vers lui chercher du réconfort, et vous vous entretiendrez tous les deux de la belle qui te vole ton cœur, de sa beauté, de son allure et de son maintien modeste. Tu lui révéleras tout ce que tu ressens et tu lui demanderas de te conseiller comment tu pourras réussir à plaire à ton amie. Si l'homme qui sera ton ami intime a consacré son cœur à un grand amour, alors vos relations n'en seront que plus fructueuses. Et il est normal qu'il te dise si son amie est une jeune fille ou non, qui elle est et quelle est sa réputation ; ainsi ne craindras-tu pas qu'il tourne autour de

A t'amie ne qu'il t'en ruse,
Ainz vos entreporterés foi,
2710 Et tu a lui, et il a toi.
Sache que c'est mout plesant chose
Quant l'en a homme a qui l'en ose
Son conseil dire et son secré.
Cel deduit prendras mout en gré
2715 Et t'en tendras bien a paié,
Puisque tu l'avras essaié.
    Li tiers bien vient de regarder :
C'est Dous Regars, qui siaut tarder
A ceus qui ont amors lontaignes ;
2720 Mes je te lo que tu te taignes
Bien pres de li por Dous Regart,
Que ses solas trop ne te tart,
Car il est mout as amorous
Delitables et savourous ;
2725 Mout ont au matin bonne encontre
Li oel, quant Dame Diex lor monstre
Le cors la belle precious
De quoi il sont si convoitous.
Le jor qu'il le pueent veoir
2730 Ne lor doit mie mescheoir ;
Il ne doutent poudre ne vent
Ne nulle autre chose vivent ;
Et quant li oel sont en deduit,
Il sont si apris et si duit
2735 Que seul ne sevent avoir joie,
Ains veulent que li cors s'esjoie,
Et font ses maus assoagier ;
Car li oel, cum droit messagier,
Tout maintenant au cuer envoient
2740 Noveles de ce que il voient,
Et por la joie convient lors
Que li cors oblit ses dolors
Et les tenebres ou il iere.
Aussi certes cum la lumiere
2745 Les tenebres devant soi chace,
Tout aussi Dous Regars efface
Les tenebres ou li cuers gist

ton amie et qu'il t'en écarte, mais vous aurez une confiance totale, toi en lui et lui en toi. Sache qu'il est très agréable d'avoir quelqu'un à qui l'on ose dire ses intentions et ses secrets. Ce passe-temps, tu l'apprécieras beaucoup, et tu t'estimeras bien récompensé une fois que tu l'auras connu par expérience.

2717. Le troisième bien vient du regard : c'est Doux Regard qui, à l'ordinaire, tarde à venir pour ceux qui aiment de loin. Mais moi je te conseille de te tenir auprès de ta dame, à cause de Doux Regard, afin que son réconfort ne tarde pas trop pour toi, car il est pour les amoureux tout à fait délectable et agréable. Quelle bonne rencontre, le matin, pour les yeux, quand Notre-Seigneur leur montre le précieux corps de la belle qu'ils désirent si ardemment. Le jour où ils peuvent le voir, il ne doit pas leur arriver malheur ; ils ne redoutent ni la poussière ni le vent, ni aucun autre être vivant ; et quand les yeux connaissent le plaisir, ils sont si bien élevés et éduqués qu'ils ne savent pas éprouver seuls de la joie, mais ils veulent que le corps se réjouisse, et ils adoucissent ses douleurs, car les yeux, en messagers loyaux, envoient tout aussitôt au cœur des nouvelles de ce qu'ils voient, et la joie, fatalement, amène le corps à oublier ses douleurs et les ténèbres où il vivait. Tout aussi certainement que la lumière chasse devant elle les ténèbres, de la même manière Doux Regard dissipe les ténèbres dans lesquelles,

Qui nuit et jor d'amors languist,
Car li cuers de riens ne se diaut
2750 Quant li oel voient ce qu'il viaut.
    Or t'ai, ce m'est vis, esclaré
Ce dont te vi si esgaré,
Car je t'ai conté, sans mentir,
Les biens qui poent garentir
2755 Les amans et garder de mort.
Or ses qui te fera confort :
Au mains avras tu Esperance,
S'avras Dous Penser, sans doutance,
Et Dous Parler et Dous Regart.
2760 Chascuns de ceus veil qu'il te gart
Jusques tu puisses miex atendre,
Quatre biens qui ne sont pas mendre,
Les quex tu avras ça avant,
Mes je te doins a ja itant. »
2765   Tout maintenant que Amors m'ot
Son plesir dit, je ne soi mot
Que il se fu esvanouïs.
Et je remés essabouïs,
Que je ne vi lés moi nului.
2770 De mes plaies mout me dolui
Et soi que garir ne pooie
Fors que par le bouton ou j'avoie
Tout mon cuer mis et ma beance ;
Si avoie en nuli fiance,
2775 Fors ou diex d'Amors, de l'avoir,
Ainçois savoie tout de voir
Que de l'avoir noiens estoit,
S'Amors ne s'en entremetoit.
    Li rosier d'une haie furent
2780 Clos environ, si cum il durent,
Mes je passasse la cloison
Mout volentiers por l'achoison
Du bouton qui eaut miex que bame,
Se je n'en crainsisse avoir blame ;
2785 Mes assés tost peust l'en penser
Que les rosiers vousisse embler.
Issi cum je me porpensoie

nuit et jour, le cœur se languit d'amour, car le cœur
n'éprouve plus aucune souffrance quand les yeux
voient ce qu'il veut.

2751. Maintenant, je t'ai, me semble-t-il, éclairé sur
ce dont je t'ai vu si désorienté, car je t'ai présenté, sans
mentir, les biens qui peuvent protéger et préserver les
amants de la mort. Maintenant tu sais ce qui te récon-
fortera : au moins auras-tu Espérance, et aussi Douce
Pensée, sans aucun doute, et Douce Parole et Doux
Regard. Chacun d'eux, je veux qu'il te préserve dans
l'attente d'un avenir meilleur : ce sont quatre biens qui
ne sont pas inférieurs, et que tu auras désormais, mais
voilà ce que je te donne pour le moment. »

2765. Tout aussitôt qu'Amour m'eut énoncé sa
volonté, je n'eus pas le temps de m'apercevoir qu'il
s'était évanoui, et je restai abasourdi, car je ne vis personne à côté de moi. Mes plaies me faisaient cruellement souffrir, et je sus que ma guérison ne pourrait
venir que du bouton où j'avais mis tout mon cœur et
tous mes désirs, et je ne me fiais à personne d'autre
qu'au dieu d'Amour pour l'avoir, mais j'étais sûr et
certain qu'il n'y avait aucun moyen de l'avoir sans
qu'Amour s'en entremît.

2779. Les rosiers étaient environnés d'une haie,
comme c'était normal, mais j'aurais franchi bien
volontiers la clôture attiré par le bouton dont le parfum est plus pénétrant que le baume, si je n'avais
craint d'être blâmé ; mais on aurait pu s'imaginer très
vite que j'avais voulu dérober les rosiers. Tandis que
je réfléchissais

S'outre la haie passeroie,
Je vi vers moi tout droit venant
2790 Un valet bel et avenant
En qui il n'ot riens que blamer :
Bel Acuel se fait appeler ;
Fix fu Cortoisie la sage.
Cis m'abandonna le passage
2795 De la haie mout doucement
Et dist mout amiablement :
« Biaus amis chiers, se il vous plest,
Passés la haie sans arrest
Por l'odor des roses sentir.
2800 Je vous i puis bien garentir
N'i avrés mal ne vilonnie,
Se vous vous gardés de folie ;
Et se de riens vous puis aidier,
Ja ne m'en quier fere prier,
2805 Car pres sui de vostre servise,
Je le vous di tout sans faintise.
— Sire, fis je a Bel Acuel,
Tout ce que vous voulés je vueil,
Si vous rens graces et merites
2810 De la bonté que vous me dites,
Car mout vous vient de grant franchise ;
Puisqu'il vous plest, vostre servise
Sui pres de prendre volentiers. »
Par ronces et par aglentiers,
2815 Dont en la haie avoit assés,
Sui maintenant outre passés ;
Vers le bouton m'en vins errant
Qui mieudre odor des autres rent,
Et Bel Acuel me convoia.
2820 Si sachiés que mout m'agrea
Dont je me poi si pres remaindre
Que au bouton peüsse ataindre.
Bel Acuel m'ot mout bien servi
Quant le bouton de si pres vi.
2825 Mes uns vilains, qui grant honte ait,
Pres d'iluec repost s'estoit :
Dangiers ot non, et fu closiers

pour savoir si je franchirais la haie, je vis venir tout droit vers moi un jeune homme beau et aimable en qui l'on ne trouvait rien à blâmer. Il se faisait appeler Bel Accueil : c'était le fils de Courtoisie l'avisée. Celui-ci me permit de passer la haie avec beaucoup de gentillesse, disant fort aimablement :

2797. « Bien cher ami, si c'est votre plaisir, franchissez la haie sans retard pour sentir l'odeur des roses. Je puis bien vous l'assurer : vous ne subirez ni mal ni outrage, si vous vous gardez de commettre une folie ; et si je puis vous aider en quoi que ce soit, je ne me ferai pas prier, car je suis disposé à vous servir, je vous le dis bien franchement.

2807. — Sire, fis-je à Bel Accueil, tout ce que vous voulez, je le veux, et je vous rends mille grâces pour la faveur que vous me faites, car elle témoigne d'une très grande générosité. Puisque c'est votre plaisir, je suis disposé à accepter volontiers votre service. »

2814. À travers les ronces et les églantiers qui foisonnaient dans la haie, je passai sur-le-champ de l'autre côté, et je m'en allai aussitôt vers le bouton dont le parfum est plus suave que celui des autres. Je fus guidé par Bel Accueil. Sachez que je fus très heureux de pouvoir rester si près du bouton que j'aurais pu le toucher.

2823. Bel Accueil m'avait très bien servi, puisque je voyais le bouton de si près. Mais un vilain — qu'il soit honni ! — s'était caché près de là : il se nommait Danger, et c'était le geôlier

Et garde de tous les rosiers.
En un destor fu li couvers,
2830 D'erbe et de fuelles couvers,
Por ceus espier et souprendre
Qu'il voit as roses la main tendre.
Ne fu mie seus li gaignons,
Ainçois avoit a compaignons
2835 Malebouche, le gengleor,
Et avec lui Honte et Poor.
Li miex vaillans d'aus si fu Honte ;
Et sachiés que, qui a droit conte
Son parenté et son linage,
2840 Elle fu fille Raison la sage
Et ses peres ot non Malfet,
Qui est si hidous et si let
C'onques a lui Raison ne jut,
Mes du veoir Honte conçut.
2845 Quant [Diex] ot fete Honte nestre,
Chastaés, qui dame doit estre
Et des roses et des boutons,
Iere assaillie de gloutons
Si qu'ele avoit mestier d'aïe ;
2850 Car Venus l'avoit envaïe,
Qui nuit et jor sovent li emble
Rosiers et roses tout ensemble.
Lors requit a Raison sa fille
Chastaez, que Venus exille ;
2855 Por ce que desconsillie iere,
Vot Raison fere sa priere,
Et li preta a sa requeste
Honte qui est sage et honeste ;
Por les rosiers miex garentir
2860 I fist Jalousie venir
Paor, qui bee durement
A fere son commandement.
Or sont as roses garder quatre,
Qui se leront avant bien batre
2865 Que nus boutons ne rose emport.
Je fusse arivés a bon port
Se par eus ne fusse aguetiés,

et le gardien de tous les rosiers. Le scélérat se tenait à l'écart, couvert d'herbes et de feuilles, pour épier et surprendre ceux qu'il voyait tendre la main vers les roses. La canaille n'était pas seule, mais elle avait pour compagnons Malebouche la mauvaise langue, et avec elle Honte et Peur. Celle d'entre eux qui valait le mieux, c'était Honte et sachez que, si l'on indique exactement sa parenté et son lignage, c'était la fille de Raison la sage et que son père se nommait Méfait qui est si hideux et si laid que jamais Raison ne coucha avec lui, mais que, à sa seule vue, elle conçut Honte.

2845. Quand Dieu eut fait naître Honte, Chasteté, qui doit être la dame et des roses et des boutons, était assaillie par des débauchés si bien qu'elle avait besoin d'aide, car elle était attaquée par Vénus qui, nuit et jour, lui vole souvent les rosiers et les roses tout à la fois. Alors Chasteté, que Vénus bannit, demanda sa fille à Raison ; laquelle, la voyant désemparée, accepta d'acquiescer à sa prière et, à sa requête, lui prêta Honte qui est sage et honnête. Pour mieux protéger les rosiers, Jalousie y fit venir Peur qui aspire ardemment à obéir à ses ordres. Les voici donc à quatre pour garder les roses, qui se laisseront rouer de coups plutôt que quelqu'un emporte un bouton ou une rose.

2866. Je serais arrivé à bon port si ceux-là ne m'avaient pas épié,

Car li frans, li bien afetiés
Bel Acuel se penoit de faire
2870 Quanqu'il savoit qui me doit plaire.
Sovent me semont d'aprochier
Vers le bouton, et de touchier
Au rosier qu'il avoit chargié.
De tout ce me donna congié.
2875 Por ce qu'il cuide que jel vueille,
A il coillie une fueille
Les le bouton, qu'il m'a donnee,
Por ce que pres ot esté nee.
    De la fueille me fis mout cointes,
2880 Et quant je me senti acointes
De Bel Acuel et si privés,
Je cuidai bien estre arivés.
Lors ai pris cuer et hardement
De dire a Bel Acuel comment
2885 Amors m'avoit pris et navré :
« Sire, fis je, jamés n'avré
Joie, se n'est par une chose,
Que j'ai dedens le cuer enclose
Une mout pesant maladie.
2890 Ne sai comment je le vous die,
Car je vous criens mout correcier ;
Miex vodroie a cotiaus d'acier
Piece a piece estre depeciés
Que fussiés vers moi correciés.
2895 — Dites, fet il, votre vouloir,
Que ja ne m'en verrés doloir
De chose que vous puissiés dire. »
Lors li ai di : « Sachiés, biau sire,
Amors durement me tormente.
2900 Ne cuidiés pas que je vous mente :
Il m'a ou cuer cinc plaies faites,
Ja les dolors n'en seront traites,
Se le bouton ne me bailliés
Qui est des autres miex taillés.
2905 Ce est ma mort, ce est ma vie,
De nulle riens n'ai plus envie. »
    Lors s'est Bel Acuel effraés,

car le généreux et le courtois Bel Accueil se donnait de la peine pour faire tout ce qu'il savait devoir me plaire. Souvent il m'invitait à m'approcher du bouton et à toucher le rosier qui le portait. De faire tout cela il me donna la permission. Croyant que c'était mon désir, il cueillit à côté du bouton une feuille qu'il me donna, parce qu'elle avait poussé près de lui. La feuille me remplit de fierté, et quand je me sentis l'ami de Bel Accueil et assez familier avec lui, je m'imaginai avoir touché au but. Alors j'eus le courage et la hardiesse de dire à Bel Accueil comment Amour m'avait captivé et blessé :

2886. « Seigneur, fis-je, je n'aurai jamais de joie que par une seule chose, car j'ai, enclose au fond du cœur, une cruelle maladie. Je ne sais comment vous le dire, craignant fort de vous courroucer : j'aimerais mieux être mis en pièces, morceau après morceau, avec des couteaux d'acier, que d'encourir votre courroux.

2895. — Dites-moi, fit-il, ce que vous désirez, car jamais vous ne me verrez souffrir d'aucun propos que vous puissiez tenir.

2898. — Sachez, cher seigneur, lui ai-je alors dit, qu'Amour me met à la torture. Ne croyez pas que je vous mente : il m'a fait au cœur cinq plaies dont les douleurs ne seront jamais arrachées si vous ne me donnez pas le bouton qui est mieux fait que les autres : il est ma mort, il est ma vie ; de rien d'autre je n'ai davantage envie. »

2907. Bel Accueil, alors, de s'effrayer

Et me dist : « Frere, vous baés
A ce qui ne puet avenir.
2910 Comment ! me voulés vous honnir ?
Vous m'averiés bien assoté
Se le bouton aviés osté
De son rosier ; n'est pas droiture
Que l'en l'oste de sa nature.
2915 Vilains estes du demander ;
Lessiés le croistre et amender,
Nel voudroie avoir deserté
Du rosier qui l'avoit porté
Por nulle riens vivant, tant l'ains. »
2920 A tant saut Dangiers li vilains
De la ou il estoit muciés.
Grans fu et noirs et hericiés,
Les yex ot rouges comme feus,
Le nés froncié, le vis hideus,
2925 Et s'escrie cum forcenés :
« Bel Acuel, por quoi amenés
Entor ces roses ce vassaut ?
Vous faites mal, se Diex me saut,
Qu'il bee a nostre avillement.
2930 Dehait ait, sans vous solement,
Qui en cest vergier l'amena !
Qui felon sert itant en a.
Vous li vouliés bonté faire,
Et il vous quiert honte et contraire.
2935 Fuiés, vassaus, fuiés de ci !
Par poi que je ne vous oci !
Bel Acuel mal vous connoissoit,
Qui de vous servir s'angoissoit,
Si le baés a conchier.
2940 Ne me quier mes en vous fier,
Car bien est ores esprouvee
La traïson qu'aviés couvee. »
Plus n'osai iluec remanoir
Por le vilain hidous et noir
2945 Qui me menace a assaillir.
La haie m'a fait tressaillir
A grant poor et a grant heste ;

et de me dire :

« Frère, vous souhaitez l'impossible. Comment ? Voulez-vous me déshonorer ? Vous m'auriez bien berné si vous aviez ôté le bouton de son rosier ; il n'est pas convenable qu'on l'ôte de l'endroit qui lui est naturel. Vous êtes un vilain personnage quand vous le demandez. Laissez-le croître et embellir : je ne voudrais pas l'avoir séparé du rosier qui l'a porté, tellement je l'aime. »

2920. C'est alors que bondit de sa cachette Danger le rustre. Il était grand, noir, les cheveux en broussailles, les yeux rouge feu, le nez froncé, le visage hideux. Il s'écria comme un forcené :

« Bel Accueil, pourquoi amenez-vous autour de ces roses ce jouvenceau ? C'est mal agir, que Dieu me sauve ! car il cherche notre déshonneur. Malheur à celui qui l'amena en ce verger, vous excepté ! Quand on sert un félon, c'est la récompense qu'on a. Vous vouliez être bon avec lui, et il cherche votre honte et votre dommage. Fuyez, jeune homme, fuyez ! Peu s'en faut que je vous tue ! Bel Accueil vous connaissait mal pour se préoccuper de vous servir, tandis que vous cherchez à le rouler. Je n'ai plus envie d'avoir confiance en vous, car maintenant éclate au grand jour la trahison que vous avez couvée. »

2943. Je n'osai rester ici plus longtemps à cause du vilain hideux et noir qui menaçait de m'attaquer. Il me fit franchir la haie, au comble de la peur et en toute hâte.

Et li vilains crole la teste
Et dist, se jamés i retour,
2950 Il me fera prendr'un mal tour.
Lors s'en est Bel Acuel foïs,
Et je remés tous esbahis,
Honteus et mas ; si me repens
Quant onques dis ce que je pens.
2955 De ma folie me recors ;
Si voi que livrés est mes cors
A duel, a pene et a martire ;
Et de ce ai la plus grant ire
Que je n'osai passer la haie.
2960 Nus n'a mal qui Amors n'assaie ;
Ne cuidiés pas que nus connoisse,
S'il n'a amie, qu'est grant angoisse.
Amors vers moi mout bien s'aquite
De la pene qu'il m'avoit dite.
2965 Cuers ne porroit mie penser
Ne bouche d'omme recenser
De ma dolor la quarte part,
Par poi que li cuers ne me part
Quant de la rose me souvient
2970 Que si esloignier me couvient.
    En tel point ai grant piece esté,
Tant que ensi me vit maté
La dame de la haute garde,
Qui de sa tour aval esgarde :
2975 La dame fu Raison nomee.
Lors est de sa tour avalee,
Si est tout droit vers moi venue.
El ne fu vielle ne chenue,
Ne fu trop haute ne trop basse,
2980 Ne fu trop megre ne trop grasse.
Li oel qui en son chief estoient
A deus estoiles resembloient ;
Si ot ou chief une corone ;
Bien resembla haute personne.
2985 A son semblant et a son vis
Pert que fust faite en paradis,
Car Nature ne seüst pas

Et le vilain secouait la tête et disait que, si jamais j'y revenais, il me ferait passer un mauvais quart d'heure.

2951. Bel Accueil s'enfuit alors, tandis que moi, je restai désemparé, honteux et accablé, me repentant d'avoir dit ce que je pensais. Je me souvenais de ma folie, et je me voyais livré à la douleur et à la souffrance du martyre ; mais ce qui m'affligeait le plus, c'était de ne pas oser passer la haie. Personne ne connaît la douleur sans passer par l'épreuve de l'amour ; ne vous imaginez pas qu'on connaisse ce qu'est l'angoisse si l'on n'a pas d'amie. Amour m'a généreusement imparti la peine qu'il m'a annoncée. Le cœur ne pourrait imaginer, ni une bouche humaine dénombrer la quart de ma souffrance. Peu s'en faut que mon cœur ne se brise au souvenir de la rose dont je dois rester éloigné.

2971. J'ai été longtemps dans cet état, tant et si bien que, me voyant ainsi accablé, la dame qui de sa haute tour d'observation contemple la terre (elle a été appelée Raison), descendit alors de sa tour et vint directement vers moi. Elle n'était ni vieille ni chenue, ni trop grande ni trop petite, ni trop maigre ni trop grosse. Ses yeux, dans son visage, ressemblaient à deux étoiles, et sur la tête elle portait une couronne. Elle avait tout l'air d'une noble personne. À son aspect et à son visage, il était visible qu'elle avait été faite en paradis, car Nature n'aurait pas su réaliser

Ovre fere de tel compas.
Sachiés, se la lectre ne ment,
2990 Que Diex la fist nomeement
A sa semblance et a s'ymage,
Et li donna tel avantage
Qu'el a pooir et seignorie
De garder homme de folie,
2995 Par quoi il soit tex qu'il la croie.
Ainsi cum je me dementoie,
Atant e vous Raison commence :
« Biaus amis, folie et enfance
T'ont mis en pene et en effroy ;
3000 Mar vis le jolif temps de may
Qui fist ton cuer trop esgaier ;
Mar t'alas onc esbanoier
Ou vergier dont Oiseuse porte
La clef, dont el t'ovri la porte.
3005 Fos est qui s'acointe d'Oiseuse ;
S'acointance est trop perilleuse.
El t'a trahi et deceü ;
Amors ne t'eüst ja seü
S'Oiseuse ne t'eüst conduit
3010 Ou biau vergier qui est Deduit.
Se tu as folement ouvré,
Or fai tant qu'il soit recouvré
Et garde bien que tu ne croies
Le conseil par quoi tu foloies.
3015 Bon foloie qui se chastie ;
Et quant jones hons fait folie,
L'en ne s'en doit pas merveillier.
Or te viaus dire et conseiller
Que l'amor metes en obli
3020 Dont je te voi si afoibli
Et si conquis et tormenté.
Je ne voi mie ta santé
Ne ta garison autrement,
Car mout te bee durement
3025 Dangier le fel a guerroier ;
Tu ne l'as mie a essoier.
Et de Dangier noient ne monte

une œuvre d'une telle perfection. Sachez, si le texte du livre ne ment pas, que Dieu l'avait faite spécialement à sa ressemblance et à son image, et qu'il lui donna le privilège d'avoir le pouvoir souverain de garder l'homme de la folie, pourvu qu'il soit tel qu'il la croie.

2996. Tandis que je me lamentais, voici que Raison prit la parole :

« Cher ami, c'est la folie de l'enfance qui t'a mis dans la peine et la détresse. Pour ton malheur tu vis le joyeux temps de mai qui réjouit trop ton cœur ; pour ton malheur tu allas un jour te divertir dans le verger dont Oiseuse garde la clé avec laquelle elle t'ouvrit la porte. Fou est celui qui lie amitié avec Oiseuse : son amitié est très dangereuse. Elle t'a trahi et trompé : Amour ne t'aurait jamais suivi si Oiseuse ne t'avait pas conduit dans le beau verger de Déduit. Si tu as commis une folie, agis maintenant de manière à la réparer et garde-toi bien de croire les conseils qui te poussent à des folies. Heureuse est la folie quand on se corrige ! Lorsqu'un jeune commet une folie, l'on ne doit pas s'en étonner.

3018. Je veux maintenant te dire et te conseiller d'oublier l'amour par qui je te vois si affaibli, si soumis et si tourmenté. Je ne vois pas d'autre solution pour ta santé et ta guérison, car Danger le félon aspire de toutes ses forces à te faire la guerre : inutile de l'éprouver. Et Danger n'est rien

Envers que de ma fille Honte,
Qui les rosiers deffent et garde
3030 Con cele qui n'est pas musarde ;
Si en dois avoir grant poor
Car je n'i voi por toi pior.
Et avec ce est Malebouche
Qui ne soufre que nus y touche :
3035 Avant que la chose soit faite
L'a il en deus cens leus retraite.
Mout as afere a dure gent.
Or garde qui est le plus gent,
Ou du lessier ou du parsivre
3040 Ce qui te fait a dolor vivre ;
C'est li maus qui amors a non,
Ou il n'a se folie non.
Folie, si m'aïst Diex, voire !
Hons qui aime ne puet bien faire
3045 N'a nesun bien du monde entendre :
S'il est clers, il pert son aprendre ;
Et se il fet autre mestier,
Il n'en puet gueres esploitier.
Ensorquetout il a plus pene
3050 Que n'ont chanoine ne blanc moine.
[La pene en est desmesuree,]
Et la joie a corte duree.
Qui joie en a petit li dure ;
De l'avoir est en aventure,
3055 Car je voi que maint s'en travaillent
Qui en la fin du tout y faillent.
Onques mon conseil n'atendis
Quant au dieu d'Amors te rendis.
Le cuer, que tu as si volage,
3060 Te fist entrer en tel folage.
La folie fu tost emprise,
Mes a l'issir a grant mestrise.
Or met l'amor en nonchaloir
Qui te fait vivre et non valoir,
3065 Car la folie adés engraigne,
Qui ne fait tant qu'ele remaigne.
Pren durement a dens le frain,

comparé à ma fille Honte qui défend et garde les roses sans aucune insouciance ; aussi dois-tu la redouter fort, car je ne vois pas pour toi de pire ennemi. Avec eux, il y a Malebouche qui ne souffre pas qu'on y touche : avant que rien soit accompli, il l'a raconté en deux cents lieux. Tu as affaire à des gens impitoyables. Examine donc ce qui est le plus convenable, de renoncer ou de poursuivre ce qui te fait vivre dans la douleur.

3041. C'est la maladie qui a nom amour, où il n'y a que folie. Folie, oui, vraiment, que Dieu m'aide ! Homme qui aime ne peut bien faire, ni prétendre à rien de bon sur terre : s'il est clerc, il perd son savoir, et s'il pratique un autre métier, il ne peut guère en profiter. Par-dessus tout, il a plus de peine que les chanoines et les moines blancs. La peine en est démesurée, et la joie de courte durée. Quand on a de la joie, elle dure peu ; l'obtenir relève du hasard, car je vois que beaucoup s'y épuisent et, pour finir, échouent totalement. Tu ne sollicitas pas mon conseil quand tu te rendis au dieu d'Amour. C'est le cœur, que tu as si volage, qui te fit entrer dans une telle folie. À la folie on a vite fait de succomber ; mais, pour en sortir, il faut une singulière habileté. Néglige donc l'amour qui te fait vivre sans accroître ta valeur, car la folie ne cesse de s'aggraver quand on n'agit pas pour y mettre un terme. Prends fermement le mors aux dents,

Et donte ton cuer et refrain.
Tu dois metre force et deffense
3070 Encontre ce que ton cuer pense.
Qui toutes hores son cuer croit
Ne puet estre qu'il ne foloit. »
     Quant j'oï ce chastïement,
Je respondi ireement :
3075 « Dame, je vous veil molt prier
Que me lessiés a chastïer.
Vous me dites que je refraigne
Mon cuer, qu'Amors plus ne le praigne.
Cuidiés vous dont qu'Amors consente
3080 Que je refraingne et que je dente
Le cuer qui est tretous siens quites ?
Ce ne puet estre que vous dites ;
Amors a si mon cuer donté
Qu'il n'est mes a ma volenté ;
3085 Il le justise si forment
Qu'il y a fete clef ferment.
Or m'en lessiés du tout ester,
Car vous porriés bien gaster
En oiseuse vostre françois.
3090 Je vodroie morir ainçois
Qu'Amors m'eüst de fauceté
Ne de traïson aresté.
Je me veil loer ou blamer,
Au darrenier, de bien amer ;
3095 Si m'ennuie qui me chastie. »
A tant s'est Raison departie,
Qui bien voit que por sermonner
Ne me porroit de ce torner.
Je remés d'ire et de duel plains,
3100 Sovent ploré, sovent me plains
Car de moi ne soi chevissance,
Tant qu'il me vint en remembrance
Qu'Amors me dist que je queïsse
Un compaignon cui je deïsse
3105 Tout mon conseil entierement
Si m'osteroit de grant torment.
     Lors me porpensé que j'avoie,

dompte et refrène ton cœur. Tu dois résister avec force aux impulsions de ton cœur. Quand à toute heure on se fie à son cœur, il est impossible qu'on ne commette pas de folie. »

3073. Quand j'entendis cette réprimande, je répondis plein de courroux :

« Madame, je veux vous prier instamment de renoncer à me sermonner. Vous me dites de refréner mon cœur, afin qu'Amour ne s'en empare plus. Croyezvous donc qu'Amour accepte que je refrène et dompte le cœur qui est tout à lui sans restriction ? Impossible de faire ce que vous dites. Amour a si bien dompté mon cœur qu'il n'est plus soumis à ma volonté ; il le gouverne si fermement qu'il a fait une clé pour le fermer. Laissez-moi donc tranquille, car vous pourriez bien gaspiller en pure perte votre français. Je préférerais mourir plutôt qu'Amour m'eût accusé de fausseté et de trahison. Ce que je veux, c'est d'attendre la fin pour me louer ou me reprocher de bien aimer, et on m'ennuie quand on me chapitre. »

3096. Sur ce, Raison s'en est allée : elle voyait bien que ses sermons ne pourraient m'en détourner. Quant à moi, je restai en proie au chagrin et à la douleur, pleurant souvent et souvent me plaignant, car je ne trouvais en moi aucun recours, jusqu'à ce que je me rappelle qu'Amour m'avait dit de chercher un compagnon à qui je dise tous mes secrets sans exception, et qu'ainsi il m'arracherait à mes tourments.

3107. Je réfléchissai alors que j'avais

Un compaignon que je savoie
Mout a loial : Amis ot non ;
3110 Onques n'oi si bon compaignon.
A li m'en vins grant aleüre,
Si li desclos l'encloeüre
Dont je me sentoie encloé,
Si cum Amors m'avoit loé,
3115 Et me plains a lui de Dangier
Qui par poi ne me vost mengier,
Et Bel Acuel en fist aler
Quant il me vit a lui parler
Du bouton a qui je baoie,
3120 Et dist que je le comparroie
Se jamés par nulle achoison
Me veoit passer la cloison.
    Quant Amis sot la vérité,
Il ne m'a mie espoenté,
3125 Ains me dist : « Compains, or soiés
Seürs, et ne vous esmaiés.
Je connois bien pieça Dangier ;
Il a apris a losengier,
A ledir et a menacier
3130 Ceus qui aiment de cuer entier ;
Pieça que je l'ai esprouvé.
Se vous l'avés felon trouvé,
Il sera autres au darrenier.
Je le connois cum un denier :
3135 Il se set bien amolier
Par chuer et par supplier.
Or vous dirai que vous ferés :
Je lo que vous li requerrés
Qu'il vous pardoint sa malvoillance
3140 Par amors et par acordance ;
Et li metés bien en couvent
Que jamés des or en avent
Ne ferés riens qui li desplese ;
C'est la chose qui plus l'apese,
3145 Qui le chue et qui le blandist. »
    Tant parla Amis et tant dist
Qu'il m'a auques reconforté,

un compagnon dont je connaissais la grande loyauté :
il s'appelait Ami ; jamais je n'avais eu un si bon
compagnon. J'allai vers lui à vive allure et je lui révélai
l'obstacle par quoi je me sentais arrêté, tout comme
Amour me l'avait conseillé ; et je me plaignis à lui de
Danger qui avait failli me dévorer, et qui chassa Bel
Accueil quand il me vit lui parler du bouton dont je
rêvais, ajoutant que je le paierais si jamais, sous
quelque prétexte, il me voyait franchir la clôture.

3123. Quand Ami sut la vérité, loin de m'effrayer,
il me dit : « Compagnon, rassurez-vous, ne vous
inquiétez pas. Je connais bien Danger depuis longtemps. Il a coutume de persifler, d'outrager et de
menacer ceux qui aiment de tout leur cœur ; il y a
longtemps que j'en ai fait l'expérience. Si vous l'avez
trouvé cruel, il sera tout autre à la fin. Je le connais
comme ma poche : il se laisse bien attendrir si on le
flatte et le supplie. Je vais donc vous dire ce que vous
ferez : je conseille que vous le priiez de renoncer à sa
malveillance au nom de l'amitié et de la paix, et pro-
mettez-lui formellement de ne jamais faire dorénavant
rien qui lui déplaise. C'est la meilleure façon de l'apaiser que de le flatter et de le cajoler. »

3146. Ami parla tant et si bien qu'il m'a un peu
réconforté

Et hardement m'a aporté
En mon cuer d'aler assaier
3150 Se Dangier peüsse apaier.
A Dangier sui venu honteus,
De ma pes fere convoiteus,
Mes la haie ne passai pas,
Por ce qu'il m'ot veé le pas.
3155 Je le trové en piés drecié,
Fel par semblant et corecié,
En la main un baston d'espine.
Je tins vers lui la teste encline
Et li dis : « Sire, je sui ci
3160 Venus por vous crier merci ;
Mout me poise s'il pooit estre
Dont je vous fis onques irestre,
Mes or sui prest de l'amender
Si cum vous vodrois commender.
3165 Sans faille, Amors le me fist fere,
Dont je ne puis mon cuer retrere ;
Mes je n'avré jamés beance
A riens dont vous aiés pesance.
Je veil miex soffrir ma mesaise
3170 Que faire chose qui vous desplaise ;
Et vous suppli que vous aiés
Pitié de moi et apaiés
Vostre ire, qui trop m'espoente,
Et je vous jur et acreante
3175 Que vers vous si me contendré
Que ja de riens ne mesprendré,
Por quoi vous me veilliés graer
Ce que ne me poés vaer.
Car veilliés que j'ains solement,
3180 Autre chose ne vous dement,
Toutes vos autres volentés
Ferai, se ce me creantés.
Si nel poés vous destorber.
Ja ne vous quier de ce lober,
3185 Car j'ameré, puis qu'il me siet,
Cui qu'il soit bel ne cui qu'il griet.
Mes ne vodroie, por mon pois

et qu'il m'a mis au cœur l'audace d'essayer de voir si je pouvais amadouer Danger. Vers lui je suis venu honteux et désireux de faire la paix, mais sans franchir la haie, car il m'en avait interdit le passage. Je le trouvai planté sur ses pieds, la mine féroce et courroucée, un bâton d'épine à la main. Je me tins devant lui la tête basse.

3159. « Sire, lui dis-je, je suis venu ici vous crier grâce. Je suis désolé d'avoir pu commettre un acte qui vous ait fâché, mais je suis maintenant prêt à réparer de la manière que vous l'exigerez. Sans mentir, c'est Amour qui en est la cause, Amour à qui je ne puis reprendre mon cœur. Mais je ne désirerai plus rien qui vous fasse de la peine. Je préfère souffrir ma misère que de faire chose qui vous déplaise, et je vous supplie d'avoir pitié de moi et d'apaiser votre colère qui me remplit d'épouvante. Je vous jure et promets de me comporter envers vous si bien que je ne commettrai aucune faute, afin que vous veuillez m'accorder ce que vous ne pouvez pas me refuser. Acceptez donc que j'aime : c'est tout ce que je vous demande. Je ferai toutes vos autres volontés, si vous me l'accordez ; et vous ne pouvez pas l'empêcher. Je ne cherche pas à vous tromper sur ce point, car j'aimerai, puisque cela me convient, qu'on en ait du plaisir ou du déplaisir. Mais je ne voudrais pas, pour mon poids

D'argent, qu'il fust sus vostre pois. »
Mout trové Dangier dur et lent
3190 De pardonner son mal talent,
Et si le m'a il pardonné
En la fin, tant l'ai sermonné,
Et me dist par parole brieve :
« Ta requeste riens ne me grieve,
3195 Si ne te voil pas escondire.
Saches je n'ai vers toi point d'ire,
Et se tu aimes moi ne chaut ;
Ce ne me fait ne froit ne chaut.
Adés aime, mes que tu soies
3200 Loing de mes roses toutevoies.
Ja ne te porteré menaie
Se tu passes jamés la haie. »
Ensi m'otroia ma requeste
Et je l'alai conter en heste
3205 A Ami, qui s'en esjoï
Cum bons compains, quant il l'oÿ.
« Or va, dist il, bien vostre afaire.
Encor vous sera debonnaire
Dangier, qu'il fait a mains lor bon
3210 Quant il a monstré son boben.
S'il estoit pris en bonne vene,
Pitié avra de vostre pene.
Or devés souffrir et atendre
Tant qu'en bon point le puissiés prendre.
3215 J'ai bien esprové que l'en vaint
Par soffrir felon et ataint. »
Mout me conforta doucement
Amis, qui mon avancement
Vousist autant bien comme gié.
3220 Atant ai pris de lui congié.
A la haie, que Dangier garde,
Sui retornez, que mout me tarde
Que le bouton au mains en voie,
Puis qu'avoir n'en puis autre joie.
3225   Dangier se prent garde sovent
Se je li tiens bien son couvent,
Mes je redout tant sa menace

d'argent, que ce fût malgré vous. »

3189. Je trouvai Danger inflexible et lent à renoncer à sa colère ; pourtant, il finit par me pardonner, à force de le sermonner, et il me répondit brièvement :

3193. « Ta requête ne me dérange en rien ; aussi ne veux-je pas t'éconduire. Sache que je ne suis pas en colère contre toi, et si tu aimes, je m'en moque : cela ne me fait ni chaud ni froid. Continue à aimer, pourvu que tu te tiennes en tout cas loin de mes roses. Jamais je n'aurai pitié de toi si tu passes un jour la haie. »

3203. Ainsi m'accorda-t-il ma requête, et je me hâtai d'aller le raconter à Ami, qui s'en réjouit en bon camarade quand il l'entendit :

3207. « Maintenant, dit-il, votre affaire se présente bien. Danger sera même généreux envers vous, car à beaucoup il a fait leurs volontés, après qu'il eut manifesté son orgueil. Si vous le trouvez de bonne humeur, il aura pitié de votre peine. Pour le moment, vous devez souffrir et attendre que vous puissiez le trouver bien disposé. J'ai constaté par expérience que, à force de patience, on vainc et touche le méchant. »

3217. Ami mit beaucoup de douceur à me réconforter, désirant mon succès tout autant que moi. Je pris alors congé de lui, et je retournai vers la haie que Danger gardait, car il me tardait fort de voir au moins le bouton, puisque je ne pouvais en avoir d'autre joie.

3225. Danger vérifiait souvent si je lui tenais bien ma promesse, mais je redoutais tant sa menace

Que je criens que irier nel face ;
Si me sui penés longuement
3230 De fere son commandement
Por lui acointier et atraire.
Mes ce me torne a grant contraire
Que sa mercis trop me demore ;
Si voit il sovent que je plore
3235 Et que je me plains et soupir,
Por ce qu'il me fait trop cropir
Delés la haie, car je n'ose
Passer por aler a la rose.
Tant fis qu'il a certainnement
3240 Veü a mon contenement
Qu'Amors malement me justise.
Bien voit n'i a point de faintise
En moi ne de desloiauté.
Mes il est de tel cruauté
3245 Qu'il ne se daingne encores freindre,
Tant m'oie dementer ne plaindre.
    Si cum j'estoie en ceste pene,
Atant e vous que Diex amene
Franchise, et avec li Pitié.
3250 N'i ot onques plus respitié ;
A Dangier s'en vont tretot droit,
Car l'une et l'autre me vodroit
Aidier, s'el pooit, volentiers,
Que bien voient qu'il est mestiers.
3255 La parole a premier prise,
Soe merci, dame Franchise,
Et dist : « Dangier, se Diex m'ament,
Vous avés tort de cel amant
Qui par vous est trop mal menés.
3260 Sachiés, vous vous en avilés,
Car je n'ai pas encor apris
Qu'il ait vers vous de riens mespris.
S'Amors le fait par force amer,
Devés le vous por ce blamer ?
3265 Il i pert plus que vous ne fetes,
Qu'il en a maintes penes tretes.
Mes Amors ne viaut consentir

que je craignais de le mettre en colère. Aussi ai-je pris longtemps la peine d'obéir à ses ordres pour gagner son amitié et ses bonnes grâces. Mais j'étais très fâché que sa pitié tardât trop à venir. Pourtant il me voyait souvent pleurer, et me plaindre et soupirer, parce qu'il me faisait trop morfondre à côté de la haie que je n'osais pas franchir pour aller vers la rose. Je fis tant et si bien que, certainement, il a vu, à mon attitude, qu'Amour me traitait cruellement. Il voyait bien qu'il n'y avait pas en moi une once de tromperie ni de déloyauté. Mais il est si cruel qu'il ne daignait pas encore se détendre, bien qu'il entendît mes lamentations et mes plaintes.

3247. Pendant que j'étais en proie à cette peine, voici donc que Dieu amène Franchise et avec elle Pitié. Sans prendre aucun répit, vers Danger elles s'en vont tout droit, car l'une et l'autre voudraient volontiers m'aider, si elles le pouvaient : elles voient bien que c'est nécessaire. La première à prendre la parole, ce fut — je lui en rends grâce — dame Franchise qui dit :

3257. « Danger — que Dieu m'assiste ! — vous faites du tort à cet amant qui par vous est trop malmené. Sachez qu'ainsi vous vous déshonorez, car je ne me suis pas encore aperçu qu'il ait commis une faute envers vous. Si Amour le force à aimer, devez-vous pour cela le blâmer ? Il y perd plus que vous-même, puisqu'il en a éprouvé maintes peines. Mais Amour refuse de tolérer

Que il se puisse repentir.
Qui le devroit tout vif larder,
3270 Ne s'en porroit il pas garder.
Mes, biau sire, que vous avance
De lui faire ennui et grevance ?
Avés vous guerre a lui emprise
Por ce que il vous aime et prise,
3275 Et que il est vostre sougiés ?
S'Amors le tient pris en ses giés
Et le fet a lui obéïr,
Devés le vous por nous haïr ?
Ains le deüssiés espargnier
3280 Plus qu'un orguillous pautonnier.
Cortoisie est que l'en secore
Celi dont l'en est au dessore.
Mout a dur cuer qui n'amolie
Quant il trove qui li supplie. »
3285   Pitiez respont : « C'est verités,
Aigretié vaint humilités ;
Et quant trop dure l'aigretiés,
C'est felonnie et mavetiés.
Dangier, por ce vous veil requerre
3290 Que plus ne maintenés la guerre
Vers ce chetif qui languist la,
Qui onques Amors ne guila.
Avis m'est que vous le grevés
Assés plus que vous ne devés,
3295 Qu'il trait trop male penitance
Des lors en ça que l'acointance
Bel Acuel li avés toloite,
Car c'est la riens qu'il plus convoite.
Il ere avant assés troublés,
3300 Mes or est ses anuis doublés ;
Or est il mors et mal baillis
Quant Bel Acuel li est faillis.
Por quoi li fetes vous contraire ?
Trop li fesoit Amors mal traire.
3305 Il a tant mal que il n'eüst
Mestier de pis, s'il vous pleüst.
Or ne l'alés plus cordoiant,

qu'il puisse se repentir. Dût-on le larder tout vif de coups, il ne pourrait pas s'en préserver. Mais, cher seigneur, quel avantage avez-vous à lui causer ennuis et peines ? Avez-vous entrepris de lui faire la guerre parce qu'il vous aime et vous estime, et qu'il est votre sujet ? Si Amour le retient captif en ses liens et le force à lui obéir, devez-vous le haïr à cause de nous ? Vous devriez au contraire l'épargner plus qu'un orgueilleux gredin. C'est courtoisie que d'aider son inférieur ; c'est avoir un cœur de pierre que de ne pas s'adoucir quand on trouve quelqu'un qui vous supplie. »

3285. Pitié reprit :

« C'est vrai : l'humilité triomphe de la violence, et quand la violence s'éternise, c'est de la cruauté et de la méchanceté. C'est pourquoi, Danger, je veux vous demander de ne plus prolonger la guerre contre ce malheureux qui languit là-bas sans avoir jamais trompé Amour. À mon avis, vous l'accablez beaucoup plus que vous ne devez, car il endure une très rude pénitence depuis le moment où vous lui avez ravi la société de Bel Accueil, qui est ce qu'il désire le plus. Si, auparavant, il était bien troublé, maintenant ses ennuis ont redoublé ; maintenant le voici mort, en piteux état, puisque Bel Accueil lui fait défaut. Pourquoi lui causez-vous du tort ? Amour le faisait cruellement souffrir. Il a tant de maux qu'il n'aurait pas eu besoin d'en avoir plus, si vous l'aviez bien voulu. Cessez donc de le martyriser,

Car vous n'i gaaigneriés noiant.
Soffrés que Bel Acuel li face
3310 Des ore mes aucune grace.
De pecheor misericorde.
Puisque Franchise s'i acorde,
Elle vous prie et amoneste,
Ne refusés pas sa requeste.
3315 Mout par est fel et deputaire
Qui por nous deus ne veut riens faire. »
    Lors ne pot plus Dangier durer,
Il le couvint amesurer :
« Dame, dist il, je ne vous ose
3320 Escondire de ceste chose,
Car trop seroit grant vilonnie.
Je veil qu'il ait la compaignie
Bel Acuel, puis que il vous plest ;
Je n'i metré jamés arrest. »
3325   Lors est a Bel Acuel alee
Franchise, la bien emparlee,
Et li a dit cortoisement :
« Trop vous estes de cel amant,
Bel Acuel, grant piece esloigniés,
3330 Qui regarder ne le daigniés.
Mout a esté pensis et tristes,
Puis lore que ne le veïstes.
Or pensés de lui esjoïr,
Se de m'amor voulés joïr,
3335 Et de faire sa volenté.
Sachiés que nous avons denté,
Entre moi et Pitié, Dangier
Qui nous en fesoit estrangier.
   — Je feré quanque vous vodrois,
3340 Dist Bel Acuel, car il est drois,
Puis que Dangiers l'a otroié. »
Lors le m'a Franchise envoié.
Bel Acuel au commencement
Me salua mout doucement.
3345 S'il ot esté vers moi iriés,
Ne s'en fu de riens empiriés,
Ains me montra plus bel semblant

car vous n'y gagneriez rien. Souffrez que Bel Accueil lui accorde désormais quelque faveur. À tout péché miséricorde ! Puisque Franchise en est d'accord, au point de vous exhorter, ne repoussez pas sa requête. Particulièrement cruel et ignoble est celui qui ne veut rien faire pour nous plaire. »

3317. Alors Danger ne put s'obstiner davantage, il lui fallut s'adoucir :

3319. « Madame, dit-il, je n'ose pas rejeter votre demande, car ce serait une infamie. J'accepte qu'il fréquente Bel Accueil, puisque c'est votre plaisir ; je ne m'y opposerai plus jamais. »

3325. L'éloquente Franchise s'est alors rendue auprès de Bel Accueil et lui a dit courtoisement :

3328. « Vous vous êtes tenu, Bel Accueil, trop longtemps éloigné de cet amant : vous ne daignez pas le regarder. Comme il a été triste et pensif dès lors que vous ne l'avez plus vu ! Pensez donc à le rendre joyeux si vous voulez que je vous aime, et à combler ses désirs. Sachez que Pitié et moi nous avons maîtrisé Danger qui nous tenait éloignées de lui.

3339. — Je ferai tout ce que vous voudrez, dit Bel Accueil : c'est justice puisque Danger l'a accordé. »

3342. Franchise m'a alors envoyé Bel Accueil qui, pour commencer, me salua avec une grande douceur. S'il avait été en colère contre moi, il n'était en rien plus hostile :

Qu'il n'avoit onques fet avant.
Il m'a lores par la main pris
3350 Por mener dedens le porpris
Que Dangiers m'avoit chalongié,
Et j'oi d'aler partout congié.
Or fui cheois, ce m'est avis,
De grant enfer en paradis,
3355 Car Bel Acuel partout me mene,
Qui de mon gré fere se pene.
  Un poi la trovai engroissee,
La rose, quant je l'oz apressee,
Et vi qu'ele ere puis creüe
3360 Que je ne l'oi de pres veüe.
La rose auques s'eslargissoit
Par amont, si m'abelissoit
Ce qu'el n'ere pas si overte
Que la grene fust descouverte,
3365 Ainçois estoit encore enclose
Entre les fuelles de la rose
Qui amont droites se levoient
Et la place dedens emploient ;
Si ne pooit paroir la graine
3370 Par la place qui estoit plaine.
Elle fu, Diex la beneïe !
Assés plus belle espanie
Qu'el n'iere avant, et plus vermeille,
Si m'esbahi de la merveille
3375 De tant cum el ere embelie ;
Et Amors plus et plus me lie,
Et tout adés estraint ses las
Tant cum j'en oi plus de solas.
  Grant piece ai ilueques esté,
3380 Qu'a Bel Acuel grant amor é
Et grant compaignie trouvee ;
Et quant je voi qu'il ne me vee
Ne son solas ne son servise,
Une chose li ai requise
3385 Qui bien fait a ramentevoir :
« Sire, fis je, sachiés de voir
Que durement sui envious

au contraire il se montra envers moi plus aimable qu'il ne l'avait jamais été. Il m'a pris par la main pour me mener dans l'enclos que Danger m'avait interdit, et j'eus la permission d'aller partout. Me voici tombé, me semble-t-il, du terrifiant enfer en paradis, car Bel Accueil me menait partout, s'évertuant à me faire plaisir.

3357. Quant à la rose, je la trouvai un peu grossie, quand je me fus approché d'elle, et je vis qu'elle avait grandi depuis que je ne l'avais vue de près. La rose s'élargissait un peu vers le haut, et je me réjouissais qu'elle ne fût pas assez ouverte pour découvrir la graine, mais que celle-ci fût encore enclose dans les pétales de la rose qui se tenaient droit et en occupaient le cœur, en sorte que la graine n'était pas visible, tout l'espace étant occupé. Elle était, Dieu la bénisse ! beaucoup plus belle, épanouie, qu'elle ne l'était auparavant, et plus vermeille : j'étais stupéfait de cette merveille, à la voir si embellie. Et Amour de m'enlacer de plus en plus en ses liens dont il ne cesse de resserrer les nœuds, à mesure qu'augmente ma joie.

3379. Longtemps je suis resté là, car je trouvai en Bel Accueil beaucoup d'affection et une agréable compagnie. Quand je vis qu'il ne me refusait ni son réconfort ni ses bons offices, je lui ai demandé une faveur qu'il convient de rapporter :

3386. « Seigneur, fis-je, soyez sûr et certain que j'ai une furieuse envie

D'avoir un baisier precious
De la rose qui soëf flere,
3390 Et s'il ne vous devoit desplere
Je le vous requerroie en dons.
Se vous le me vouliés dons
[Donner, et du baisier l'otroi,
Par Dieu, sire, dites le moi,]
Se il vous plait que je la baise,
Car ce n'iert ja tant qu'il vous plaise.
3395   — Amis, dist il, se Diex m'aïst,
Se Chastaé ne m'en haïst,
Ja ne vous fust par moi vaé ;
Mes je n'ose por Chastaé,
Vers qui je ne veil pas mesprendre,
3400 Qu'ele me siaut touz jors deffendre
Que de baisier congié ne doigne
A nul amant qui m'en semoigne,
Car qui au baisier puet ataindre
A pene puet a tant remaindre ;
3405 Et sachiés bien, cui l'en otroie
Le baisier, qu'il a de la proie
Le plus bel et le plus avenant,
Si a erres du remanant. »
        Quant je l'oï issi respondre,
3410 Ne le vos plus de ce semondre ;
Je le cremoie correcier :
L'en ne doit pas homme enchaucier
Outre son gré, n'engoissier trop.
Vous savés bien qu'au premier cop
3415 Ne cope l'en pas bien le chesne,
Ne l'en n'a pas le vin de l'esne
Tant que li pressoirs soit estrois.
Adés me tarda li otrois
Du baisier que je desirroie,
3420 Mes Venus, qui adés guerroie
Chastaé, me vint a secors :
Ce est la mere au dieu d'Amors,
Qui a secoru maint amant.
Elle tint un brandon flamant
3425 En sa main dextre, dont la flame

d'obtenir le bienfait d'un baiser de la rose qui sent si bon, et à moins que cela ne vous déplaise, je vous demanderais de me le donner. Si vous vouliez donc m'accorder la faveur d'un baiser, par Dieu, seigneur, dites-moi s'il vous plaît que je lui donne un baiser, car je ne le ferai qu'avec votre accord.

3395. — Ami, dit-il, que Dieu m'aide ! si Chasteté ne me prenait pas en haine pour cela, je ne vous le refuserais pas. Mais je n'ose à cause de Chasteté envers qui je ne veux commettre de faute, car elle a l'habitude de m'interdire toujours d'accorder la permission d'un baiser à un amant qui m'en sollicite, car celui qui peut obtenir un baiser, peut à grand-peine en rester là. Et sachez bien que celui à qui l'on accorde le baiser, a de la proie la part la plus belle et la plus agréable ; ce sont des arrhes sur le reste. »

3409. Quand je l'entendis répondre ainsi, je ne voulus pas le solliciter davantage, de peur de l'irriter : l'on ne doit pas harceler quelqu'un contre son gré, ni trop le presser. Vous savez bien qu'on ne coupe pas le chêne du premier coup, et que le raisin ne donne pas de vin tant qu'on n'a pas serré le pressoir. Sans cesse je languissais d'obtenir le baiser que je désirais.

3420. Mais Vénus, qui sans cesse fait la guerre à Chasteté, vint à mon secours. C'est la mère du dieu Amour qui a secouru plus d'un amant. Elle tenait dans sa main droite un tison enflammé dont la flamme

A eschaufee mainte dame.
El fu si cointe et si tifee
El resembloit deesse ou fee.
Du grant ator que elle avoit
3430 Bien puet cognoistre qui la voit
Qu'el n'est pas de religion.
Ne feré or pas mencion
De sa robe, de son oré,
Ne de son treceoir doré,
3435 Ne de fermau ne de corroie,
Por ce que trop y demorroie.
Mes sachiés bien certainement
Qu'el fu vestue cointement
Et si n'ot point en li d'orgueil.
3440 Venus se trait vers Bel Acueil,
Si li a comencié a dire :
« Por quoi vous fetes vous, biau sire,
Vers cel amant si dangerous
D'avoir un baisier precious ?
3445 Ne li deüst estre veés,
Car vous savés bien et veés
Qu'il sert et aime en loiauté,
Si a en lui assés biauté,
Par quoi est dignes d'estre amés.
3450 Veés cum il est acesmés,
Cum il est biaus, cum il est gens,
Et dous et frans a toutes gens ;
Et avec ce il n'est pas viaus,
Ains est enfés, dont il vaut miaus.
3455 Il n'est dame ne chastelainne
Que je ne tenisse a vilainne
S'ele faisoit de lui dangier.
Son cors ne fait pas a changier :
Se le baisier li otroiés,
3460 Il iere en lui bien emploiés,
Qu'il a, ce croi, mout douce alainne,
Et sa bouche n'est pas vilainne,
Ains semble estre a estuire
Por solacier et por deduire,
3465 Car les levres sont vermeilletes

a échauffé plus d'une dame. Elle était si gracieuse et
si bien parée qu'elle ressemblait à une déesse ou à une
fée. À ses beaux atours, on peut bien reconnaître,
quand on la voit, que ce n'est pas une religieuse. Je ne
vais pas décrire maintenant sa robe ni son voile ni le
galon doré de ses tresses ni l'agrafe ni la ceinture,
parce que j'y resterais trop longtemps. Mais sachez
avec une certitude absolue qu'elle était vêtue avec élégance sans qu'elle montrât le moindre orgueil. Vénus
se dirigea vers Bel Accueil et commença à lui dire :

3442. « Pourquoi, cher seigneur, manifester envers
cet amant tant de réticence à lui accorder le bienfait
d'un baiser ? On n'aurait pas dû le lui refuser, car vous
savez bien et vous voyez qu'il sert et aime en toute
loyauté, et qu'il y a en lui assez de beauté pour être
digne d'être aimé. Voyez comme il est élégant, comme
il est beau, comme il est gracieux, et doux et généreux
envers tout le monde ; en plus, loin d'être vieux, il est
très jeune, ce qui est un avantage. Il n'est dame ni
châtelaine que je ne tiendrais pour méprisable si elle
faisait la difficile avec lui. À sa personne il n'y a rien
à changer : si vous lui accordez le baiser, il sera bien
placé, car il a, je crois, une très douce haleine, et sa
bouche n'est pas vulgaire, mais semble avoir été faite
pour remplir d'aise et de plaisir, car les lèvres sont
vermeilles

Et les dens sont blanches et netes,
Qu'il n'i a taigne ne ordure.
Bien est, ce m'est avis, mesure
Que uns baisiers li soit creés ;
3470   Donnés li, se vous m'en creés,
Car tant com plus vous en tendrois,
Tant, ce sachiés, du temps perdrois. »
      Bel Acuel si senti l'aer
Du brandon, sans plus delaer,
3475   M'otroia un baisier en dons.
Tant fist Venus et ses brandons
Onques n'i ot plus demoré :
Un baisier dous et savoré
Pris de la rose erramment.
3480   Se j'oi joie, nus nel demant,
Car une odor m'entra ou cors
Qui en gita la dolor fors
Et adouci les maus d'amer
Qui me soloient estre amer.
3485   Onques mes ne fui si aaise.
Mout est garis qui tel flor baise,
Car ele est sade et bien olent.
Ja ne seré ja si dolent,
S'il m'en sovient, que je ne soie
3490   Tous plains de solas et de joie.
Et ne porquant j'ai grans anuis
Soffers, et maintes males nuis,
Puis que j'oi la rose baisie.
La mer n'iert ja si apaisie
3495   Qu'el ne se troble a poi de vent.
Amors si se change sovent
Il oint une hore et autre point ;
Amors n'est gaires en un point.
      Des or est drois que je vous conte
3500   Comment je fui mellés a Honte,
Par qui je fui puis mout grevés,
Et comment li murs fu levés
Et li chatiaus riches et fors,
Qu'Amors prist puis par ses effors.
3505   Toute l'istoire veil porsivre,

et les dents blanches et nettes, sans tartre ni saleté. À mon avis, il est vraiment temps qu'un baiser lui soit accordé : donnez-le-lui, si vous m'en croyez, car plus vous vous retiendrez, plus, sachez-le, vous perdrez de temps. »

3473. Bel Accueil ressentit si bien le souffle chaud du brandon que, sans plus de délai, il m'accorda le don d'un baiser. Vénus avec son brandon fit tant que, sans aucun retard, je pris aussitôt à la rose un baiser doux et savoureux. Si je fus heureux, inutile de le demander, car mon corps fut envahi d'un parfum qui en chassa la douleur et adoucit les maux de l'amour qui, d'ordinaire, m'étaient douloureux. Jamais de la vie je ne fus si heureux. La guérison est totale quand on baise une telle fleur, car elle est douce et très parfumée. Non, je ne serai jamais si affligé que je ne sois, par le souvenir, rempli de bonheur et de joie. Et pourtant quels tourments j'ai soufferts, et combien de nuits atroces, depuis que j'ai baisé la rose ! La mer ne sera jamais si calme qu'elle ne soit troublée par un peu de vent. Amour change si souvent qu'une heure il caresse et blesse à une autre heure : Amour ne reste guère dans le même état.

3499. Désormais il convient que je vous raconte comment j'eus à affronter Honte par qui je fus malmené, et comment furent érigés l'enceinte et le puissant château-fort qu'Amour finit par prendre au terme de ses efforts. Je veux poursuivre toute l'histoire

Ja paresce ne m'iert d'escrivre,
Par quoi je sache qu'il abelisse
A la bele, que Diex garisse,
Qui le guerredon m'en rendra
3510 Miex que nuli, quant el vodra.
     Malebouche, qui le couvine
De mains amans set et devine
Et tout le mal qu'il set retrait,
Se prist garde du bel atrait
3515 Que Bel Acuel me daignoit faire,
Et tant que il ne s'en pot taire,
Qu'il fu fix d'une vielle irese,
Qu'il ot la langue mout punese
Et mout puant et mout amere :
3520 Bien en retraioit a sa mere.
Malebouche des lors en ça
A enhaïr me commença
Et dit que il metroit son œl
Que entre moi et Bel Acuel
3525 Avoit mavés acointement.
Tant parla li glos folement
De moi et du filz Cortoisie
Qu'il fist esveillier Jalousie,
Qui se leva en effreor,
3530 Quant el oï le gengleor.
Et quant elle se fu levee,
Elle corut comme desvee
Vers Bel Acuel, qui vosist miaus
Estre a Estampes ou a Miaus.
3535 Lors fu de parole assaillis :
« Gars, por quoi es tu si hardis
Que tu es si bien d'un garçon
Dont j'ai mavese soupeçon ?
Bien pert que tu crois les losenges
3540 De legier des garçons estrenges.
Ne me veil plus en toi fier.
Certe je te ferai lier
Ou enserrer en une tour,
Car je n'i voi autre retour.
3545 Trop s'est de toi Honte esloignie

que la paresse ne m'empêchera pas d'écrire, dans la mesure où je crois qu'elle plaira à la belle (Dieu la sauve !) qui m'en rendra la récompense mieux qu'aucune autre, quand elle le voudra.

3512. Malebouche, qui connaît et devine les pensées de maints amants et raconte tout le mal qu'il peut, remarqua le traitement cordial que Bel Accueil daignait me réserver, tant et si bien qu'il ne put se taire, car c'était le fils d'une vieille atrabilaire : par sa langue, on ne peut plus infecte, pestilentielle et mordante, c'était tout le portrait de sa mère. Malebouche, dès ce moment, commença à me haïr, disant qu'il parierait son œil qu'entre Bel Accueil et moi, il y avait une liaison coupable. La fripouille débita tant d'insanités contre moi et le fils de Courtoisie qu'il réveilla Jalousie qui se leva tout effrayée quand elle entendit la mauvaise langue. Une fois debout, elle courut comme une folle furieuse vers Bel Accueil qui aurait préféré se trouver à Étampes ou à Meaux. Elle l'accabla alors de ses paroles :

3536. « Garnement, pourquoi es-tu assez effronté pour être si bien avec un chenapan dont j'ai mauvaise opinion ? On voit bien que tu crois facilement les flatteries de garnements étrangers. Je ne veux plus te faire confiance. C'est sûr : je te ferai ligoter ou enfermer dans une tour, car je ne vois pas d'autre solution. Honte s'est trop éloignée de toi,

Et si ne s'est pas bien poignie
De toi garder et tenir court ;
Si m'est avis qu'ele secourt
Trop mavesement Chasteé,
3550 Quant lesse un garçon dereé
En nostre porprise venir
Por moi et li envilenir. »
    Bel Acuel ne sot que respondre,
Ainçois se fu alés repondre
3555 S'el ne l'eüst iluec trové
Et pris avec moi tout prouvé.
Mes quant je vi venir la grive
Qui contre nous point et estrive,
Je sui tantost tornés en fuie
3560 Por sa riote qui m'ennuie.
    Honte s'est lores avant traite,
Qui mout se crient estre meffaite ;
Et fu humilians et simple,
Et ot un voile en leu de guimple
3565 Aussi cum nonain d'abbeie ;
Et por ce qu'el fu esbahie,
Commença a parler en bas :
« Por Dieu, dame, ne creés pas
Malebouche le losengier :
3570 C'est uns hons qui mout de legier
A maint prodomme amusé.
S'il a Bel Acuel accusé,
Ce n'est pas ore li premiers,
Car Malebouche est coustumiers
3575 De raconter fauces noveles
De valés et de damoiseles.
Sans faille, ce n'est pas mençonge,
Bel Acuel a trop longue longe ;
L'en li a soffert a atraire
3580 Tex gens dont il n'avoit que faire.
Mes certes je n'ai pas creance
Qu'il i ait eüe beance
De mavetié ne de folie.
Mes il est drois que Cortoisie,
3585 Qui est sa mere, li enseigne

elle ne s'est pas beaucoup fatiguée pour te surveiller et te tenir en bride. À mon avis, elle est d'un bien piètre secours pour Chasteté quand elle laisse un insolent chenapan venir dans notre enclos pour nous déshonorer elle et moi. »

3553. Bel Accueil, ne sachant que répondre, serait plutôt allé se cacher, si elle ne l'avait pas trouvé là et pris sur le fait avec moi. Mais quand je vis venir l'oiseau de malheur qui nous harcèle de ses insultes, je pris aussitôt la fuite, car je ne peux supporter sa querelle.

3561. Honte s'avança alors, toute à la crainte d'avoir commis une faute. Humble et modeste, elle portait, en guise de guimpe, un voile à la manière d'une religieuse. Comme elle était désemparée, elle se mit à parler tout bas :

3568. « Par Dieu, Madame, ne croyez pas ce flatteur de Malebouche : c'est un homme qui, avec beaucoup de légèreté, a abusé maint gentilhomme. S'il a accusé Bel Accueil, ce n'est pas sa première victime, car Malebouche a coutume de colporter de fausses nouvelles sur les jeunes gens et les demoiselles. Il est vrai que ce n'est pas un mensonge : Bel Accueil a trop la bride sur le cou ; on lui a permis d'attirer des gens dont il n'avait que faire. Mais certainement je ne crois pas qu'il ait désiré commettre une vilenie ou une folie. Mais il est normal que Courtoisie, qui est sa mère, lui enseigne

Que d'acointier gens ne se faingne.
Il n'ama onques homme entulle :
En Bel Acuel n'a autre hulle,
Ce sachiés, n'autre encloeüre,
3590 Mes il est plains d'envoiseüre
Et se joe as gens et parole.
Sans faille, j'ai esté trop mole
De lui garder et chastier,
Si vous en veil merci crier.
3595 Se j'ai esté un poi trop lente
De bien faire, j'en sui dolente ;
De ma folie me repens ;
Mes je metré tout mon apens
Des or a Bel Acuel garder ;
3600 Jamés ne m'en quier retarder.
— Honte, Honte, fet Jalosie,
J'ai grant poor d'estre trahie,
Car Licherie est haut montee,
Que tost porroie estre enchantee.
3605 N'est merveilles se je me dout,
Car Luxure regne partout ;
Son pooir ne fine de croistre ;
N'en abbaïe ne en cloistre
Chastaés n'est mes asseür ;
3610 Por ce feré de noviau mur
Clore les rosiers et les roses ;
Nes lerai pas issi descloses
Qu'en vostre garde poi me fi,
Car je voi bien et sai de fi
3615 Que en millor garde pert l'en.
Ja ne verrés passer un an
Que l'en m'en tendroit por musarde
Se je ne m'en prenoie garde.
Mestiers est que je me porvoie.
3620 Certes je lor clorré la voie
A ceus qui por moi conchier
Viennent mes roses espier.
Il ne me sera ja paresce
Que n'i face une forteresce
3625 Qui les rosiers clorra entor.

de ne pas renâcler à fréquenter les gens. Bel Accueil n'a jamais aimé un sot ; en lui il n'y a pas d'autre faute, sachez-le, ni d'autre vice, mais il est plein de gaieté, il plaisante avec les gens et leur parle. C'est vrai : j'ai été trop faible pour le garder et le corriger, et je veux vous en demander pardon. Si j'ai été un peu nonchalante à bien faire, j'en suis affligée, je me repens de ma folie, mais je consacrerai toutes mes pensées désormais à garder Bel Accueil, jamais je ne tarderai à le faire.

3601. — Honte, Honte, fait Jalousie, j'ai grand-peur d'être trahie, car Débauche a pris un tel essor que bien vite je pourrais être ensorcelée. Il n'est pas étonnant que j'aie peur, car Luxure règne partout, et son pouvoir ne cesse de croître : ni dans les abbayes ni dans les cloîtres, Chasteté n'est plus en sécurité.

3610. Aussi ferai-je enclore d'un nouveau mur les rosiers et les roses ; je ne les laisserai pas ainsi exposés, car je me fie peu à votre surveillance : je vois bien et je sais sûrement qu'on perd avec la meilleure garde. Vous ne verriez pas passer une année sans qu'on me tînt pour stupide si je n'y prenais garde. Il est nécessaire que je prenne des précautions. Oui, je leur fermerai le chemin, à ceux qui, pour m'embobiner, viennent épier mes roses. Jamais paresse ne m'empêchera de construire une forteresse qui enfermera les rosiers.

Ou mileu avra une tor
Por Bel Acuel metre en prison,
Car j'ai poor de traïson.
Je croi si bien garder son cors
3630 Qu'il n'avra pooir d'issir hors,
Ne de compaignie tenir
As garçons qui por moi honnir
De paroles le vont chuant.
Trop l'ont trové icil truant
3635 Fol et bergier au decevoir.
Mes se je vif, sachiés de voir,
Mar lor fist onques biau semblant. »
A cest mot vint Poor tremblant,
Mes elle fu si esbahie
3640 Quant elle a Jalousie oïe
C'onques mot ne li osa dire
Por ce qu'el la savoit en ire.
Ensus se trait a une part
Et Jalousie s'en depart.
3645 Poor et Honte lesse ensemble,
Tout li megres du cul lor tremble.
   Poors, qui tint la teste encline,
Parole a Honte sa cosine :
« Honte, fet elle, mout me poise
3650 Dont il nous couvient avoir noise
De ce dont nous ne poons maiz.
Maintes fois est avril et maiz
Passé, c'onques n'eümes blame.
Or nous corroce et nos mesame
3655 Jalousie, qui nos mescroit.
Alons a Dangier orendroit,
Si li dison bien et moutron
Que il a fait grant mesprison
Dont il n'a grignor pene mise
3660 A bien garder ceste porprise.
Trop a a Bel Acuel souffert
A fere son grĕ en apert,
Si couvendra qu'il s'en ament,
Ou sache bien certainnement
3665 Foïr l'en estuet de la terre :

Au milieu, il y aura une tour pour emprisonner Bel Accueil, car je redoute une trahison. Je crois le garder si bien qu'il ne lui sera pas possible de sortir ni de tenir compagnie à des chenapans qui, pour me déshonorer, lui susurrent des mots doux. Ces truands l'ont trouvé, pour le tromper, d'une sottise de berger. Mais, si je vis, soyez sûre et certaine que c'est pour son malheur qu'il leur fit bon visage. »

3638. À ces mots survint Peur toute tremblante, mais si épouvantée, en entendant Jalousie, qu'elle n'osa lui souffler mot, la sachant en colère. Elle se retira à l'écart, et Jalousie de s'éloigner, laissant ensemble Peur et Honte qui serraient les fesses. Peur, qui tenait la tête basse, parla à Honte sa cousine :

3649. « Honte, fit-elle, il me déplaît fort qu'il nous faille être gourmandées pour quelque chose à quoi nous ne pouvons rien. Maintes fois avril et mai ont passé sans que nous recevions de blâme. Maintenant Jalousie nous fustige et nous injurie : elle ne nous fait pas confiance. Allons sur-le-champ voir Danger ; disons-lui, montrons-lui qu'il a commis une faute grave en ne s'appliquant pas davantage à bien garder cet enclos. Il a trop permis que Bel Accueil agisse ouvertement à son gré. Aussi faudra-t-il qu'il se reprenne, ou qu'il sache avec certitude qu'il sera contraint de quitter le pays :

Il ne garroit mie a la guerre
Jalousie, n'a l'ataïne,
S'elle le coilloit en haïne. »
   A cest conseil se sont tenues,
3670 Puis si sont a Dangier venues ;
Si ont trové le païsant
Desous un aube espin gisant.
Il ot en leu de chevessuel
Sous son chief d'erbe un moncel ;
3675 Il commençoit à somillier.
Mes Honte le fist esvillier
Qui le ledenge et li cort sore :
« Comment dormés vous a ceste ore,
Fet elle, par male aventure ?
3680 Fox est qui en vous s'asseüre
De garder rose ne bouton
Nes qu'en la coe d'un mouton.
Trop estes recreans et lasches,
Qui deüssiés estre forasches
3685 Et tout le monde estoutoier.
Folie vous fist otroier
Que Bel Acuel ceens meïst
Home qui blamer vous feïst.
Quant vous dormés, nous en avons
3690 La noise, qui riens n'en savons.
Vous estiés vous ore couchiés ?
Levés tost sus, et si bouchiés
Tous les pertuis de ceste haie,
Et n'i portés jamés manaie.
3695 Il n'afiert pas a vostre non
Que vous faciés se dangier non.
Se Bel Acuel est frans et dous,
Et vous soiés fel et estous,
Et plains de rampone et d'outrage.
3700 Vilains qui est cortois errage,
[Ce oï dire en reprovier,
Ne l'en ne puet fere esprevier
En nule guise de busart.
Tuit cil vous tiennent por musart
3705 Qui vous ont trouvé debonaire.

il ne sortirait pas vivant de la guerre de Jalousie, ni de sa fureur si elle le prenait en haine. »

3669. S'en tenant à cet avis, elles sont ensuite venues jusqu'à Danger : elles ont trouvé le paysan étendu sous une aubépine. Il avait sous la tête, au lieu d'un oreiller, un tas d'herbe, et il commençait à dormir. Mais Honte le réveilla en l'injuriant et en l'attaquant :

3678. « Comment, fit-elle, par quel malheur vous dormez à cette heure ? Fou est celui qui a confiance en vous, pour garder rose ou bouton, plus qu'en la queue d'un mouton ! Vous êtes trop faible et lâche, vous qui devriez être farouche et rudoyer tout le monde. Quelle folie que de permettre à Bel Accueil d'introduire ici un homme qui vous fît blâmer ! Quand vous dormez, c'est nous qui sommes querellées, et nous n'en pouvons mais. Vous vous étiez donc couché ? Levez-vous en vitesse, bouchez tous les trous de cette haie, et soyez sans pitié. Avec votre nom, vous ne devez causer que des difficultés. Si Bel Accueil est généreux et doux, vous, soyez cruel et arrogant, agressif et insolent. Un vilain courtois déraisonne : j'ai entendu ce proverbe, et l'on ne peut d'aucune manière faire un épervier d'une buse. Tous ceux qui vous ont trouvé gentil vous prennent pour un imbécile.

Voulés vous donques a gens plaire]
Ne fere honor ne servise ?
Ce vous vient de recreantise,
Si avrés [més] par tout le los
3710 Que vous estes laches et mos
Et que vous creés jengleors. »
Lors a aprés parlé Poors :
« Dangier, dist elle, mout me mervel
Que vous n'estes en grant esveil
3715 De garder ce que vous devés.
Trop en porrés estre grevés,
Se l'ire Jalousie engraigne,
Qui est mout fiere et molt grifaigne,
Et de tencier appareillie.
3720 Elle a hui mout Honte assaillie,
Et a chacié par sa menace
Bel Acuel fors de ceste place,
Et juré qu'il ne puet durer
Que ne le face vif emmurer ;
3725 C'est tout par vostre mavestié
Qu'en vous n'a més point d'angretié.
Je crois que cuers vous est faillis ;
Més vous en serés mal baillis,
Et en avrés pene et ennui,
3730 S'onques Jalousie connui. »
       Lors leva li vilains sa houce,
Fronce du nés et s'esberouce,
Les dens estraint, les iex rœille,
Et fu plains d'ire et de rueille
3735 Quant il s'oï ensi blamer :
« Bien puis or, fet il, forcener
Quant vous me tenés por vaincu.
Certes or ai je trop vescu
Se cest porpris ne puis garder.
3740 Or me faites tout vif larder
Se jamés hons vivans i entre.
Mout ai iré le cuer ou ventre
Dont nus i mist onques les piés.
Miex vousisse de deus espiés
3745 Estre ferus parmi le cors.

Vous voulez donc plaire aux gens, et prodiguer courbettes et bons offices ? Ce n'est que couardise, et vous aurez partout la réputation d'être lâche et mou, et d'être sensible à la flatterie. »

3712. Peur a pris ensuite la parole :

« Danger, dit-elle, je suis stupéfaite que vous ne soyez pas très attentif à garder ce que vous devez. Il pourra vous en cuire si la colère de Jalousie s'accroît, car elle est féroce et cruelle, toujours disposée à critiquer. Elle s'en est prise aujourd'hui à Honte et, par ses menaces, elle a chassé Bel Accueil de cette place, jurant qu'avant longtemps elle le ferait emmurer vivant. C'est uniquement par votre lâcheté que vous n'avez plus de dureté. Je crois que vous manquez de courage. Mais vous en pâtirez, et vous en récolterez peines et ennuis, si jamais j'ai connu Jalousie. »

3731. Alors le vilain de relever son vêtement, fronçant le nez et se secouant, grinçant des dents et roulant les yeux, rempli de colère et de fureur quand il s'entendit ainsi blâmer :

3736. « J'ai de bonnes raisons, fit-il, de devenir fou, puisque vous pensez que je suis perdu. Oui, vraiment, j'ai trop vécu si je ne peux plus garder cet enclos. Faites-moi donc larder tout vif de coups, si jamais y entre homme qui vive. De colère, j'ai mal au ventre que quelqu'un y ait mis les pieds. J'aimerais mieux que de deux épieux on me frappât le corps.

Je fis que fox, bien m'en recors,
Or l'amenderai par vous deus.
Jamés ne seré vergondeus
[De ceste porprise deffendre.
3750 Se g'i puis nului entreprendre
Mieuz li vendroit estre a Pavie.
Jamés a nul jor de ma vie] H.
Ne m'en tendrés a recreant,
Je le vous jur et acreant. »
3755   Lors s'est Dangiers en piés dreciés,
Semblant fet d'estre correciez.
En sa main un baston a pris
Et vait cerchant par le porpris
S'il trovera pertuis ne trace
3760 De sentier qui a bouchier face.
Des or est mout changiés li vers,
Car Dangiers devient mout divers
Et plus mal qu'il ne soloit estre.
Mort m'a qui si l'a fait irestre,
3765 Car je n'avré jamés lesir
De veoir ce que tant desir.
Mout ai le cuer du ventre iré
Dont j'ai Bel Acuel adiré ;
Et bien sachiés que tuit li membre
3770 Me fremissent quant il me membre
De la rose que je souloie
De pres veoir quant je voloie.
Et quant du baisier me recors
Qui me mist une odor ou cors
3775 Assés plus douce que n'est basme,
Par un poi que je ne me pasme.
Encor ai je ou cuer enclose
La tres grant doçor de la rose ;
Et sachiés, quant il m'en sovient
3780 Que a consirrer m'en couvient.
Miex vodroie estre mors que vis.
Mar toucha la rose a mon vis
Et a mes yex et a ma bouche,
S'Amors ne soffre que g'i touche
3785 Tout derechief autre foïe.

J'ai commis une folie, j'en conviens ; je vais y remédier grâce à vous deux. Jamais je n'aurai à rougir de la défense de cet enclos. Si je puis y surprendre quelqu'un, il vaudrait mieux pour lui être à Pavie. Plus jamais de ma vie vous ne me tiendrez pour un lâche, je vous le jure et vous le garantis. »

3755. Danger s'est alors redressé : il a tout d'un homme en colère. Dans sa main il prend un bâton et se met à chercher à travers l'enclos s'il peut trouver un trou ou la trace d'un sentier qui soit à boucher. Désormais ce n'est plus la même chanson, car Danger devient très désagréable et plus méchant que d'habitude. Il a causé ma mort celui qui l'a mis dans cette rage, car je n'aurai plus jamais la possibilité de voir ce que je désire tant. De colère j'ai mal au ventre d'avoir irrité Bel Accueil ; et soyez certains que je frisonne de tous mes membres quand je me rappelle la rose que j'avais coutume de voir de près quand je le désirais. Et quand je me souviens du baiser qui m'imprégna le corps d'un parfum beaucoup plus suave que le baume, peu s'en faut que je m'évanouisse. J'ai encore, enclose au cœur, la suave douceur de la rose, et sachez que, lorsque je me rappelle qu'il faut m'en séparer, j'aimerais mieux être mort que vif. Quel malheur que la rose ait frôlé mon visage, mes yeux et ma bouche, si Amour ne souffre pas que je la touche encore une nouvelle fois !

Se j'ai la savour assaïe,
Tant est graindre la couvoitise
Qui esprent mon cuer et atise.
　　Or revendront plor et sopir,
3790　Longues pensees sans dormir,
Friçons, espointes et complaintes.
De tex dolors avré je maintes,
Car je sui en enfer cheois.
Malebouche soit maleois !
3795　Sa langue desloiaus et fauce
M'a porchacie ceste sauce.
　　Des or est temps que je vous die
La contenance Jalousie,
Qui est en male soupeçon.
3800　Ou païs ne remest maçon
Ne pïonnier qu'ele ne mant,
Si fait faire au commencement
Entor les rosiers uns fossés
Qui couteront deniers assés,
3805　Si sont mout lé et mout parfont.
Et li maçon par devant font
Un mur de quarriaus tailleïs,
Qui ne siet pas sus croleïs,
Ains est fondés sur roche dure.
3810　Li fondemens, sachiés, endure
Jusqu'au pié ou l'iaue descent,
Et vait amont en estrecent,
S'est li ovrages plus fort assés.
Li murs si est si compassés
3815　Qu'il est de droite quarreüre ;
Chascuns des pans vint toises dure,
Si est autant lons comme lés.
Les torneles sont lés a lés,
Qui sont richement bataillies,
3820　Et faites de pierres taillies.
Au quatre coignés en a quatre
Que l'en i fist par force embatre ;
Et si y a quatre portaus,
Dont li mur sont espés et haus.
3825　Il en a un ou front devant,

Pour avoir savouré son parfum, d'autant plus fort est le désir qui enflamme et brûle mon cœur.

3789. Voici revenu le temps des pleurs et des soupirs, des longues rêveries et des insomnies, des frissons, des blessures et des plaintes. Ces douleurs m'accableront en nombre, car je suis tombé en enfer. Que Malebouche soit maudit ! Sa langue déloyale et fausse m'a mijoté cette sauce.

3797. Désormais il est temps que je vous décrive le comportement de Jalousie, qu'animent de sombres soupçons. Dans le pays il n'est resté de maçon ni de terrassier qu'elle ne convoque, et pour commencer elle fait creuser autour des rosiers un ensemble de fossés qui coûteront une fortune, et qui sont très larges et très profonds. Et les maçons, par-devant, construisent un mur en pierres de taille qui ne repose pas sur un sol instable, mais prend appui sur une roche dure. Les fondations, sachez-le, s'étendent jusqu'au fond de l'eau et montent en se rétrécissant. Ainsi l'ouvrage en est-il plus solide. Le mur a été si bien conçu qu'il forme un carré parfait, avec des côtés mesurant chacun vingt toises ; il est aussi long que large. Les tourelles, placées côte à côte, sont puissamment crénelées et faites de pierres de taille. Aux quatre angles il y en a quatre qu'on a dressées de vive force, et aussi quatre grandes portes dont les murs sont épais et hauts : l'une, sur le front de devant,

Bien deffendable par couvent,
Et deus de costé et un derriere,
Qui ne doutent cop de perriere ;
Si a bonnes portes coulans
3830 Por fere ceus dehors doulans,
Et por eus prendre et retenir
S'il osoient avant venir.
    Ens ou milieu par grant metrise
Ont une tor dedens assise
3835 Cil qui du fere furent mestre.
Nulle plus belle ne pot estre,
Qu'el est et grant et lee et haute.
Li murs ne doit pas faire faute
Por engin qui sache lancier,
3840 Car l'en destrempa le mortier
De fort vinaigre et de chauz vive.
La pierre est de roche naïve
De quoi l'en fist le fondement ;
Si est dure cum aïment.
3845 La tour si fu toute reonde,
Il n'ot si riche tour ou monde,
Ne pardedens miex ordenee ;
Si est dehors entremellee
D'un baille qui vient tout entor,
3850 Si qu'entre le mur et la tor
Sont li rosier espés planté,
Ou il a roses a plenté.
Dedens le chastel a perrieres
Et engins de maintes manieres.
3855 Vous peüssiés les mangonniaus
Veoir pardessus les creniaus ;
Et as archieres tout entour
Sont les arbalestes a tour
Qu'armeüre n'i puet tenir.
3860 Qui prés du mur vodroit venir
Il porroit bien fere que nices.
Hors des fossés a unes lices
De bons murs fors, a creniaus bas,
Si que cheval ne poent pas
3865 Jusqu'as fossés fere l'entree,

conçue pour être facile à défendre ; deux sur les côtés et une autre à l'arrière qui ne redoutent pas les coups de pierriers. Chacune était munie de solides grilles coulissantes pour accabler les assaillants et pour les prendre et retenir s'ils osaient avancer.

3833. En plein milieu, c'est avec une singulière habileté qu'une tour a été édifiée par les maîtres d'œuvre : il ne pouvait en exister de plus belle, car elle est grande, large et haute. Impossible que le mur fasse défaut, quels que soient la machine de guerre et ses projectiles, car l'on a détrempé le mortier de vinaigre fort et de chaux vive. C'est de pierre naturelle qu'on a fait les fondations : elle est dure comme l'aimant. La tour est toute ronde ; il n'y en a pas au monde d'aussi forte, ni de mieux agencée au-dedans, tandis qu'au-dehors on a ajouté une clôture qui l'entoure complètement. Ainsi donc, entre le mur et la tour, sont plantés en rangs serrés les rosiers avec des roses à foison. Dans le château il y a des pierriers et des machines de toutes espèces. Vous auriez pu voir les mangonneaux par-dessus les créneaux et, aux meurtrières, des arbalètes à tour auxquelles nulle armure ne peut résister. À vouloir s'approcher du mur, on pourrait bien faire preuve de bêtise. En dehors des fossés, s'étend une lice faite de murs très solides, avec des créneaux bas, en sorte que les chevaux ne peuvent pas se frayer un passage jusqu'aux fossés

Qu'il n'i eüst avant mellee.
    Jalousie a garnison mise
Ou chatel que je vous devise ;
Si m'est avis que Dangier porte
3870 Les clés de la premiere porte
Qui ovre devers Orient.
Avec lui, au mien escient,
A trente sergens touz a conte.
Et l'autre porte garde Honte
3875 Qui ovre par devers midi.
El fu mout sage et si vos di
Qu'el ot sergens a grant plenté
Prés de fere sa volenté.
Poors ot grant connestablie
3880 Et fu a garder establie
L'autre porte qui est assise
A main senestre devers bise.
[Poors n'i sera ja seüre
S'el n'est fermee a serreüre ;]
3885 Et si ne l'ovre pas souvent,
Car quant el oit bruire le vent,
Ou el ot saillir deus langoutes,
Si li emprent, tel ore est, soutes.
Malebouche, que Diex maudie !
3890 Qui ne pense fors a boidie,
Si garde la porte detrois ;
Et sachiés que as autres trois
Vait il et vient quant il li siet,
Que il doit par nuit fere le guiet ;
3895 Et si vait par nuit as creniaus
Et atrempe ses chalemiaus
Et ses musetes et ses cors ;
Une fois dist les et descors
Et sons noviaus de Cornuaille
3900 A ses chalemiaus fez a taille.
Autre fois dist a la flaüte
C'onques fame ne trova juste :
[« Il n'est nule qui ne se rie
S'ele ot parler de lecherie ;]
3905 Ceste est pute, ceste se farde,

sans qu'il y ait eu de bataille auparavant.

3867. Jalousie a mis une garnison dans le château que je vous décris, et, à ce que je crois, Danger porte les clés de la première porte qui s'ouvre vers l'orient. Avec lui, à mon point de vue, il y a trente hommes d'armes en tout. Quant à l'autre porte, qui s'ouvre vers le midi, Honte la garde. Elle était très avisée, et j'ajoute qu'elle avait des hommes d'armes en grande quantité, tout disposés à faire ses volontés. Peur, à la tête d'une grande troupe, avait été choisie pour garder la troisième porte, située à gauche, du côté de la bise. Peur n'y sera jamais en sécurité, si la porte n'est pas fermée à clé, et elle ne l'ouvre pas souvent, car quand elle entend murmurer le vent ou sauter deux criquets, il lui arrive d'être prise de panique. Malebouche, que Dieu le maudisse ! ne pense qu'à tromper : aussi garde-t-il la porte de derrière ; et sachez qu'aux trois autres portes, il va et vient quand il lui plaît, car il doit monter la garde de nuit ; et de nuit il se rend aux créneaux, et il accorde ses chalumeaux, ses musettes et ses cors : à tel moment, il chante des lais, des chansons et des airs nouveaux du pays des cornus, très bien exécutés avec ses chalumeaux ; à un autre moment, il dit sur sa flûte que jamais il ne trouva de femme vertueuse :

3903. « Il n'en est aucune qui ne sourie à entendre parler d'inconduite ; celle-ci est une pute, celle-là se farde,

Et ceste nicement regarde,
Ceste est nice et ceste est fole
Et ceste ci a trop parole. »
Malebouche, qui nul n'esperne,
3910 Sor chascun trove quelque herne.
    Jalousie, que Diex confonde !
A garnie la tor reonde,
Et si sachiés qu'el y a mis
Des plus privés de ses amis
3915 Tant qu'il y a grant garnison.
Et Bel Acuel est en prison
Amont en la tor enserrez,
Dont li huis est mout bien ferrez,
Qu'il n'a pooir que il en isse.
3920 Une vielle, que Diex honnisse !
Ot avec lui por lui guetier,
Qui ne fesoit autre mestier
Fors espier tant solement
Qu'il ne se mainne folement.
3925 Nus ne la peüst engignier
Ne de signier ne de guignier ;
Il n'est baras qu'el ne congnoisse :
Elle ot des biens et de l'angoisse
Que Amors a ses gens depart
3930 En sa jonece bien sa part.
Bel Acuel se taist et escoute
Por la vielle que il redoute
Et n'est si hardis qu'il se mueve,
Que la vielle en lui n'aperçoive
3935 Aucune fole contenance,
Qu'ele set toute la vielle dance.
    Tout maintenant que Jalousie
Se fu de Bel Acuel saisie,
Qu'ele l'ot fait emprisonner,
3940 El se prist a asseürer.
Son chatel, qu'ele vit si fort,
Li a donné grant reconfort.
El n'a mes garde que glouton
Li emblent rose en bouton.
3945 Trop sont li rosier cloz forment,

et cette autre regarde niaisement ; l'une est sotte, l'autre folle et la troisième trop bavarde. »

3909. Malebouche, qui n'épargne personne, en chacun trouve un défaut.

3911. Jalousie — que Dieu la détruise ! — a équipé la tour ronde, et sachez qu'elle y a mis les plus proches de ses amis à tel point qu'il y a une forte garnison. Bel Accueil, lui, est en prison, enfermé au haut de la tour, dont la porte toute en fer l'empêche d'en sortir.

3920. Une vieille — que Dieu la honnisse ! — se tient avec lui pour le surveiller : elle n'a pour tout métier que de guetter s'il ne commet pas de folie. Personne ne pourrait la tromper par des signes ou des clins d'œil ; il n'est ruse qu'elle ne connaisse : des bienfaits et des angoisses qu'Amour dispense à ses fidèles, elle en a eu bien sa part dans sa jeunesse.

3931. Bel Accueil se tait tout en écoutant, par crainte de la vieille ; et il n'est pas assez hardi pour bouger, de peur que la vieille ne décèle quelque geste inconvenant, car depuis longtemps elle connaît tous les tours.

3937. Tout aussitôt que Jalousie se fut saisie de Bel Accueil et qu'elle l'eut emprisonné, elle se sentit rassurée. Son château, qu'elle vit si puissant, l'a rassérénée : elle ne redoute plus que les fripouilles ne lui volent rose ni bouton. Les rosiers sont très bien enfermés :

Et en veillant et en dormant
Puet elle bien estre a seür.
Mes je, qui sui dehors le mur,
Sui livrés a duel et a pene.
3950 Qui savroit quel vie je mene
Il l'en devroit grant pitié prendre.
Amors me set ores bien vendre
Les biens qu'ele m'avoit pretés.
Jes cuidoie avoir achetés,
3955 Or les me vent tout de rechief,
Car je sui a plus grant meschief
Por la joie qu'ai receüe
Que s'onques ne l'eüsse eüe.
        Que vous iroie je disant ?
3960 Je resemble le païsant
Qui gete en terre sa semence
Et a joie quant el commence
A estre bele et drue en herbe ;
Mes avant qu'il en coille gerbe,
3965 L'empire, tel hore est, et grieve
Une male niele qui lieve
Quant li espi doivent florir,
Si fait le grain dedens morir,
Et l'esperance au vilain tost,
3970 Qu'il avoit eüe trop tost.
Je criens aussi avoir perdue
M'esperance et m'atendue,
Qu'Amors m'avoit tant avancié
Que j'avoie ja commencié
3975 A dire mes grans privetés
A Bel Acuel, qui apretés
Iere de recevoir mes geus ;
Mes Amors est si orageus
Qu'il m'a tout tolu en une hore,
3980 Et torné ce dessus dessore.
        Or est aussi cum de Fortune,
Qui met une genz en rancune,
Autre hore les apele et chue.
En poi d'ore son semblant mue ;
3985 Une hore rit et autre est morne.

qu'elle veille ou qu'elle dorme, elle peut bien se sentir
en sécurité.

3948. Mais moi, qui reste au-dehors, je suis en
proie à la douleur et à la peine. Si l'on savait quelle
vie je mène, on devrait en être bien apitoyé. Amour
sait maintenant me vendre au prix fort les biens qu'il
m'a prêtés. Je croyais les avoir achetés, mais il me les
vend de nouveau, car de la joie obtenue je suis plus
affligé que si je ne l'avais jamais reçue.

3959. Que puis-je vous dire de plus ? Je ressemble
au paysan qui jette en terre sa semence et qui est
joyeux quand son blé en herbe devient beau et dru ;
mais, avant qu'il n'en récolte une gerbe, il arrive qu'il
soit gâté et endommagé par une mauvaise nielle qui
survient quand les épis doivent fleurir, et détruit le
grain au-dedans, privant le vilain de l'espérance qu'il
avait trop tôt conçue. Je crains d'avoir moi aussi espéré
et attendu en vain, car Amour m'avait tant favorisé
que j'avais déjà commencé à épancher mon cœur
auprès de Bel Accueil qui était tout prêt à jouer avec
moi ; mais Amour est si changeant qu'il m'a tout
enlevé en une heure et mis sens dessus dessous.

3981. Il en va ainsi de Fortune qui plonge des gens
dans l'amertume, et à un autre moment leur fait des
avances et les caresse. En peu de temps elle change
d'attitude : tantôt elle rit et tantôt elle est triste.

Ele a une roe qui torne,
Et quant elle torne elle met
Le plus bas amont ou sommet,
Et celi qui est sus la roe
3990 Reverse a un tour en la boe.
Las ! je sui cis qui est versés !
Mar vi le mur et les fossés
Que je n'os passer ne ne puis.
Je n'oi bien ne joie onques puis
3995 Que Bel Acuel fu en prison ;
Car ma joie et ma garison
Ert toute en lui et en la rose
Qui est dedens le mur enclose ;
Et de la couvendra qu'il isse,
4000 Se Amors viaut que je garisse,
Que ja d'aillors ne quier que j'aie
Honor, santé, ne bien ne joie.
    Ha ! Bel Acuel, biaus dous amis,
Se vous estes en prison mis,
4005 Gardés moi au mains vostre cuer,
Et ne soffrés a nes un fuer
Que Jalousie la sauvage
Mete votre cuer en servage
Aussi cum el a fait le cors ;
4010 Et s'el vous chastie dehors,
Aiés dedens cuer d'aïmant
Encontre son chastiement.
Se li cors en prison remaint,
Gardés au mains que li cuers m'aint.
4015 Frans cuers ne lest pas a amer
Por batre ne por mesamer.
Se Jalousie est vers vous dure
Et vous fait ennui et laidure,
Fetes li engrestié encontre ;
4020 Et du dangier qu'ele vous montre
Vous vengiés au mains en pensant,
Car vous ne poés autrement.
Se vous ensi le fesïés,
Je m'en tendroie por paiés,
4025 Mes je sui en mout grant soussi

Elle a une roue qui tourne, et quand elle tourne, elle
met tout au sommet celui qui est tout en bas ; quant
à celui qui est sur la roue, elle le renverse d'un tour
dans la boue. Hélas ! je suis celui qui est renversé !
C'est pour mon malheur que j'ai vu le mur et les fossés
que je n'ose ni ne peux passer. Je n'eus plus jamais de
bonheur ni de joie depuis que Bel Accueil a été mis
en prison, car ma joie et ma guérison sont tout entière
en lui et dans la rose enfermée à l'intérieur de la
muraille. Il faudra qu'il sorte de là si Amour veut que
je guérisse, car jamais je ne chercherai ailleurs honneur, santé, bonheur et joie.

4003. Ah ! Bel Accueil, bien cher ami, si vous êtes
emprisonné, gardez-moi au moins votre cœur et ne
souffrez à aucun prix que Jalousie la barbare réduise
votre cœur en esclavage comme elle l'a fait de votre
corps. Si elle châtie celui-ci, que celui-là demeure en
vous ferme comme l'aimant, face au châtiment ! Si le
corps reste en prison, veillez au moins à ce que le cœur
m'aime. Un noble cœur ne renonce pas à aimer pour
des coups ou des injures. Si Jalousie est dure envers
vous, si elle vous tourmente et vous insulte, répondez-
lui par la colère ; et de l'arrogance qu'elle vous montre,
vengez-vous au moins par la pensée, car vous ne pouvez rien faire d'autre. Si vous vous comportiez ainsi,
j'estimerais que je suis bien payé. Mais je suis anxieux
à l'idée

Que vous nel faciés mie ensi,
Car, se devient, vous me savés
Mau gré de ce que vous avés
Esté por moi mis en prison.
4030 Se n'est ce pas por mesprison
Que j'aie encore vers vous faite :
Onques par moi ne fu retraite
Chose qui a celer feïst,
Ains me poise, se Diex m'aïst,
4035 Plus qu'a vous de la mescheance,
Car je soffre la penitance
Plus grant que nus ne porroit dire.
Par un poi que je ne fons d'ire
Quant il me membre de la perte
4040 Qui est si grant et si aperte ;
Si en ai duel et desconfort,
Qui me donroit, ce croi, la mort.
Las ! j'en doi bien avoir poor
Quant je sé que losengeor
4045 Et traïtour et envious
Sont de moi nuire curious.
Ha ! Bel Acuel, je sai de voir
Qu'il vous beent a decevoir
Et faire tant par lor favele
4050 Qu'il vous trairont a lor cordele ;
Et, si devient, si ont il fait.
Je ne sai ore comment il vait,
Mes durement sui esmaiés
Que entroblié ne m'aiés ;
4055 Si en ai duel et desconfort.
Jamés n'iert riens qui m'en confort
Se je pers vostre bienvoillance,
Car je n'ai mes aillors fiance.

que vous ne le fassiez pas, car peut-être me reprochez-vous d'avoir été par ma faute mis en prison.

4030. Pourtant, ce n'est pas pour un péché que j'ai commis un jour envers vous : jamais je n'ai rien raconté qu'il eût fallu dissimuler ; mais, grand Dieu ! je suis accablé plus que vous par cette adversité, car j'en subis la pénitence plus durement qu'on ne saurait dire. Peu s'en faut que je ne sois brisé de colère quand je me souviens de la perte, oh ! combien grande et manifeste, qui m'emplit d'une douleur et d'une détresse dont je pourrais, je crois, mourir. Hélas ! j'ai des raisons d'avoir peur, sachant que les flatteurs, les traîtres et les envieux brûlent de me nuire. Ah ! Bel Accueil, je suis certain qu'ils aspirent à vous tromper et à tant faire par leurs faux discours qu'ils vous tiendront en laisse, et peut-être est-ce déjà fait. En ce moment je ne sais ce qu'il en est, mais je suis dévoré d'inquiétude à l'idée que vous m'ayez oublié ; la détresse me consume. Rien ne pourra jamais me consoler si je perds votre faveur, car je n'ai personne d'autre à qui me fier.

NOTES

Les chiffres renvoient aux numéros des vers.

1. *en songes.* Tout le prologue est construit sur la répétition du mot *songes* que l'auteur oppose à *mençonges (mençongier, lobes, folece, musardie).*
Dans la pensée occidentale, il existait alors une double tradition sur la véracité des rêves. Pour les uns, comme Cicéron, c'était une simple superstition, et, pour Aristote, les rêves s'expliquent par les réminiscences de la conscience vigile. Chrétien de Troyes assimile le songe à la fable et au mensonge : *Car ne vuel pas parler de songe, / Ne de fable ne de mançonge (Le Chevalier au lion,* éd. M. Rousse, GF-Flammarion, v. 171-172). Jean Renart, dans son *Roman de la Rose* ou *de Guillaume de Dole* (v. 4795-4796), va dans le même sens : *ainz le tient a borde et a songe / com ce qui tout estoit mençonge.* Au contraire, pour les autres qui s'appuyaient sur des récits bibliques où des patriarches et des prophètes dévoilent l'avenir en interprétant des songes, ceux-ci peuvent se révéler véridiques comme l'estime Lactance : « Deus facultatem sibi reliquit docendi hominem futura per somnium. » Voir, sur tout cela, le livre d'H. Braet, *Le Songe dans la chanson de geste au XIIᵉ siècle,* Gand, 1975 *(Romanica Gandensia,* 15).

7. *Un actor qui ot non Marcobes.* Macrobe, philosophe et homme politique du Vᵉ siècle, était considéré au Moyen Âge comme le représentant de la philosophie platonicienne ; c'est par Alcher de Clairvaux que ses théories ont été transmises aux scolastiques du XIIᵉ siècle (cf. H. Braet, *op. cit.,* p. 21). Chrétien de Troyes le cite dans *Érec et Énide* (éd. M. Rousse, GF-Flammarion, v. 6738-6741). Macrobe a écrit un *Commentaire sur le Songe de Scipion,* fragment du VIᵉ livre de *La République* de Cicéron, où il distingue cinq sortes de rêves :
— des rêves sans signification :
1. *insomnium* ou *enupnion,* qui résulte d'influences psychologiques ou physiologiques, de préoccupations de la journée, de besoins naturels du corps ;

2. *visum* ou *phantasma*, cauchemar où apparaissent des figures fantastiques ;

— des rêves signifiants :

3. *oraculum* ou *chrematismos* : prédiction venant d'un personnage vénérable ou de Dieu lui-même ;

4. *visio* ou *orama*, qui montre les événements futurs tels qu'ils vont survenir ;

5. *somnium* ou *oneiros* : représentation symbolique de l'avenir qui requiert une interprétation.

Cette classification a été reprise par Guillaume de Conches, *Gloses sur le Commentaire In Somnium Scipionis*, et par Jean de Salisbury dans le *Policraticus*, II, 14 à 17.

À lire : Ch. Dahlberg, « Macrobius and the unity of the *Roman de la Rose* », *Studies in philology*, t. 58, 1961, p. 573-582.

8. *lobes* : « discours flatteur, mensonge, perfidie ».

9-10. *la vision / qui avint au roi Cypion*. Il s'agit d'un songe de Scipion Émilien que raconte Cicéron.

Le jeune Scipion, qui n'était pas roi, veut prouver à ses amis que la vertu la plus divine consiste à récolter des récompenses plus durables que des lauriers terrestres qui finiront par se faner : il les a vues de ses propres yeux, une nuit que, pendant son sommeil, son père et son grand-père lui sont apparus et l'ont instruit sur la signification de l'au-delà. Son grand-père, Scipion l'Africain, lui annonce d'abord sa destinée future et lui prédit qu'il aura sa place dans les cieux, une place qui est réservée à ceux qui ont bien servi la patrie. « C'est là, lui dit-il, que se trouve toujours ton père encore vivant, car ce que tu crois être la vie, c'est la mort, et la mort, c'est la vie. » Comme le jeune homme envisage de précipiter sa mort, il lui explique que seul Dieu peut délivrer l'homme de ses chaînes. En son temps, son âme s'échappera du corps et retournera là d'où elle vient, dans « ces feux éternels qu'on appelle astres et constellations, là où se trouvent les intelligences divines ». En attendant, les hommes, gardiens du globe terrestre, ont le devoir, selon Paul Émile, le père du jeune Scipion, de pratiquer la justice et la piété, seule façon de trouver le chemin du ciel, « car, ajoute l'Africain, tu n'es pas mortel, ton corps seul est périssable : toi, tu es un dieu ». Le mouvement de l'âme, qui n'a ni commencement ni fin, est éternel, et c'est l'essence de l'âme, qui doit être occupée aux choses les plus grandes : plus l'âme est forte, plus elle montera vers le ciel, et plus tôt si elle parvient à s'arracher aux choses matérielles. Les êtres vulgaires ne pourront entrer dans ce séjour qu'après avoir été purifiés par un châtiment de plusieurs siècles.

Cicéron croit à l'immortalité de l'âme, à sa transmigration et à l'idéal de perfection de Platon. Guillaume de Lorris a sans doute été intéressé par la vision comme contemplation de la réalité invisible.

Voir Rupert-T. Pickers, « *Somnium* and Interpretation in Guillaume de Lorris », *Symposium*, t. 29, 1974, p. 175-186.

19-20. *couvertement... apartement...* : À la parole *ouverte* ou *aperte*, au sens littéral, à la *semblance* ou *matire* (matière), à la lettre, s'opposent constamment dans les œuvres allégoriques la parole *couverte*, le sens caché, la *senefiance*, l'*esperital entendement.*

25. *me dormoie* « je dormais profondément, j'étais en train de dormir ». Pour des compléments, voir J. Stéfanini, *La Voix pronominale en ancien et moyen français*, Aix-en-Provence, 1962, p. 401.

Dès les premiers vers, le *je* acteur est mis à distance par le *je* du narrateur qui veut son « songe rimoier ».

26-30. Le songe de Guillaume relève de la cinquième catégorie de Macrobe.

35. *cis romans.* Le mot *romans* (de l'adv. *romanice* « à la façon des Romains ») a été employé pour désigner une œuvre écrite en français (et non en latin), non chantée (par opposition à la chanson de geste et à la poésie lyrique), une œuvre fictionnelle d'une certaine longueur (au contraire du lai). Voir *Romania*, t. 44, 1915-1917, p. 14-36, et J. Batany, *Approches du Roman de la Rose*, p. 47-48.

Le roman courtois repose sur quatre éléments : la quête, l'aventure, le merveilleux et l'amour.

37-39. Ces trois vers font écho aux v. 11 et 12 de *Guillaume de Dole ou du Roman de la Rose* de Jean Renart (éd. F. Lecoy), *en cestui Romans de la Rose | qui est une novele chose*. Si le roman de Jean Renart est *une novele chose* en particulier par l'habile entrelacement du récit et des poèmes cités, celui de Guillaume l'est par la matière qui *en est bele et noive, ou l'art d'Amors est toute enclose* : il contient toute l'expérience de l'amour, toutes les formes et toutes les prescriptions de l'amour courtois. « L'œuvre est une *Somme,* ce qui correspond bien aux tendances profondes de la société française du XIIIe siècle où l'homme pensant est avide d'accéder aux fruits d'une civilisation que plusieurs siècles ont mûrie avec bonheur dans le domaine des arts, de la littérature, de la pensée et même de la science. C'est une somme de « courtoisie » c'est-à-dire un art de vivre et surtout d'aimer, applicable à un type de société bien défini : une aristocratie de classe qui a déjà commencé à englober, sous les effets mêmes de cette « courtoisie », une certaine aristocratie d'esprit. » (R. Lejeune, « À propos de la structure du *Roman de la Rose* de Guillaume de Lorris », *Études de langue et de littérature du Moyen Âge offertes à Félix Lecoy*, Paris, Champion, 1973, p. 317-318).

41-44. Conformément à la tradition de la poésie lyrique, Guillaume ne nomme pas directement la personne à qui il dédie son œuvre. Les poètes restaient discrets sur l'identité de la dame : c'était manifester leur respect et préserver le secret, essentiel à l'amour qu'il ne faut pas profaner. Impossible de savoir si la destinataire du poème était une amante ou une dame ; quoi qu'il en soit, elle mérite de recevoir tout l'art d'Amour, d'être nommée la Rose qui est amour. Rose était devenue le nom de la femme dans la poésie amoureuse.

45-128. Après le prologue, nous avons l'ouverture du roman, au sens thématique, poétique et musical du terme, c'est-à-dire un moment décisif qui met en place les éléments importants.

45-83. Tout ce passage, organisé autour du mot *mai* et de tout un jeu de correspondances, marque l'éveil de la nature, qui se couvre de fleurs, et des oiseaux qui rivalisent de gaieté.

Le motif du mois de mai, particulièrement prisé dans la poésie médio-latine et dans la littérature médiévale, était lié à l'apparition des fées et à un climat érotique diffus. Voir, entre autres, cet exemple : « En mai ki fet flurir les prez / *Et pullulare gramina.* / Et cist oyselz chantent assez / *Jocunda modulamina,* / Li amaunt Ki aiment vanitez / *Querent sibi dolamina* : / Je met ver vous mes pensers, / *O gloriosa domina.* »

Le printemps a toujours été le symbole de la résurrection, du renouveau de l'âme. Son arrivée indique la disparition de l'hiver qui, pour Origène, était l'état de l'âme non purifiée de ses vices charnels : « L'âme est dans son hiver, lorsqu'elle n'est pas débarrassée de ses vices, mais, dès qu'elle les abandonne, alors elle entre dans le printemps illuminatif, dans le temps de l'amour, le temps du chant des oiseaux. »

Plusieurs symboles marquent l'éveil : l'Amant sort d'un songe, le jour se lève, la nature renaît ; tout baigne dans une atmosphère de légèreté et de gaieté.

46. *Il a ja bien cinq ans ou maiz.* « Le détail ne nous fournit pas seulement l'âge approximatif de celui qu'a réellement ou prétend avoir le poète, vingt-cinq ans ; il veut faire croire qu'entre vingt et vingt-cinq ans, Guillaume de Lorris a réellement connu une destinée qui était préfigurée dans le songe. » (R. Lejeune, art. cit., p. 323.)

69. *frarin.* « dur, pénible ». Voir G. Raynaud de Lage, « De quelques épithètes morales », *Études... offertes à Félix Lecoy*, p. 504 : « On sait que la piété ou la pitié médiévale donnait aux humbles comme aux égaux le titre chrétien de *frères* et que *frère* était un appellatif assez courant [...] : c'est ainsi qu'on s'adresse à un inconnu, surtout de rang inférieur ; car, pour les personnages de plus haut rang que soi, on a d'autres formules qui s'imposent. C'est sans doute pour ce genre de motif que l'adjectif *frarin* a désigné les pauvres et les mendiants [...] Au moral, il a un sens défavorable : dans le *Tristan* de Béroul par exemple (v. 419), *Anor faire (non) trop frarine* se traduira par « faire un accueil qui ne soit pas trop mesquin ». La locution courante *le cuer frarin* signifiera « le cœur vil » et s'appliquera souvent à l'ennemi sarrasin.

74. *Li rossignos.* Le rossignol appartient aux topiques de la poésie courtoise (*raverdie, locus amoenus*). Voir R. Dragonetti, *La Technique poétique des trouvères*, p. 170-171 : « Sa réputation de chantre de l'amour est solidement établie dans la poésie lyrique : " Vous êtes, dit un poète anonyme en parlant du rossignol, celui qui *sor toz oisiaus estes li plus renomés.* " D'abord, et avant tout, il est le messager qui annonce le retour du printemps. Chez le Châ-

telain de Couci, le motif du rossignol est plus intimement associé
à son état d'âme où se mêlent du plaisir et de la langueur : la
douce voix du rossignol l'apaise, et de l'entendre nuit et jour, il
lui prend envie de chanter à son tour *pour esbaudir*. Le rossignol
engage le poète à chanter, il proclame aux amants les règles de
l'amour courtois ; il chante la joie et, à ce titre, il figure comme
élément poétique parmi les clichés du retour saisonnier auquel les
trouvères associent l'éveil de leur amour ou, par contraste, la disposition mélancolique de leur cœur. » Pour J. Bichon, *L'Animal
dans la littérature française aux XIIᵉ et au XIIIᵉ siècles*, Lille, 1976,
p. 499-504, Bernard de Ventadour est le poète du rossignol, dont
le chant a pour fonction de le réveiller, de le transporter de joie,
de le contraindre à chanter, même s'il n'a pas d'amour dans le
cœur ; sa voix adoucit le mal du poète.

Sur la supériorité du rossignol, on peut se reporter aux *Carmina*
d'Eugène de Tolède, mort en 658, nᵒ 33, dans l'*Anthologie latine*
d'A. Riese (1906), *Carmen filomelaicum*, nᵒ 658, p. 130-131 :
« Ta voix, rossignol, exhorte à chanter, aussi est-ce dans un
registre rustique que j'entends célébrer ta gloire. Ta voix, rossignol, l'emporte en poésie sur la cithare et, de ses airs merveilleux,
a raison des souffles qui inspirent la musique. Ta voix, rossignol,
chasse les germes des soucis et, de ses accents emplis de caresses,
réjouit les cœurs que tourmente l'inquiétude. Tu hantes les cam-
pagnes en fleurs, au vert gazon tu éprouves de la joie, dans le
feuillage des arbres tu accordes faveur à tes petits gages de ten-
dresse. Voici que le bosquet se met à retentir de ton harmonieux
ramage, et que le bois aux frondaisons chevelues participe lui-
même en en renvoyant le son. À mes yeux, le cygne et l'hirondelle
babillarde doivent te le céder, au même titre que le perroquet à
la voix éclatante. Jamais oiseau ne saura imiter ton chant, car c'est
un doux miel qui ruisselle de tes sonorités. Donc, de ta langue
frémissante fais sonner de tremblantes roulades et, de ta gorge
suave, exhale une mélodie limpide. Pour nos oreilles attentives
épands un régal sonore plein de douceur ; puisses-tu ne jamais te
taire, ne jamais faire silence. Qu'à toi, ô Christ, toi qui accordes
tous ces biens à tes serviteurs soient au suprême degré gloire,
honneur et louange. » (traduction P. Bühler)

77. *Li papegauz*. « le perroquet ». Sur le perroquet, messager et
conseiller d'amour, voir *Las Novas del Papagay* « La Nouvelle du
Perroquet », d'Arnaut de Carcassès, dans *Nouvelles occitanes du
Moyen Âge*, éd. bilingue de J.-Ch. Huchet, Paris, GF-Flammarion, 1992. Cf. aussi *Histoire naturelle*, livre X, XLII, 58.

la calandre. Sorte d'alouette. Prodigue de son chant, « ses batte-
ments d'ailes dans le soleil levant expriment le *joi*, le ravissement
extatique en la présence bienveillante de la dame aimée. Le vol
de l'alouette, comme on sait, est une suite d'ascensions et de
chutes rapides : sans doute se pâme-t-elle, tant le délice lui emplit
le cœur » (J. Bichon, *op. cit.*, p. 504). Elle annonce la fin de la
rencontre amoureuse.

88. *matin... me levai*, dans une atmosphère printanière : tout tend à suggérer un éveil spirituel et amoureux.

90. *mes mains lavai* : première purification.

91. *Lors trais une aguille d'argent*. Comme les manches des chemises et des bliauds étaient très ajustées, il fallait les coudre quand on s'habillait, et les découdre quand on se dévêtait. « On cousait (on laçait) les manches, strictement, au poignet. À la fin du XIII ᵉ siècle, on les cousait « a videle » ou « a vizele », c'est-à-dire en spirale. » (*Romania*, 1903, p. 407.) Cf. Ch.-V. Langlois, *La Vie en France au Moyen Âge*, Paris, 1926, p. 8, n. 1, et G. Matoré, *Le Vocabulaire et la société médiévale*, Paris, PUF, 1983, p. 220-230. Les manches étaient liées à la courtoisie et à l'amour.

94-102. Sans doute faut-il déceler derrière ces vers un modèle littéraire que nous avons, par exemple, dans *Lanval* de Marie de France (éd. J. Rychner, v. 42-51) : *Un jur munta sur sun destrier, / Si s'est alez esbaneier. / Fors de la vilë est eissuz, / Tuz suls est en un pré venuz ; / Sur une ewe curant descent. / Mes sis chevals tremble forment ; / Il le descengle, si s'en vait, / En mi le pré vultrer le lait. / Le pan de sun mantel plia / Desuz sun chief, puis se culcha. / Mult est pensis pur sa mesaise.*
À remarquer que le héros du *Roman de la Rose* s'en va à pied, sans le cheval qui distingue le chevalier, et qu'il est plein de joie (v. 103).

94. *hors de la vile*, c'est-à-dire hors de toute activité et de toute agitation terre-à-terre.
talent « volonté, désir ». Ce mot, au Moyen Âge, appartient au vocabulaire de la volonté. Ce sens disparaît au XVIᵉ siècle, au profit de l'acception nouvelle d'« aptitude, capacité » ; le mot se dit, au XVIIᵉ s., de toutes les aptitudes. Quant à l'origine et au changement du sens du mot, on peut penser que *talent* de *talentum*, qui désignait un poids d'environ vingt-cinq kilogrammes, « avait été emprunté d'abord dans son sens primitif de " poids qui fait pencher la balance " (conservé peut-être dans le grec de Marseille), d'où décision qui emporte la volonté. À l'époque de la Renaissance, un sens nouveau, déjà esquissé dans le latin scolastique, se serait introduit par une allusion à la parabole des talents dans l'Évangile de Matthieu : le serviteur fidèle enterre le talent que son maître lui a confié, le talent serait donc le don naturel que recèle l'individu » (G. Gougenheim, *Les Mots français dans l'histoire et dans la vie*, t. I, Paris, Picard, 1962, p. 127).

99. *touz seus*. Le héros n'est retenu par aucun lien social : il n'a ni compagnon, ni cheval, ni activité ; il est tout à fait disponible. *Le Roman de la Rose*, comme les romans courtois, témoigne du passage d'une société de type féodal et communautaire à une société qui privilégie l'individu et l'aventure personnelle.
esbatant... deduire (v. 106)... *esbanoiant* (v. 127). Ces verbes évoquent un climat de joie et de fête auquel participe le rêveur. Les préfixes *es-* et *de-* marquent qu'il sort de la vie quotidienne et se soustrait à la routine.

102. *lé vergiers,* qui s'opposent à la nature sauvage de la forêt où le chevalier des romans arthuriens cherche et trouve l'aventure, annoncent le *vergier grant et lé* du v. 130, le jardin de Déduit.

103. *Jolis.* Cet adjectif exprime en ancien français la notion de gaieté, parfois en liaison avec la notion d'audace et d'ardeur amoureuse. Voir G. Lavis, *L'Expression de l'affectivité dans la poésie lyrique française du Moyen Âge* (XIIᵉ-XIIIᵉ s.), Paris, Les Belles Lettres, 1973, p. 258-259, 519-520.

104. *une riviere.* À noter la répétition du mot *iaue* qui crée « une sorte d'envoûtement par incantation » (R. Lejeune, art. cit., p. 324). Cette eau courante, claire et fraîche, peut être dangereuse : elle est *grant et roide,* comme celle que doit franchir Lancelot sur le pont de l'épée (*Le Chevalier de la charrette,* éd. J.-Cl. Aubailly, Paris, GF-Flammarion, 1991, v. 3009-3015). L'eau, qui marque une frontière entre deux mondes, est liée aussi à la purification (v. 119) qui est en train de s'effectuer dans la conscience. Source de vie, centre de regénérescence, l'eau claire et pure est souvent apparentée à la lumière, comme cette rivière de lumière dont parle Dante (*Le Paradis,* XXX) : « Je vis une forme de fleuve, deux rives, je me dirigeai vers l'onde et y lavai mes paupières. »

Cette forme de purification est encore insuffisante ; aussi le héros ne découvre-t-il que la *gravele,* liée à la rencontre amoureuse (Cf. *Le Jeu de la Feuillée,* éd. J. Dufournet, Paris, GF-Flammarion, 1989, v. 63-67). Il n'a pas encore appris à lire en lui-même.

106. *deduire.* « Anciennement le *déduit* s'opposait à une distraction cherchée dans le repos, l'oisiveté. Il désignait génériquement une occupation de nature non utilitaire ou qui, du moins, si elle rapportait quelque chose comme la chasse par exemple, exigeait de l'invention, de l'ingéniosité, des péripéties. On parlait ainsi du *déduit des échecs,* du *déduit amoureux.* » (R.-L. Wagner, *Les Vocabulaires français,* Paris, 1967, p. 34.) Le mot est lié à une attitude active et concrète (*chanter, accoler, baiser*).

125-126. *La matinee... la pree.* On notera le cheminement spatial (*Vile,* 94 ; *lé vergiers,* 102 ; *praerie,* 122 ; *pree,* 126 ; *un vergier,* 130) et temporel (*une nuit,* 86 ; *matin durement,* 88 ; *matinee,* 125).

130-135. Le développement qui suit est bien délimité par l'évocation du haut mur (131, 467), du verger (130, 469) et des *ymages* (134, 463).

134. *ymages.* Certains miniaturistes tardifs ont représenté là des statues logées dans les niches du mur ; mais il s'agit bien de peintures, comme le confirment les v. 465-466. Voir Ph. Ménard, « Les représentations des vices sur les murs du verger du *Roman de la Rose* : le texte et les enluminures », *Texte et image, Actes du colloque international de Chantilly, 13 au 15 octobre 1982,* Paris, Les Belles Lettres.

139. Ces peintures, au nombre de dix, représentent des défauts et des vices contraires à l'amour courtois.

143. *cuivertage* « bassesse d'âme ». Sur *cuivert,* voir notre note au v. 763 de *La Chanson de Roland* (Paris, GF-Flammarion, 1993)

et K.J. Hollyman, *Le Développement du vocabulaire féodal en France au Haut Moyen Âge*, Genève, Droz, 1957, p. 155-162.

147. *Reschignié.* Haine a le visage renfrogné comme un chien qui montre les dents et *le nés secorcié*, retroussé comme un chat. Ce vice exclut de la société humaine ; il faut l'exclure au maximum du texte littéraire.

Pour accéder à la courtoisie et à l'amour, il convient d'être dépourvu de méchanceté, laquelle se manifeste par l'agressivité et la colère, le refus de l'amabilité, la cruauté, l'insolence, la médisance et l'injure.

155. *Felonnie.* Ce portrait, réduit au nom seul, évoque la méchanceté et la déloyauté. L'adjectif *fel, felon* exprima d'abord l'infidélité au code du noble, et accessoirement l'infidélité envers Dieu ; ensuite, les défauts associés au caractère du félon : trompeur, orgueilleux, cruel, féroce.

156. *Vilonnie* s'oppose à *Franchise* : c'est l'absence de noblesse morale et sociale.

169. *Après* : sur le deuxième côté.

Convoitise : avidité, désir en général. Une seule touche réaliste : les mains crochues (v. 188-189). Tout le reste de l'évocation a une portée morale : il n'est question que du désir de prendre, d'amasser, de voler, de prêter à usure.

197. *Avarice* : passion malsaine de l'argent. Cf. art. cit. de Ph. Ménard pour l'iconographie.

208. *Cote.* La cotte des femmes était semblable à celle des hommes, en forme de blouse, ajustée dans le haut et prenant de l'ampleur à partir des hanches. Seule la longueur différait : elle allait jusqu'aux genoux chez les hommes, alors qu'elle était beaucoup plus longue chez les femmes. La cotte féminine avait une encolure assez dégagée, pourvue d'une fente boutonnée, fermée par un fermail ou lacée, et laissait voir la chemise. Le buste, la jupe et le haut des manches étaient amples. Les manches étroites ne laissaient passer les mains que grâce à une fente fermée de petits boutons, d'un lacet ou d'une couture à refaire à chaque changement de toilette. Dès 1230, la cotte s'ornait de fentes ou de fichets. Elle se faisait en diverses étoffes de couleurs différentes : draps de laine fine, draps de soie, velours.

212. *mantiaus.* Le *manteau* était un vêtement de dessus, très riche à l'ordinaire, taillé en rotonde, sans manches et le plus souvent retenu par une agrafe sur le devant, fendu à droite ou à gauche. Taillé dans une riche étoffe de soie, orné de franges, de passementeries et de pierres précieuses, souvent doublé de fourrure, le *mantel* est obligatoire pour le roi et ceux qui l'entourent. Il ne convient que dans les moments de loisir.

218. *la robe.* C'est à peu près notre costume. Très habillée, *la robe* comportait trois pièces ou *garnements* : la *cote*, le *surcot* et le *mantel* ; ou deux, la *cote* et le *mantel* ; moins habillée, elle ne comportait que la *cote* et le *surcot*. Le mot pouvait toutefois avoir deux autres sens, désignant en bloc toutes les pièces du vêtement (chemise, *bliaut, pelice*...) ou le plus habillé des *garnements*, le *mantel*

(cf. nos robes de juge, d'avocat, de professeur ou de prêtre). Au XVᵉ siècle, la robe ne fut plus qu'un seul vêtement plus ou moins long qui dissimulait entièrement les jambes, ou s'arrêtait aux genoux, ou couvrait à peine le haut des cuisses, et qui était en toute sorte de tissus, souvent brodé, simple ou fourré.

235. *Après* : sur le troisième côté.

Envie : jalousie éprouvée à la vue du bonheur et des avantages d'autrui. À noter l'abondance des notations d'ordre moral, concernant surtout sa méchanceté. Un seul détail concret : elle regarde tout le monde de travers et, quand elle voit une personne estimable, elle ferme un œil de mépris et de déplaisir (v. 279-290).

C'est le seul des personnages du mur pour qui on a retrouvé une source : *Invidia* des *Métamorphoses* d'Ovide (II, 775-782) : « La pâleur siège sur ses traits ; tout son corps est décharné ; son regard n'est jamais droit ; un tartre livide couvre ses dents ; un fiel verdâtre remplit son cœur, sa langue est humectée de venin ; elle ignore le sourire, sauf celui que fait naître sur ses lèvres la vue de la douleur ; elle ne goûte jamais les douceurs du sommeil, tant elle est agitée par des soucis vigilants ; mais elle voit avec dépit les succès des hommes et se dessèche à les voir ; elle déchire et se déchire en même temps, et c'est là son supplice. » (trad. de G. Lafaye)

292. *Tristece*. Le mot désigne en ancien français un état violent, convulsif, que notre mot *tristesse* n'exprime plus. C'est plutôt la désolation, puisque le personnage s'arrache les cheveux, se déchire les cheveux, s'égratigne le visage.

339. *Après* : sur le quatrième côté. Il ne s'agit plus de vices, mais d'états ou de comportements qui interdisent l'amour. Rappelons que, pour la pensée chrétienne, la vieillesse et la pauvreté n'ont rien de condamnable.

348. *morie* : « mort, perte ».

357. *neïs nesune* : « pas même une seule ». Forme renforcée : *neïs, nes, nis* (du latin *ne ipse*) est à l'origine un indéfini négatif « pas même » « même pas » qui a pu s'employer dans des phrases positives au sens de « même ». Il a pu être renforcé par *un*. Cf. F. de La Chaussée, *Initiation à la morphologie historique de l'ancien français*, Paris, Klincksieck, 1977, p. 93.

361. Longue digression sur le temps destructeur auquel il faut échapper pour atteindre une réalité extratemporelle qui sort l'homme de lui-même et de sa condition.

408. *ypocrite*. Un des termes clés des attaques contre les nouveaux religieux, attaques qui se multiplient après 1150. Le mot se réfère à un texte évangélique (Matthieu XXIII) dirigé contre le formalisme des scribes et des Pharisiens que le Christ n'accuse pas d'affecter l'humilité, mais au contraire de rechercher les premières places : leur duplicité réside plutôt dans le contraste entre la lettre des rites, qu'ils suivent, et l'esprit qu'ils oublient. Le texte de Matthieu a été lu différemment par les moralistes traditionalistes qui y ont vu le contraste entre une certaine volonté de puissance et

une attitude laissant apparaître de façon voyante les préoccupations religieuses.

409. *Papelardie*. Le trait caractéristique de cette attitude, aux yeux du peuple, était de marmonner des prières, en remuant les lèvres. Pour le signifier, on a utilisé deux mots. L'un, *papelard*, formé sur une racine *pap-* « remuer les lèvres pour parler ou pour manger » ; de là les verbes *papeter, papeler, papoter, papier,* « babiller », « bégayer », *paper, papeter, papelocher* « manger » ; à *papel(er)*, on a ajouté le suffixe péjoratif *-art*. Voir P. Guiraud, *Structures étymologiques du vocabulaire français*, Paris, Larousse, 1967, p. 81-92. L'autre, *béguin*, formé sur le néerlandais *beggen* « marmonner des prières » (cf. bègue). Ce sont des mots péjoratifs, équivalents à « bigots », pour lesquels on a proposé très tôt des étymologies artificielles : le *papelard* devient celui qui mange du lard en cachette les jours d'abstinence, et *béguin* a été rapproché de *begon* « purin » dans les patois du Nord-Est. Voir, sur les *papelarts* et les *beguins*, le long développement de G. de Coinci dans *Les Miracles de Nostre Dame*, éd. V.F. Koenig, Genève, Droz, t. II, 1961, *D'un archevesque qui fu a Tholete*, v. 1147-1698. Mais le mot *béguin* a été assumé par les intéressés, des laïcs menant une vie religieuse sans prononcer de vœux, grâce à une fausse étymologie rattachant le nom à *benignus*.

La papelardie, qu'on peut traduire par « tartuferie », désigne l'hypocrisie religieuse, une dévotion excessive et affectée, peu compatible avec la courtoisie qui recommande la gaieté et un certain luxe dans l'habillement.

413. *El fait defors le marmiteus*. L'hypocrite est assimilé à un chat. En effet, *marmite*, qui présente une structure identique à *chatte-mite*, est formé de deux racines désignant le chat : *mar-* et *mite*. Voir le livre cité de P. Guiraud, p. 142-154, et notre dossier dans *Le Roman de Renart*, branche XI, « Les vêpres de Tibert le chat », trad. J. Dufournet, Paris, Champion, 1989, p. 65-70. Gautier de Coinci a aussi employé l'expression dans le texte mentionné plus haut pour stigmatiser les hypocrites : *Tiex fait le simple et le marmite* (v. 1211), *La marmite, la mitemoe / Font tant* (v. 1559-1560).

422. *fame rendue* : « devenue religieuse ». Cf. *se rendre à Dieu*, et les commentaires de P. Bretel, *Les Ermites et les moines dans la littérature française du Moyen Âge (1150-1250)*, Paris, Champion, 1995, p. 131-135, et *passim*.

423. *sautier*, grand chapelet monastique contenant autant de grains que David a composé de psaumes (150).

430. *haire*, chemise de crin ou de poil de chèvre qu'on portait à même la peau par esprit de pénitence.

Papelardie est le premier crayon des personnages de Faux Semblant et d'Abstinence Contrainte (abstinence affectée et contraire à la nature) mis en scène par Jean de Meun. Cf. J. Batany, *Approches du Roman de la Rose*, Paris, Bordas, 1973, p. 110.

442. *Povreté*, « dénuement, misère ». Représente-t-elle ici seulement la pauvreté matérielle qui empêche de mener une vie courtoise,

ou la pauvreté spirituelle ? Voir J. Batany, *op. cit.*, p. 90-91, et
K.A. Ott, « Pauvreté et Richesse chez Guillaume de Lorris »,
Romanistische, Zeitschrift für Literatur Geschichte, 1978, t. 2.

451. *afubler*, c'est mettre sur ses épaules un manteau, une chape,
un vêtement ; le verbe n'indique pas nécessairement que le manteau est agrafé dès qu'il est mis sur les épaules. En ancien français,
le terme n'avait pas l'intention humoristique et comique qu'il présente aujourd'hui.

462. Tous ces portraits, de Haine à Pauvreté, sont des personnages
féminins dont certains sont très proches : il est difficile de distin-
guer Haine, Félonie et Envie, de prêter des traits différents à
Envie, Convoitise et Avarice. Tous ont en commun d'être laids,
immobiles, à l'extérieur de l'enclos. Sauf pour Envie, l'auteur
semble avoir tout tiré de son propre fonds. L'ordre de présentation n'est pas indifférent : on va des vices les plus graves à de
simples imperfections. Guillaume a introduit de la variété en
jouant avec des éléments communs sur une structure récurrente :
présentation, semblant, physique, vêtement, activité ou comportement, emblème, commentaire de l'auteur. Voir A. Strubel, *Le
Roman de la Rose*, Paris, PUF, 1984, p. 118-122. L'élément pic-
tural est souvent emblématique : une sorte d'alphabet de l'image
se dessine ; cf. Ph. Ménard, art. cit., et É. Hicks, « La mise en
roman des formes allégoriques : hypostase et récit chez Guillaume
de Lorris » dans *Études sur le Roman de la Rose de Guillaume de
Lorris*, Paris, Champion, 1984, p. 53-81.
Cet ensemble de figures est en opposition : avec le décor printanier, tout de beauté, de douceur, de joie, de clarté et de séré-
nité ; avec Oiseuse et la troupe de Déduit ; avec les
commandements d'Amour.
Cette longue séquence amène le lecteur à s'éloigner de la réalité,
des dimensions ordinaires de l'espace et du temps, et à faire
l'apprentissage de l'allégorie. Elle vise aussi à exorciser les vices
en montrant leur laideur et en suggérant les qualités contraires
qu'on va découvrir dans le verger : amour et compassion,
noblesse, générosité, joie, jeunesse, disponibilité d'esprit, richesse.
Pour accéder à l'amour, il faut être libre de toute passion vile et
de tout désir immoral.

467. *tous quarrés*. Faut-il penser que Guillaume ne tire rien de cette
mention pour la *senefiance* du roman, comme l'affirme A. Strubel
(« L'allégorisation du verger courtois », *Vergers et jardins dans
l'univers médiéval*, Aix-en-Provence, CUERMA, 1990, p. 350),
ou estimer avec J. Larmat que « 4 est le nombre sacré de l'homme
et du Christ, homme parfait » qui répand le salut par les quatre
Évangiles aux quatre coins du monde qu'indiquent les bras de la
croix » (E. de Bruyne). Pour Baron de Reichenau, il concilie les
choses inférieures et supérieures, relie le ciel et la terre dans la
sympathie de l'univers. Certes, le carré appartient à la terre et
Jean de Meun se plaît à lui opposer le cercle, symbole du ciel.
Cependant, le 4 et le carré désignent aussi une perfection, perfection humaine, mais liée à la perfection divine (« Le jardin de

Déduit dans *Le Roman de la Rose* de Guillaume de Lorris »,
Mélanges... offerts à Alice Planche, Paris, Les Belles Lettres, 1984,
p. 268).

470. *bergiers*. Le berger symbolisait la vulgarité et la sottise ; il est
le type du vilain ignorant et grossier, souvent qualifié de *sot* ou
de *beste*. Voir notre édition bilingue du *Jeu de Robin et Marion*,
d'Adam de la Halle, Paris, GF-Flammarion, 1989, p. 14-20.

478. *oisiaus*. Guillaume accorde une place importante aux oiseaux :
dès le réveil, dans la description du printemps, il en parle sur dix-
sept vers (v. 67-83) ; en promenade, le chant des oiseaux le ravit
(v. 94-102), puis le pousse à pénétrer dans le jardin (v. 475-
497) ; une fois dans le verger, il leur consacre un long développement (v. 643-710) et joue de l'énumération, avant de décrire
ce qu'il découvre dans le jardin. On notera que le nom même
d'Oiseuse rappelle celui des oiseaux au milieu desquels elle apparaît (v. 525-632).

Les oiseaux, par leur côté aérien et leur chant, étaient considérés
comme les messagers des dieux de l'Autre Monde, appelant à
s'élever à une réalité supérieure. Ils symbolisent la pensée, l'élévation de l'esprit, la rapidité du processus spirituel, la conquête
de l'immortalité, la transcendance, les états supérieurs.
Comprendre leur langage signifiait avoir atteint le plus haut degré
de la connaissance et de la sagesse.

479. *dangereus* : « réticent, difficile à satisfaire » ; cf. v. 2670 et le
mot *dangier*, v. 1033.

516. *un guichet... petitet et estroit* ; *a l'uis* (v. 519) ; *huisselet* (v. 524).
Récurrent dans la littérature médiévale, le motif de la porte étroite
pouvait symboliser un passage dangereux (d'un monde à un
autre), pénible et ardu, ou à tout le moins accessible un un petit
nombre de privilégiés. La porte, le pont, la rivière marquent la
transcendance ; selon Hugues de Fouilloy, « Jérusalem a des
portes par lesquelles nous entrons dans l'Église et pénétrons dans
la vie éternelle ». L'*huis* (qu'on a encore dans *juger à huis clos*
« juger les portes fermées ») désignait les portes des maisons et les
vantaux des poternes, tandis que *porte* s'appliquait aux grandes
portes des villes et des châteaux. Cet *huis* évoque l'*huis estroit* par
lequel Lunete vient au-devant d'Yvain dans *Le Chevalier au lion*,
éd. M. Rousse, Paris, GF-Flammarion, 1990, v. 971.

525. *une noble pucele* : « jeune fille ». Sur *pucele*, voir A. Grisay,
G. Lavis, M. Dubois-Stasse, *Les Dénominations de la femme dans
les anciens textes littéraires français*, Gembloux, Duculot, 1969,
p. 157-166.

Précédée des oiseaux, c'est la portière qui introduit l'amant dans
le jardin de Déduit et lui fait connaître Liesse, Courtoisie, Amour,
Beauté, Richesse, Largesse, Franchise ; dans la carole, elle se
trouve à côté de Jeunesse. Elle joue le rôle de la pucelle hospitalière des romans courtois, et indique que le héros pénètre dans
une société oisive, vouée au divertissement. Raison la condamnera
d'avoir introduit le héros dans le verger.

526-618. Le portrait complet d'Oiseuse est en quelque sorte un prototype, comportant son portrait physique, son costume et ses attributs, ses activités et un discours ; il s'oppose aux portraits négatifs qui précèdent et il annonce les autres portraits favorables. Cf. J. Batany, « Miniature, allégorie, idéologie : Oiseuse et la mystique monacale récupérée par la classe de loisir », *Études sur le Roman de la Rose*, Paris, Champion, 1984, p. 8-36. Cependant, il ne manque pas d'originalité (*id., ibid.*). C'est la première apparition féminine dont le portrait est la première ébauche de la femme, chaque personnage présenté ensuite ajoutant sa retouche et son complément.

On a l'impression que Guillaume a voulu rivaliser ici avec le portrait de Liénor dans *Le Roman de la Rose* de Jean Renart (éd. F. Lecoy, v. 4350-4386). Voir aussi le portrait de Maroie dans *Le Jeu de la Feuillée*, et notre étude dans *Adam de la Halle à la recherche de lui-même ou le Jeu dramatique de la Feuillée*, Paris, SEDES, 1974, p. 67-100.

527. *Cheveus ot blons cum uns bacins*, sans doute comme un bassin de cuivre, c'est-à-dire blond vénitien. Le bassin d'or était l'attribut de la messagère de l'Autre Monde, comme dans le *Lai de Désiré*, v. 143 (éd. A. Micha, *Lais féeriques des XIIᵉ et XIIIᵉ siècles*, Paris, GF-Flammarion, 1992).

533. *Yex vairs cum uns faucons* : yeux brillants dont la couleur change selon l'éclairage. Selon A. Colby, *The Portrait in twelfth century French Literature*, Genève, Droz, 1965, p. 42 : « The one thing that glances, crystal and the eyes of human beings, falcons and horses (tous qualifiés de *vairs*) have in common is their sparkle. »

548. On remarquera que la description d'Oiseuse s'arrête à la gorge : rien sur les mains, les jambes, les reins, le ventre et le reste, comme plus tard dans *Le Jeu de la Feuillée*.

551. *orfrois* : tissu mêlé d'or.

553. *cointe*. Cet adjectif, issu du latin *cognitus*, a deux grands types de signification : 1. qui connaît bien quelque chose, expert, prudent, rusé, trompeur ; 2. joli, gracieux, aimable, élégant. La culture courtoise a contribué à developper le second sens, que nous avons au v. 553. Cf. P.-M. Groth, *Altfranzösisch COINTES und ACOINTIER*, Munich, 1926. Pour R.-L. Wagner, *Les Vocabulaires français*, Paris, 1967, p. 69, n. 1, « il est pratiquement impossible de savoir si l'infléchissement de l'adjectif *cointe* (connue, familière) vers la valeur de « agréable, plaisante » est une innovation stylistique de Chrétien de Troyes ou si cet écrivain a tiré parti d'une extension d'emploi déjà acquise dans la langue commune. »

555. *Un chapel de roses*. Chapeau ou couronne de fleurs que portaient dans les fêtes aussi bien les hommes que les femmes. Cet héritage de l'Antiquité était en principe réservé à la noblesse. Ceux qui font ces chapeaux sont des jardiniers fleuristes autorisés à travailler jour et nuit pour fournir des fleurs fraîches et, durant la saison des roses, ils peuvent, pour les *chapels* de roses, travailler

le dimanche. L'on pouvait mêler fleurs et verdure composée d'herbes aromatiques, rue, armoise, menthe. Dans *Guillaume de Dole* de Jean Renart, les chevaliers portent des chapeaux de fleurs et de menthe, ou de fleurs bleues, et, dans *Joufroi*, des *chapels* de roses et d'autres fleurs. Les fleurs pouvaient être fixées sur un *chapel* d'orfroi ou de bisette (galon tissé de fil d'or ou d'argent).

557. *un mireor*. À propos d'Oiseuse, R. Lejeune note : « Bien que son apparence extérieure, et notamment les gants et le miroir, l'assimile à la courtisane par laquelle l'art gothique représente la Luxure, il ne faut pas perdre de vue que le miroir est aussi un symbole de la vie contemplative. C'est le moment de rappeler ici la pensée de Dom J. Leclercq : « Au Moyen Âge, pour interpréter *speculatio*, on fera parfois intervenir *speculum* qui veut dire miroir et d'où dérive *speculariter* ; il s'agira alors, en certains cas, d'une connaissance par l'intermédiaire de figures et de ressemblances » (art. cit., p. 327). Le miroir a pu être lié, selon les contextes, à la luxure, à la prudence, à la connaissance de soi, à la vanité, à l'orgueil, à Vénus, à la vérité, à la vie contemplative. Voir, en particulier, H. Kolb, « *Oiseuse*, die Dame mit dem Spiegel », *Germanische-Romanische Monatschrift*, t. 15, 1965, p. 139-149 ; J.V. Fleming, *The Roman de la Rose. A Study in allegory and iconography*, Princeton, 1969 ; Earl J. Richards, « Reflections on Oiseuse's Mirror : Iconographic Tradition, Luxuria and the *Roman de la Rose* », *Zeitschrift für Romanische Philologie*, t. 98, 1982, p. 296-311 ; C. Alvar, « Oiseuse, Vénus, Luxure. Trois dames et un miroir », *Romania*, t. 106, 1985, p. 108-117 ; M. Gally, « Miroir d'Oiseuse. Miroir de Dieu. Théories de la vision et discours poétique dans *Le Roman de la Rose* », *L'Inscription du regard. Moyen Âge-Renaissance*, Fontenay-aux-Roses, 1995, p. 13-35. Le miroir, comme le *treceor* (v. 558), marque la disponibilité courtoise.

558. *treceor* : ce mot peut désigner aussi bien un galon (qui ornait la chevelure et maintenait les tresses) qu'une pointe d'ivoire ou de métal pour séparer les mèches qu'on tresse.

563. *uns blans gans* : « une paire de gants blancs ». Symbole de beauté et d'élégance. Charlemagne porte des gants dans son tombeau, et ces gants font partie des ornements impériaux (sceptre, globe, main de justice, couronne). Ils sont en soie pourpre, brodés de perles et ornés de pierreries et de plaquettes émaillées cousues sur le dessus de la main. Au Moyen Âge, les gants reçoivent des significations symboliques. C'est un scandale, à la fin du VIᵉ siècle, d'entrer ganté à l'église. La remise d'un gant signifie hommage et le jet d'un gant défi. Dans certaines fêtes et cérémonies, les invités reçoivent des gants : c'est un des objets qu'on offre volontiers en présent. Les gants font partie de la toilette des morts comme des vivants. « Gage de promesse, d'hommage, de don, il exprime aussi le respect et la politesse ; jeter son gant est une injure. Le gant est répandu dans toutes les classes : le noble porte le faucon sur la main gantée, il est un accessoire de la liturgie, etc » (G. Matoré, *op. cit.,* p. 225-226). Le candidat au doctorat était tenu de déposer un certain nombre de gants en *chamois* pour les

docteurs du collège (J. Le Goff, *Les Intellectuels au Moyen Âge*, p. 143). Voir « La manche et le cheval comme présents amoureux dans *Le Roman d'Alexandre* d'Alexandre de Paris », de B. Milland-Bove, *Cahiers de recherches médiévales*, t. 4, 1997, p. 151-161.

564. *un riche vert de Gans*. Drap de qualité de couleur verte, fabriqué à Gand, grande ville drapière.

582. *Oiseuse*. Guillaume de Lorris a donné un sens favorable au mot *oiseuse* que Chrétien de Troyes a employé fréquemment au sens de « paroles folles ou frivoles ». C'est d'ailleurs l'acception que nous avons au v. 3089. Voir l'art. cité d'E.J. Richards. Le nom de notre personnage (en contraste absolu avec les figures de Vieillesse, Tristesse et Pauvreté) n'a donc rien à voir avec nos adjectifs modernes *oiseux* et *oisif*. Oisouse est un personnage négatif du *Roman de Miserere* du Renclus de Molliens (strophe 174). Oiseuse, qui « n'est ni une vertu ni un vice, ni un trait de caractère, ni une conduite, ni la représentation collective d'une classe sociale, est une force socio-psychologique qui peut se réaliser sous tous ces aspects-là » (J. Batany, art. cit., p. 9). Elle caractérise le milieu humain favorable à la naissance de l'amour (D. Poirion, *Le Roman de la Rose*, p. 29). Symbole d'une « oisiveté » qui n'est pas la mère de tous les vices, elle évoque une certaine disponibilité d'esprit qui refuse le fracas des combats, l'agitation des affaires publiques et jusqu'à l'austère apprentissage du monde des clercs, pour s'adonner à l'*otium* cher aux poètes, aux loisirs du rêve et de l'amour. Elle fait passer de la vie active à la vie contemplative (R. Lejeune, art. cit., p. 317). Il s'agit plus précisément d'une activité permanente, mais purement désintéressée, visant uniquement au plaisir esthétique et au jeu (v. 585-587), occupant tout son temps à sa toilette et à sa parure, à des jeux et divertissements comme la danse et la musique. Le mot *otium* désigne cet état de loisir heureux « exclusif de tout travail et de toute peine, fondé sur l'épanouissement harmonieux des facultés humaines par leur exercice entièrement libre et désintéressé, source d'un état de joie et de bonheur. » (R. Louis, *Le Roman de la Rose*, p. 44.) Oiseuse est toujours prête pour tout loisir sans qu'aucun terme limite son choix ; libre de toute contrainte, elle ignore les notions mêmes de péché, de travail et de souffrance. C'est un bonheur de nature profondément païenne. Comme l'a écrit Sh. Sasaki (« Sur le personnage d'Oiseuse », *Études de langue et de littérature française*, n° 32, 1978, p. 24) « Vice pour l'esprit mercantile, antisocial aux yeux des non-courtois et symbole de la vanité décevante de la *fin'amor*, le personnage d'Oiseuse se trouve élevé, en contraste avec toutes les figures déplaisantes du mur, au rang des biens d'Amour. Or ces biens ne peuvent être appréciés que d'une élite de la société choisie ».

Le personnage et son nom même ont donc un côté polémique dirigé contre toute activité guerrière, mercantile, voire intellectuelle. Ses attributs, les gants, le miroir et le peigne, ainsi que la couronne de roses, font comprendre qu'elle est au service de l'amour ; elle donne accès au monde courtois et serait l'exemple de l'attitude à prendre (M.-R. Jung, *Études sur le poème allégorique*, p. 296-297). Elle symbolise l'état de celui qui va pénétrer dans l'enclos : pureté des formes et des vêtements, disponibilité et paix de l'esprit, connaissance de soi (miroir).

Sur l'*otium*, loisir non de nonchalance mais de pensée, loisir libre de tout ce qui agite l'esprit et le détourne de Dieu, voir Dom J. Leclercq, *Otia monastica*, p. 32-41. Pour Sénèque, il n'y a point de loisir sans la paix de l'âme, et il ne peut manquer d'être fécond. L'*otium* n'est pas l'*otiositas*, l'oisiveté qui désigne un vice, la paresse.

590. *Deduit*. Le personnage représente ici le divertissement actif, le plaisir hors des activités quotidiennes, « le plaisir élégant des gens de loisir » (J.-Ch. Payen). Déduit idéalise une félicité à la fois sensuelle et mondaine, associée aux vertus courtoises que personnifient les danseurs : joie, disponibilité, courtoisie, amour, beauté, richesse, largesse et noblesse. Sur *déduit*, voir la note du v. 106.

592. *de la terre as Sarradins*. Sur la richesse des Sarrasins, voir P. Jonin, « La *clere Espaigne* de Blancandrin », *Mosaïc*, t. 8, 1975, p. 89-90.

604. *ce vergier*. Le jardin de Déduit fait la synthèse entre la tradition courtoise du *locus amoenus* et de la reverdie, la tradition philosophique de la *psychomachia* et la tradition religieuse de l'Éden, du paradis terrestre, voire de l'île des Bienheureux. Ce jardin est le lieu de l'abondance et de l'euphorie, où l'on retrouve tous les éléments du *locus amoenus* : les oiseaux, les fleurs, les arbres, les fontaines, les animaux ; à quoi s'ajoutent les personnages luxueusement habillés de la carole. Voir E.R. Curtius, *La Littérature européenne et le Moyen Âge latin*, rééd. Paris, PUF, 1956 (repris dans la collection *Agora*, 1986), P. Bühler, *Présence, sentiment et rhétorique de la nature dans la littérature latine de la France médiévale. De la fin de l'Antiquité au XIIᵉ siècle*, Paris, Champion, 1995 ; *Vergers et jardins dans l'univers médiéval*, Aix-en-Provence, CUERMA, 1990 (*Senefiance* n° 28), en particulier les articles d'A. Strubel, « L'allégorisation du verger courtois », et de P. Trannoy, « Le jardin d'amour dans le *De Amore* d'André le Chapelain » ; M.-F. Notz, « *Hortus conclusus*. Réflexions sur le rôle symbolique de la clôture dans la description romanesque du jardin », *Mélanges Jeanne Lods*, Paris, 1978, p. 459-472 ; D. Thoss, *Studien zum locus amoenus im Mittelalter*, Vienne-Stuttgart, 1972 ; *Cahiers de l'Association internationale des études françaises*, mai 1982, n° 44 (en particulier l'art. de Sh. Sasaki, « Le jardin et son *estre* dans *Le Roman de la Rose* et dans *Le Dit dou lyon* », p. 25-37).

Cet Éden supérieur à l'Éden, protégé et clos, réservé à une élite, demeure un lieu carré, terrestre (cf. Sh. Sasaki, art. cit., p. 30). Très vite se dégage une structure labyrinthique : l'itinéraire du héros n'est pas linéaire ; il le conduit vers un centre qui sera successivement la fontaine de Narcisse, la roseraie, le *porpris* de Danger, le château construit autour de la rose. Aisée d'abord, la marche devient ensuite difficile : l'atmosphère change, l'amant découvre la souffrance avec l'amour. Ainsi avons-nous successivement le jardin de Déduit, puis celui du dieu Amour, enfin le château de Jalousie. Seuls les personnages de Franchise et Amour passeront d'un jardin à l'autre. Quoi qu'il en soit, le jardin de Déduit est le décor d'une initiation, le paysage d'une aventure où le poète pénètre en songe.

Peut-être Guillaume s'est-il rappelé le jardin de Babylone dans *Floire et Blanchefleur* :

« Le jardin est toujours en fleurs, toujours y retentit le concert des oiseaux. Il n'est au monde d'essence précieuse, ébène, platane ni alisier, ni d'arbre greffé, doux figuier, pêcher ni poirier, ni noyer ni aucun autre fruitier rare dont ce jardin ne soit abondamment pourvu. On y trouve du poivre, de la cannelle, du galanga, de l'encens, du girofle, de la zédoaire, et beaucoup d'autres épices aux très douces senteurs ; il n'y en a pas tant, que je sache, dans l'Orient et l'Occident réunis ! Celui qui, dans ce jardin, respire le parfum des épices et des fleurs et entend le ramage des oiseaux et le chant modulé des cigales doit, dans ce concert harmonieux, se sentir au Paradis. Au milieu de ce jardin jaillit parmi l'herbe une source dont l'eau est claire et pure ; elle court dans un canal de blancs carreaux d'argent et de cristal. Au-dessus a été planté un arbre tel qu'aucun mortel n'en a vu de plus beau ; comme il ne cesse de porter des fleurs, on l'appelle l'arbre d'Amour : aussitôt qu'une fleur tombe, une autre s'ouvre. Cet arbre, grâce au talent d'un maître jardinier, est tout rouge... » (trad. de J.-L. Leclanche, Paris, Champion, 1986, p. 39-40).

631. *Lors entré.* À remarquer la structure du passage composé de deux moments marqués par le même mot introducteur (cf. v. 714 : *Lors m'en alai...*) et qui correspondent à deux étapes. Du v. 633 au v. 642, l'auteur établit une équivalence entre le vergier (633, 642) et le paradis terrestre (636, 640). Suivent, du v. 643 au v. 713, trois développements : 1641-1660 : énumération des oiseaux ; 2661-2700 : chants des oiseaux et joie de l'amant ; 3701-3713 : évocation de genres littéraires et désir d'aller vers Déduit. Trois champs sémantiques (chant, joie et service) donnent au passage son unité et sa signification.

658. *gaus. Gaut*, comme *gaudine*, est un substitut poétique de *forest* qui désigne une étendue considérable, capable d'englober une autre étendue, une plantation impénétrable, sauvage, naturelle, séjour des bêtes sauvages et des loups-garous, par opposition au *bois*, qui s'emploie pour une réalité ponctuelle, limitée, fermée, où un accès est ouvert à l'homme, une plantation accessible à l'état de culture, domestiquée. *Aler en bois* peut être une occupation habituelle, limitée au voisinage immédiat, pratiquée en un lieu battu, tandis qu'*aler chacier en forest* est un *déduit* exceptionnel, une chasse sportive et lointaine, qui suppose des préparatifs plus ou moins longs. Voir l'art. décisif d'A. Eskénazi, « *Bois* et *forest* dans les *Lais* du ms. H », *Mélanges... Alice Planche*, Paris, Les Belles Lettres, 1984, p. 199-211.

669. Ce qui caractérise l'activité des oiseaux, c'est l'application et l'émulation, la joie, la maîtrise parfaite, la beauté, la douceur et l'harmonie, en sorte que ces chants, de nature quasi surnaturelle (*esperitel*, v. 664), arrachent encore plus le héros à la vie quotidienne, terrestre. Mais il y a un danger : en rester aux chants d'amour, aux somptueuses apparences ; de là l'allusion aux sirènes.

672. *serainne de mer*, « sirène ». Selon le *Bestiaire* de Philippe de Thaün (v. 1361-1414), elle représente les richesses du monde. « La mer, sur laquelle vogue une nef, est le monde ; la nef est le corps humain ; le nautonnier, qui la gouverne, est l'âme humaine. Maintes fois, les sirènes, les richesses, par leur séduction, leur chant, font pécher l'âme et le corps, qui périssent ensemble. La richesse, comme la sirène, a une voix humaine, des ailes pour voler ; comme elle, elle attrape l'homme par les pieds et le noie. La sirène chante dans la tempête : symbole de l'attachement aux richesses ; mais la tempête emportera le riche. La sirène pleure par beau temps : le beau temps, c'est l'abandon par l'homme de ses biens, et alors la richesse pleure. » Selon J. Larmat, « Le Jardin de Déduit dans *Le Roman de la Rose* de Guillaume de Lorris » (*Mélanges Alice Planche*, p. 268), « Quant à la comparaison avec le chant des sirènes, elle ne constitue nullement un indice de la dépravation des hôtes du verger. C'est un souvenir classique pour renforcer l'expression de la pensée, procédé cher à la rhétorique médiévale qui n'hésite pas à user de la mythologie gréco-latine autant que de l'histoire sainte. »

692. La joie du poète (*jolieté* au v. 684) l'incite à écrire.

701. *Grant servise*. Grâce à la symbolique des oiseaux, la quête prend une dimension spirituelle, qui réalise la synthèse de toutes les expressions de la vie médiévale dans ses plus hautes manifestations. Le mot *servise* évoque à la fois le service féodal qui lie le vassal au suzerain, le service amoureux de l'amant envers la dame, et le service religieux. Voir notre *Anthologie de la poésie lyrique française des XIIe et XIIIe siècles*, Paris, Gallimard, 1989, p. 25.

703. *Lais d'amors* : pièces lyriques chantées, courtoises et amoureuses, souvent attribuées à Tristan. On distinguait le *lai-descort*, signé, troubadouresque, d'origine occitane, célébrant la *fine amour*, comportant un lien étroit entre la mélodie et le texte, et le *lai celtique*, anonyme, traditionnel et archaïque, fait de quatrains isométriques, très libre au point de vue de la mélodie.
sonoiz, dérivé de *son*, chansonnette.

704. *en leur serventois*. Le mot désignait à l'origine un poème de courtoisie et de dévotion, la louange de quelqu'un qui se met au service de sa dame, d'une idée, de la Vierge. Il s'appliqua ensuite à un poème moral et satirique, enfin à un discours quelconque.

708. *reverdie, raverdie*, déverbal de *reverdir, raverdir* : 1. verdure ; 2. joie, allégresse ; 3. chanson qui célèbre la verdure et le printemps. Le mot a désigné un genre mal défini du point de vue formel, sans doute à l'origine un chant joyeux destiné à la danse

et situé dans un décor champêtre. Au XIIIe siècle, la reverdie, illustrée par Colin Muset et Guillaume Le Vinier, sans parler de cinq pièces anonymes, est en général un poème isostrophique qui abonde en diminutifs et comporte trois éléments : décor printanier, rencontre amoureuse, description de la jeune fille, auxquels Colin Muset a ajouté le registre de la bonne vie. Voir P. Bec, *La Lyrique française au Moyen Âge (XIIe-XIIIe siècles)*, Picard, 1977, t. I, p. 136-141.

727. *Cestes gens.* Ce groupe de personnifications, que nous voyons danser, représente les conditions, les qualités, les circonstances du milieu social qui permettent la rencontre amoureuse ; il s'oppose aux personnifications peintes sur le mur, comme l'homme courtois s'oppose au vilain.

Ce groupe est constitué de huit couples : 1. Déduit et Liesse ; 2. Amour (suivi de Doux Regard avec les deux séries de flèches et les deux arcs) et Beauté ; 3. Richesse et un élégant *valet* ; 4. Largesse et un chevalier du lignage du roi Arthur ; 5. Franchise (Noblesse) et un jeune et beau *bachelier* ; 6. Courtoisie et un chevalier *acointables et biaus parlers* ; 7. Oiseuse et le poète ; 8. Jeunesse et un *valet jones et biaus*.

728. *carole.* Divertissement courtois du Moyen Âge, qui fut à l'origine une sorte de marche rythmique sans règle, qu'on accompagnait de répons, et qui était mi-chanté, mi-mimé. Voir M. Sahlin, *Étude sur la carole médiévale*, p. 183.

La danse est l'expression d'une métamorphose ; elle exprime la joie et le désir de se sentir autre, d'échapper à son corps et à ses lourdeurs. Dans presque toutes les religions elle symbolise une harmonie entre le ciel et la terre, le mariage cosmique, la libération matérielle et la vie spirituelle (J.E. Cirlot, *A Dictionary of Symbols*, p. 73).

730. *Leesce* : « joie, liesse ». Voir G. Lavis, *op. cit.*, p. 250. En raison de sa fréquence très basse, *leece* est peu représentatif tant du vocabulaire lyrique que du vocabulaire de la littérature narrative. Coordonné avec *joie*, opposé à *dolor*, « le terme garde de son origine cléricale et religieuse une coloration particulière qui le rend adéquat à traduire de préférence une exaltation spirituelle ou sentimentale, mais inadéquat, par exemple, à la désignation de la joie amoureuse ».

744. *baler.* Si l'on admet l'explication de J. Frappier : « Le verbe *baler* suffit à désigner dans *Robin et Marion* les diverses manifestations chorégraphiques des bergères et des bergers. On n'y relève aucun exemple du verbe *danser*, ce qui ne saurait étonner car ce mot s'appliquait en ancien français aux danses élégantes de la belle société, tandis que *baler* convenait davantage aux danses populaires, marquées par plus de vivacité et d'allègres trémoussements » (*Le Théâtre profane en France au Moyen Âge (XIIIe-XIVe siècles)*, Paris, CDU, 1965, p. 115), on peut s'étonner que Guillaume utilise plutôt *baler*. Est-ce une manière d'insister sur la simplicité ?

745. *treche*. Ce mot *treche* ou *tresque*, donné pour vieux par Cotgrave en 1611, s'oppose à *carole*, qui est la ronde, et désigne « une danse populaire où jeunes filles et jeunes gens, placés alternativement, forment une chaîne qui, sous la conduite d'un « meneur », promène ses détours capricieux en répétant les couplets que chante un des danseurs. La *tresche-tresque*, souvent évoquée dans les récits et chansons narratives du Moyen Âge et illustrée notamment au XIIIᵉ siècle dans *Le Jeu de Robin et Marion* d'Adam de la Halle, est restée en usage dans les provinces après la Renaissance » (M. Delbouille, dans *La Wallonie, le Pays et les Hommes*. Liège, La Renaissance du Livre, 1978, t. 2, p. 121).

748. *Menestreus*. Le mot *menestrel* désignait à l'origine des gens de maison, des officiers de cour ; puis, se spécialisant, il s'appliqua aux meilleurs des jongleurs que les seigneurs attachaient à leur personne et à leur cour, admettaient dans leur familiarité de façon permanente, par souci de représentation et pour l'agrément de leur commerce. Certains sont peints sous des couleurs très favorables, comme Pinçonnet dans *Cléomadès* et Jouglet dans *Guillaume de Dole*. La sécurité et la stabilité de leur situation leur permettaient de s'adonner à leur goût des lettres dans la dignité et l'indépendance. Mais bientôt, par vanité et intérêt, les jongleurs ordinaires s'emparèrent de ce titre prestigieux, si bien que le mot devint péjoratif et signifia « faux, menteur, joueur, médisant, débauché », remplacé par la suite par *ménétrier* qui ne désigna plus qu'un musicien, et encore un violoneux qui fait danser. Voir E. Faral, *Les Jongleurs*, Paris, Champion, p. 103-118.
jongleors. Sur les jongleurs, voir notre présentation dans *Rutebeuf, Poèmes de l'infortune et poèmes de la croisade*, Paris, Champion, 1979, p. 21-24, et notre article « Quelques exemples de la défense des jongleurs au Moyen Âge », Montpellier-Nîmes, 1990, p. 41-58.

749. *rotuenges* : « rotrouenges ». La rotrouenge, dont l'étymologie est peu sûre (le mot vient-il de *rote*, petite harpe portative ?) est un genre si peu défini qu'on s'est demandé si le mot ne désigne pas des chansons françaises d'inspiration non courtoise, ou des chansons à refrains d'une certaine longueur. En effet, Fr. Gennrich (*Die altfranzösische Rotrouenge*, Halle, 1925) a retenu sous ce nom 34 pièces dont 9 sont des chansons courtoises ou para-courtoises, 2 des chansons de toile, 3 des chansons d'amour popularisantes, 5 des pastourelles, 3 des chansons de croisade, 3 des chansons de malmariée, 4 des pièces pieuses, à quoi il faut ajouter une chanson d'amour de loin, une sorte de fatrasie, une reverdie et le poème de Richard Cœur-de-Lion. Pour Gennrich la principale marque du genre serait d'essence musicale. Voir P. Bec, *op. cit.*, t. I, p. 183-189.

750. *notes loherenges*, « airs lorrains ». La Lorraine médiévale a connu un grand essor poétique et littéraire, à la fin du XIIᵉ siècle et au XIIIᵉ siècle, dans les cours de Bar, d'Apremont, de Vaudémont, à Épinal, à Arches, et dans les villes où régnait une bourgeoisie patricienne. On peut compter parmi les plus grands poètes

le comte Thibaud II de Bar, Garnier d'Arches, Aubertin des Arvols, Jean le Taboureur, Anchise de Moivrons, Gautier d'Épinal. Voir *Trouvères lorrains. La poésie courtoise en Lorraine au XIIIᵉ siècle*, présentés et transposés par J. Kooijman, Nancy, Seurat, 1974, et notre *Anthologie...*

780. *Cortoisie*. Si Oiseuse ouvre la porte du jardin à l'Amant, c'est Courtoisie qui l'invite à participer à la danse.

La courtoisie, qui est l'idéal de l'homme de cour, s'exprime par la générosité chevaleresque, la politesse mondaine, le raffinement des mœurs, l'élégance morale, l'attention aux bienséances. Elle s'accompagne d'une culture intellectuelle qui rend sensible aux beautés de la littérature et de la musique, et surtout de la largesse qui devient un des fondements de la société courtoise. Cette courtoisie, qui est la noblesse de l'esprit et du cœur, tend à être liée à la noblesse au sens social du terme.

820. *samit*. Riche étoffe de soie, d'origine orientale, dont on fait des robes de femmes, des bliauts et des manteaux d'hommes, des pourpoints, des tapis sur lesquels se font armer les chevaliers, des couvertures de lit ou de cheval.

828. *druerie*, « amour ». *Dru*, qui désigne le vassal, a été transposé dans le registre amoureux. « Ici encore, une nuance de soumission est le plus souvent perceptible, qu'il s'agisse de l'hommage rendu par un soupirant à sa dame... ou, inversement, de la soumission et de l'obéissance qu'une femme doit à son mari... En fait, l'emploi de *drue* concerne rarement l'épouse. Le mot s'applique en général à la maîtresse, à l'amante... Le terme désigne de préférence tantôt la femme aimante qui plie d'elle-même devant les exigences de son partenaire..., tantôt celle à qui son partenaire impose ou tente d'imposer ses volontés... Dans les deux cas, le mot implique un ascendant, une domination exercée par l'élément masculin » (A. Grisay, G. Lavis, M. Dubois-Stasse, *op. cit.*, p. 151-153). Cf. aussi É. Benvéniste, *Problèmes de linguistique générale*, t. I, Paris, Gallimard, 1966, p. 298-301, et *Le Vocabulaire des institutions indo-européennes*, t. I, Paris, éd. de Minuit, 1969, p. 104-110.

844. Pour le portrait physique des personnages, se reporter à notre étude citée à la note du v. 526.

866. *Li diex d'Amors*. Dans ce portrait original, la robe du dieu, avec ses fleurs, ses bêtes, ses oiseaux, ses couleurs... annonce l'opulence du jardin. Selon R. Lejeune, art. cit., p. 315, « ce Papageno avant la lettre évoque d'autant plus le divin Mozart que Guillaume de Lorris... a souvent doté son œuvre allégorique — la découverte de l'amour par un jeune bachelier — d'une musique semblable à celle d'une flûte enchantée ».

871. *baiesses* : « servantes ». Voir A. Grisay, G. Lavis, M. Dubois-Stasse, *op. cit.*, p. 221.

874. *garçon* (cas-sujet : *gars*, v. 920). Mot péjoratif au Moyen Âge, qui désigne un serviteur de rang inférieur ; c'est souvent un terme d'injure. Voir L. Foulet, *The Continuations of the Old French Per-*

ceval de Chrétien de Troyes, vol. III, part. 2 : *Glossary of the First Continuation*. Philadelphie, 1955, p. 194.

903. *ciau* : « ciel ». Forme du Nord-Est, de l'Est, de la Champagne et de l'Orléanais, s'expliquant « par l'ouverture de *e*, soit devant l'antéconsonantique de *e, mielz, vielz, ciels*, soit devant l'*u* diphtongal de *mieuz, vieuz, cieuz* » (P. Fouché, *Phonétique historique du français*, II. *Les voyelles*, Paris, Klincksieck, 1958, p. 323, remarque III). À partir du pluriel *ciaus*, on a refait un singulier *ciau*.

906. *Douz Regars* : personnification du regard bienveillant de la jeune fille.

909. *deus ars turquois*. L'arc est l'attribut traditionnel de l'Amour et de Cupidon. Sur les deux, voir J. Ribard, « Introduction à une lecture polysémique du *Roman de la Rose* de Guillaume de Lorris », *Études... offertes à Félix Lecoy*, Paris, Champion, 1974, p. 523-524 : « Aux *II. ars* (v. 909) correspondent les *II. doiz* (v. 1530) qui alimentent la Fontaine d'Amors et les *II. pierres de cristal* (v. 1536) qu'elle recèle et qui ne permettent de voir qu'une *moitié* du verger à la fois (v. 1562). Cette dualité, cette cassure, est incontestablement signe d'imperfection, comme l'a bien senti Jean de Meun quand il lui a substitué l'unité ou la trinité... Nous sommes encore dans le monde de l'homme, créature divisée et imparfaite, ce paradis n'est encore qu'un paradis terrestre, et c'est pourquoi le verger est carré et n'a pas la perfection divine du cercle que lui conférera Jean de Meun. »

931. *Onc riens n'i ot qui d'or ne fust*. Les cinq flèches d'or symbolisent les qualités de la dame qui suscitent l'amour chez l'amant : la beauté, la modestie et la simplicité, la noblesse et la générosité, la sociabilité, le bon accueil et la disponibilité. Voir J. Ribard, art. cit., p. 524.

958. Les cinq autres flèches, *ledes a devise*, « parfaitement laides », désignent tout ce qui s'oppose à l'amour : l'orgueil, la bassesse et la cruauté, la honte, le désespoir, l'inconstance. De ces traits sinistres il n'est plus question dans la suite de roman.

985-988. Selon Sh. Sasaki, art. cit. (Oiseuse), p. 20 : « L'apparente interruption donne l'impression que la carole dure depuis toujours et pour toujours. »

992-993. On voit l'importance de la beauté, qui désigne aussi bien un personnage qu'une flèche, comme le souligne l'auteur lui-même. Voir M. Accarie, « La vie n'est pas un songe. Théorie et pratique chez Guillaume de Lorris », *Michigan Romance Studies*, 1989, p. 127 : « Guillaume de Lorris sait ce qu'il fait en utilisant deux fois Beauté, et D. Poirion a parfaitement montré qu'il n'y avait alors ni redondance ni " indigence de vocabulaire ", mais que Beauté, tout en caractérisant le milieu social, joue un rôle plus précis dans la séduction symbolisée par les flèches : elle désigne alors la beauté particulière de l'aimée [...] Quand on a compris que la distinction essentielle, au début du roman, est entre la courtoisie, symbolisée par la carole, et la *fin'amor*, symbolisée par les flèches, toute forme de répétition se justifie en

effet : la Beauté de la danse est celle de tous les aristocrates courtois, la Beauté de la flèche est celle de la dame inspiratrice
d'amour. »

1017. *Richece* est longuement décrite sur une centaine de vers. Elle
se trouve au milieu de tout un réseau d'oppositions : s'opposant
à Pauvreté et à Papelardie, son portrait constitue une variation
importante par rapport à celui d'Oiseuse ; face à Richece, plus
naturelle, elle met en cause le travail artistique de l'homme et une
dimension sociale plus considérable ; sa place dans la carole
indique qu'elle permet la largesse.
La richesse implique la puissance (v. 1024-1026) qui suscite les
flatteries. Cf. J. Batany, *Approches du Roman de la Rose*, p. 90-
91.
On remarquera la composition rhétorique du portrait en trois
développements, consacrés le premier à la puissance de Richesse
(*Delez Biauté se tint Richece.* / *Une dame de grant hautece*) et aux
flatteries des *losengiers* ; le deuxième, qui est le plus étoffé, à la
richesse de son costume (*Richece ot d'une porpre robe*) ; le troisième, au jeune homme qui l'accompagne (*Richece tint par la main*
/ *Un vallet de grant biauté plain*).

1033. *en son dangier.* Le mot *dangier* (*dongier, doingier, dangier*), issu
du latin *dominiarium* « pouvoir du maître », a eu les sens suivants :
1. domination, pouvoir du maître (v. 1033) ; 2. orgueil, morgue,
attitude hautaine (v. 4020) ; 3. résistance, répugnance, difficulté
à obéir (v. 1886, 2196), de là les expressions *faire dangier* « faire
la difficile, la délicate » (v. 3457), *mener dangier* (v. 1490-1491,
1889) ; 4. danger, péril (couru par le sujet), voire captivité, prison. Voir l'art. important de Sh. Sasaki, « *Dongier*. Mutation de
la poésie française au Moyen Âge », *Études de langue et de littérature françaises*, Tokyo, 1974, p. 1-30.

1034-1052. Tout le passage est construit sur la répétition de *losengiers* et de *losenges*. Les *losengiers*, qualifiés de *gent male, fausse,
vaine, malparliere, nouveliere, fole, vilaine, pute, felonesse...*, de *gent
c'on ne puet trop despire* (mépriser), ces personnages *felon, men-
teour, ticheour, traïtor, mesdisant, jougleor, mauvais*, constituent
l'obstacle majeur à la joie de l'amant : joie de contempler la dame,
joie d'aimer et d'être aimé, joie de la récompense. Tout à la fois
ils font obstacle à un amour réel et empêchent la célébration de
la joie. Ils sont souvent assimilés aux faux amants qui arrivent à
leurs fins auprès des femmes et lèsent ainsi les vrais amants par
le biais d'un langage mensonger, que rien ne permet de reconnaître comme tel. Ils peuvent devenir les rivaux en écriture du
trouvère authentique, récupérant schémas formels et thèmes sans
les ressourcer à un sentiment vrai. Voir E. Baumgartner, « Trouvères et *losengiers* », *Cahiers de civilisation médiévale*, t. 25, 1982,
p. 171-178.

1046. *prodommes* (*prodons*, v. 1052). Très important et fréquent, le
mot, issu de *preu d'ome* (formé comme un *drôle d'homme, un diable
d'homme*), est difficile à cerner. Souvent simple intensif de *preu*,
il varie selon les textes : dans *La Chanson de Roland*, il peut

s'appliquer à un homme courageux, mais impliquer des qualités comme la sagesse et le *vasselage*. Le mot alterne, dans la chronique de Villehardouin, avec *saint* et *bon* pour désigner Foulques de Neuilly, le prédicateur de la Quatrième Croisade. Dans *Le Roman de Renart*, *prodom* s'applique soit à un bourgeois ou à un artisan, soit à un homme de bien, honnête et loyal, souvent en doublet avec *sage*. Voir E. Köhler, *L'Aventure chevaleresque*, Paris, Gallimard, 1974, p. 149-160, qui distingue dans le concept de *prodomie* trois composantes (épique, courtoise, religieuse) et notre note dans notre traduction de Huon le Roi, *Le Vair Palefroi*, Paris, Champion, 1977, p. 38-40.

1053-1108. Le portrait proprement dit de Richesse est lui-même composé de trois parties, consacrées à sa robe (*Richeice ot d'une porpre robe*, v. 1053), à sa ceinture (*Richeice ot un mot cointe ceint*, v. 1067) et au cercle d'or de sa coiffure (*Richece ot sus ses treces sores | Un cercle d'or...*, v. 1087-1088).

1053. *porpre* : désignait une étoffe précieuse de couleur foncée ; la couleur pourpre dénotait la domination (cf. Sicille, *Le Blason des couleurs en armes, livrées et danses*, éd. H. Cocheris, 1859).

Dans tout le passage, l'auteur joue sur la syllabe *or*. Présent dans tout le développement, l'or signifiait non seulement la richesse, mais aussi la lumière et la connaissance, le Christ et le soleil.

1056-1060. Sans doute ces vers contiennent-ils une allusion à la robe d'Énide dans *Érec et Énide* (v. 6734-6803) — et Chrétien de Troyes cite à ce propos Macrobe (v. 6738) — et à celle de Liénor dans *Le Roman de la Rose* de Jean Renart (v. 5324-5359). Ces deux robes sont l'œuvre de fées.

1067. *ceint*, « ceinture ». Ce développement sur la ceinture comporte lui aussi trois parties sur la boucle, le mordant (ou fermoir) et les clous du *tesu doré*.

Sous le règne de Philippe Auguste, le type masculin de la ceinture, étroit et simple, s'étend au costume féminin : la ceinture unisexe est une courroie (*lorain*) ou une bande de tissu munie d'une boucle fixée à une plaque, le *bouclier*, carré ou très allongé rivé à une extrémité, tandis qu'à l'autre est rivé le *passant, pendant* ou *mordant*. La ceinture, qui se porte serrée, est très élégante et souvent très riche ; on l'offre en présent comme les gants. Le cuir ou le tissu (soie ou bisette) sont de couleurs variées, le blanc étant réservé aux chevaliers. L'ornementation peut être formée de devises, de motifs pieux, de formules talismaniques.

Dans notre texte, la boucle et le mordant sont faits de pierres précieuses dont l'une protège de tout poison et l'autre guérit du mal de dents et assure une journée heureuse.

1086. *un besant*. Monnaie d'or, nom donné aux hyperpères byzantins à partir du XIe siècle. Cf. É. Fournial, *Histoire monétaire de l'Occident médiéval*, Paris, Nathan, 1970, p. 73.

1088. *Un cercle d'or*. Pour accentuer l'élégance de leur toilette, hommes et femmes se coiffent d'un *chapel*, qui peut être une couronne de fleurs (v. 829-830), un riche cercle d'orfèvrerie ou une bande d'étoffe de luxe, brodée d'oiseaux et de fleurs (v. 857-860). Ce cercle d'or très fin vaut aussi par les pierres précieuses qui l'ornent, « élément de parure féminine et, pour les gens de l'époque, des objets utilitaires de haute valeur pour leurs " vertus " médicales et magiques » (J. Batany, *Approches*, p. 91).

1097. *Rubis*. Il provient de Libye ; de couleur vermeille comme *carbon qui arde*, c'est la plus précieuse des pierres. Il assure la supériorité de ceux qui le portent, il guérit les bêtes malades qui boivent de l'eau où il se trouve, il réconforte les désespérés.

safirs. Le saphir, qui provient de la grande Syrte et de Médie, de couleur bleu clair, protège l'homme chaste de tout accident et maladie, de la tromperie et de la prison ; il chasse du corps la fièvre et la sueur, délie la langue, ôte le mal de tête ; il rétablit la paix.

jagonces. L'hyacinthe (*jagunce, jacinte, jacincte, jacinthe*), qui provient d'Éthiopie, de couleur grenat ou jaune citron ou *evage*, bleue, chasse la mélancolie, permet de voyager en toute sécurité et d'être bien accueilli partout ; elle rafraîchit ; très dure, elle perd sa clarté quand le ciel s'obscurcit.

1098. *D'esmeraudes*. L'émeraude (*esmaragde, esmeraude*) qui provient de Scythie, de Bactriane, de la vallée du Nil, voire d'Irlande, et qui présente la couleur verte la plus belle (qu'on préservera en la lavant avec du vin et en l'enduisant d'huile d'olive) a une clarté que rien ne peut troubler ; elle permet de connaître l'avenir, assure la richesse et une bonne vue, délivre de diverses maladies, protège de la tempête et de la foudre, réduit la luxure.

Sur les pierres au Moyen Âge, on lira *Les Lapidaires français du Moyen Âge des XIIe, XIIIe et XIVe siècles*, éd. L. Pannier, Paris, Vieweg, 1882.

1100. *Une escharboucle*. L'escarboucle (*scherbuncle, charboucle*) qui a la couleur du charbon ardent auquel elle emprunte son nom, n'a pas de vertu particulière, mais c'est la plus lumineuse ; aussi le poète de *La Chanson de Roland* la place-t-il au sommet des mâts pour éclairer la marche des navires. On la disait originaire de la Terre des Troglodytes, de l'Afrique, de la Libye.

1111. *verités, veritex* : « véritable ».

1118. *roncin*. Bête de somme de peu de valeur. Cheval de labour, cheval de paysan, cheval de charge, cheval des écuyers : les pauvres bacheliers du *Charroi de Nîmes* (v. 642) ont des *roncins clops* (éclopés, boiteux) et des *dras* (vêtements) *descirez*. C'était une honte pour un chevalier que de monter un roncin. Aussi comprend-on que Greoras, qui a reconnu en Gauvain un ancien ennemi se venge de lui, dans *Le Conte du graal*, en lui volant son destrier et en l'obligeant à monter un roncin (v. 7085-7093, 7136-7140). Le mot *roncin* fut attiré dans l'orbite de l'adjectif *roux* en sorte qu'apparut, vers la fin du Moyen Âge, la forme *roussin* qui supplanta l'autre, sentie comme archaïque.

1126. Posséder la richesse, c'est posséder la puissance, la beauté, la lumière, l'univers dans sa multiplicité et dans son ailleurs. La richesse permet d'accéder à la disponibilité, à la beauté, à la largesse, à la joie et à la courtoisie. La richesse naturelle doit être accompagnée du travail et de l'art des hommes. C'est une qualité courtoise et spirituelle. Quoi qu'il en soit, pour Lorris, l'amour ne peut naître que dans un milieu riche.

1127. *Largece.* La largesse est un des fondements de la courtoisie et de la morale arthurienne qui fait du roi le redistributeur des richesses. La largesse apparaissait déjà dans la théorie augustiniste du pouvoir royal. Voir D. Boutet, *Charlemagne et Arthur ou le roi imaginaire*, Paris, Champion, 1992.

1130. *Alixandre.* Très célèbre au Moyen Âge, Alexandre le Grand était le type accompli du preux et un modèle de générosité ; il était la parfaite synthèse du héros médiéval : héros épique par ses exploits guerriers, ses victoires, ses conquêtes et sa démesure ; héros romanesque par son goût du risque et de l'aventure, sa chance, sa curiosité tournée vers la quête des merveilles et l'exploration des terres étranges, par sa générosité et sa largesse. Voir C. Gaullier-Bougassas, *Les Romans d'Alexandre. Aux frontières de l'épique et du romanesque*, Paris, Champion, 1998. On remarquera que dans le prologue du *Conte du graal* (v. 13-20, 57-60), Chrétien de Troyes fait l'éloge de Philippe de Flandre aux dépens d'Alexandre.

1133. *la chetive*, « la misérable ». Le sens premier, étymologique, de *chetif* était « captif, prisonnier » ; de là l'acception de « malheureux », « misérable » ; enfin, par restriction sémantique, « de faible constitution », « d'apparence fragile ».

1176. *chevalier*. Le chevalier était un cavalier qui portait des armes caractéristiques, offensives (*espié, espee, brant, lance*) et défensives (*heaume, haubert, broigne, escu*), et qui était un guerrier professionnel qui devait avoir des qualités physiques et morales et faire l'apprentissage de son métier. Les chevaliers formaient une corporation qui avait ses maîtres (les seigneurs chevaliers), ses compagnons (les simples chevaliers), ses apprentis (les écuyers), ses saints patrons et son rite d'initiation (l'adoubement). Le chevalier était « un guerrier d'élite au plus haut niveau ». Voir J. Flori, « La notion de chevalerie dans la chanson de geste du XIIᵉ siècle », *Le Moyen Âge*, t. 81, 1975, p. 210-240, et *Chevaliers et chevalerie au Moyen Âge*, Paris, Hachette-Littératures, 1998.

1177. *Le bon roi Artu de Bretaigne.* Modèle du souverain courtois au milieu de sa cour dont les relations sont définies par l'*onor*, l'*amor* et la joie. Voir D. Boutet, *op. cit.*

1184. *tornoiement* : une des rares mentions de l'activité chevaleresque.

1191. *Franchise*, « noblesse d'âme, générosité ». L'adjectif *franc* qui avait d'abord une valeur ethnique (il s'agit du peuple franc) s'est ensuite identifié avec « libre » (*avoir les coudées franches, corps franc...*) et a désigné les nobles. Puis, au sens social, s'est ajoutée l'idée de noblesse morale et de noblesse des manières, avec au premier plan l'idée de générosité, puis de franchise.
Franchise apparaît dans la danse, puis comme l'une des flèches, enfin avec Pitié pour fléchir Danger. « On peut croire à nouveau

à du laisser-aller, d'autant plus, on l'a vu, que Guillaume hésite parfois entre Franchise et Courtoisie. Or les trois allégories ne figurent pas la même idée. Dans le jardin Franchise est, bien entendu, l'une des qualités sociales qu'il faut nécessairement posséder pour faire partie de l'élite courtoise. La flèche Franchise restreint son champ : elle n'est plus une qualité générale de la société aristocratique, mais, à l'intérieur de ce macrocosme, une qualité particulière de la dame inspiratrice d'amour. Cette qualité reste néanmoins extérieure, concerne l'aspect de la dame et ne touche pas son être profond, exactement comme les autres flèches, beauté, simpleice, compagnie, Beau semblant. La dame est perçue extérieurement, par le doux regard qu'elle porte sur le poète et que le poète lui porte ; elle n'est pas encore intimement connue. Seule la troisième Franchise désigne une qualité intérieure de l'être aimé. » (M. Accarie, art. cit., p. 127-128.) Largesse, Prouesse, Franchise et Courtoisie combattent avec le dieu d'Amour dans *Le Tournoiement Antechrist* de Huon de Mery et sont reçues dans le Jardin de la Victoire.

1194. *nés d'Orlenoiz*. Les gens de l'Orléanais passaient pour avoir le nez camus. On parlait des camus d'Orléans, qui avaient aussi les sobriquets de *bossus, guépins* et *chiens*. Voir *Le Livre des proverbes français* de M. Le Roux de Lincy, Paris, 1859, t. I, p. 373-376.

1210. *souquanie (sorquanie, souskanie, sequenie)*. Vêtement très élégant, variété de cotte d'origine méridionale, au buste très ajusté.

1224. *bachelers*. Le mot peut s'appliquer aux nobles et aux roturiers, aux chevaliers comme à toute sorte de personnages (rois, évêques, forestiers, jongleurs...) ; il ne désigne pas uniquement des célibataires ; il existe des *bacheliers* ayant des fiefs, des terres, des comtés, des royaumes. Mais il s'applique toujours à des jeunes gens ; il est synonyme de jeune, et peut le plus souvent être traduit par « adolescent » ou « garçon ». Enfin, il a toujours une résonance idéologique particulière, employé en bonne part et flanqué d'adjectifs laudatifs. Voir J. Flori dans *Romania*, t. 96, 1975, p. 312-313.

1228. *au seigneur de Guinesores*, au seigneur de Windsor, c'est-à-dire au roi d'Angleterre.

1240. *une clere brune*. « une fille du Midi aux cheveux noirs, mais au teint blanc » (R. Lejeune, art. cit., p. 329).

1263. *Nice*. Cet adjectif rappelle le héros du *Conte du graal*, Perceval, dont la *niceté* est faite de naïveté et d'inexpérience. Voir Ph. Ménard, « Le thème comique du *nice* dans la chanson de geste et le roman arthurien », *Boletin de la Real Academia de Buenas Letras de Barcelona*, t. 31, 1963-1965, p. 177-193.

1278. *corage* : cœur, sentiments, intentions. Voir J. Picoche, *Le Vocabulaire psychologique de Froissart*, Paris, 1976, p. 53-57.

1281. *mainnies (mesnie, maisnie)*. Ensemble des familiers et des serviteurs ; s'oppose au *lignage*, ensemble des ascendants et des descendants.

1289-1290. *ces biaus loriers, / Ces pins, ces codres, ces moriers*. Les arbres symbolisent le paradis terrestre ; ils sont un élément essentiel de ce séjour paradisiaque. En enfer, le jardin n'a pas d'arbre, témoin Jean de la Mote, *La Voie d'enfer et de paradis*, éd. M.A. Petty, Washington, 1940, p. 29 : *Q'ainc Dieus ne fist sappin ne pin, / Ne arbre qui porte flourin / Dont n'at l'aiens a planté*. Cf. Sh. Sasaki, « Le jardin et son *estre...* », *op. cit.*, p. 26-27.

1294. *por donoier*. Jean Larmat (art. cit., p. 267) s'interroge : « Faut-il traduire " faire l'amour " ou " parler d'amour " ? Est-ce le deuxième point d'amour ? Probablement le cinquième. La joyeuse union des corps peut signifier, allégoriquement, celle des âmes. »

1304. *Et li diex d'Amors appella*. C'est le véritable souverain de ce lieu consacré au plaisir, même si Déduit est le maître allégorique du verger.

1324. *de droite quarreüre*. Voir la note du v. 467, l'art. cit. de Sh. Sasaki, p. 30-31, et M.-F. Notz, « *Hortus conclusus* », *Mélanges Jeanne Lods*, Paris, 1978, p. 468 : « De forme carrée, elle ne correspond pas au mouvement d'expansion du centre générateur, nous l'avons vu, de la forme circulaire ; et elle ne renvoie pas non plus au centre comme le fait la circonférence, dont tous les points sont en rapport avec le point central. Elle présente donc, contrairement à la forme ronde qui " concentre de l'être à l'intérieur de ses limites ", selon l'expression de Bachelard (*La Poétique de l'espace*, p. 17), un aspect arbitraire et transitoire, correspondant bien à sa fonction dans le roman, qui est essentiellement propédeutique. »

1343. *Graine de paradis*. Ce sont les graines de la cardamone, qu'on utilise comme épices et qui sont appelées aussi « maniguette ».

1344. *Citoal*, « zédoaire ». Plante aromatique d'odeur de gingembre et de saveur camphrée.

1418-1419. Au sens littéral, le roman est construit sur le thème de la visite du jardin ; au sens allégorique, le jardin est le cœur de la jeune fille, comme le souligne une note du manuscrit 845 de la Bibliothèque municipale d'Arras, au v. 282, cité par E. Langlois, *Les Manuscrits du Roman de la Rose*, Paris-Lille, 1910, p. 110 : « En sen gardin, scilicet conscience, vel en sen coer ».
Sur l'opposition entre les jardins de Guillaume de Lorris et de Jean de Meun, voir l'art. cit. de Sh. Sasaki, « Le jardin et son *estre...* », p. 33.

1427. *Une fontaine sous un pin*. Selon M.-F. Notz, *art. cit.*, p. 463-464 : « L'arbre et la fontaine qu'il ombrage sont un microcosme : à l'élan vertical du tronc dressé correspond la *profondeur* de l'eau, constamment dépeinte dans sa transparence ; sur la surface horizontale du miroir s'étend l'ombre protectrice des branches. Ces deux éléments sont donc au centre du jardin comme un modèle exemplaire et, par là, créateur de l'espace. Le jardin tout entier peut être résumé par le cercle protecteur que trace autour du tronc la couronne de l'arbre. » Voir, dans *Cligès* de Chrétien de Troyes, v. 6314-6316 : « Anmi le vergier ot une ante / De flors chargiee et anfoillue / Et par dessus iert estandue. » La fontaine est le plus souvent une source aménagée.

1429. *Ne fu aussi biaus pins veüs.* Sur le pin, qui jouit d'un statut privilégié, marquant et solennisant la majesté dans ses expressions majeures, voir l'article d'A. Planche, « Comme le pin est plus beau que le charme », *Le Moyen Âge*, 1974, p. 58 : « Tout se passe comme si l'auteur de la geste (*La Chanson de Roland*) frappé par le spectacle d'une végétation inconnue, en avait discerné les possibilités expressives, au point d'en choisir certains éléments comme des idéogrammes adaptés à telle ou telle donnée du récit... L'utilisation symbolique du réel, loin de le décolorer et, comme on l'a cru, de le réduire à une écriture conventionnelle, conserve un lien de ressemblance entre signifiant et signifié. »

1434. *la fontaine.* La fontaine joue un rôle très important dans les romans du Moyen Âge : « qu'elle serve de frontière ou de lieu d'étape, elle exalte les vertus de la chevalerie errante, elle poétise ses aventures, elle y introduit la femme, ou bien, enclave sacrée, elle donne au chevalier une dimension mythique » (M.-L. Chênerie, « Le motif de la *fontaine* dans les romans arthuriens en vers des XIIᵉ et XIIIᵉ siècles », *Mélanges Charles Foulon*, Rennes, 1980, t. I, p. 99-104). Lieu d'une aventure féerique ou d'une révélation, l'eau n'est pas seulement une image de la volupté ou de la tristesse, elle est aussi un élément purificateur. Sa valeur régénératrice, la fécondité de la matière primordiale explique que, dans toutes les mythologies, la source soit un lieu sacré et que, dans le folklore universel, des oracles soient situés dans son voisinage : elle peut être à l'origine d'un heureux destin ou source de malheur.

On peut dire que, pour une part, la fontaine de Narcisse est une réécriture de la fontaine aventureuse du *Chevalier au lion* de Chrétien de Troyes (voir l'édition de M. Rousse, GF-Flammarion, 1990). On y retrouve la technique de la dispersion et de la révélation progressive, et nombre d'éléments communs : la fontaine et le pin, le perron, l'arrivée d'un agresseur, les oiseaux qui couvrent l'arbre ; à *la fontaine perilleuse* (*Le Chevalier au lion*, v. 810) répond *li mirëors perilleus* du *Roman de la Rose* (v. 1571). En revanche, Guillaume de Lorris ne reprend pas le bassin d'or avec lequel le héros répand de l'eau sur le perron, ni la petite chapelle à côté de la fontaine, ni la tempête, ni le combat singulier contre le défenseur du lieu. Enfin, si la pierre de la fontaine dans *Le Chevalier au lion* « était faite d'un bloc d'émeraude évidé comme un vase, porté par quatre rubis, plus flamboyants et plus vermeils que le soleil du matin quand il monte à l'orient » (v. 424-429), la fontaine du *Roman de la Rose* contient « deux pierres de cristal » (v. 1538).

La fontaine aventureuse est aussi la fontaine paradisiaque qu'ombrage l'arbre de la connaissance, le pin.

André le Chapelain, dans son *De arte honeste amandi* ou *De Amore* (dernier quart du XIIᵉ siècle) avait déjà exalté le *locus amoenus*, d'une félicité toute sensuelle et mondaine, où règne le personnage d'Amoenitas, juste milieu entre la cruauté antinaturelle des « sèches » et la complaisance avilissante des « humides ». Voir la

traduction de Cl. Buridant, Paris, Klincksieck, 1974, p. 88, et
P. Demats, « D'Amoenitas à Déduit : André le Chapelain et
Guillaume de Lorris », *Mélanges Jean Frappier*, Genève, Droz,
1970, t. I, p. 217-233.

1438. *li biaus Narcissus*. L'histoire de Narcisse a été racontée par
Ovide dans les *Métamorphoses* (livre III, v. 356-503). Voir le
résumé de P. Grimal, dans son *Dictionnaire de la mythologie
grecque et romaine*, Paris, PUF, 1951, p. 308. Il ne semble pas que
Guillaume ait suivi Ovide, ni le *Lai de Narcisse*. L'auteur ne décrit
ni les tourments de Narcisse ni ceux d'Écho ; il ne reprend pas
non plus les développements d'Ovide sur l'impossibilité d'aimer.
Guillaume, fidèle à l'esthétique du lyrisme courtois, abrège.
L'histoire de Narcisse a été fort appréciée et utilisée aux XIIᵉ et
XIIIᵉ siècles, fût-ce sur un mode parodique, comme dans la
branche IV du *Roman de Renart* (« Renart dans le puits »). Voir
L. Vinge, *The Narcissus Theme in Western Europe*, Lund, Glee-
rups, 1967.
C'est le seul récit mythologique que nous ayons dans le *Roman
de la Rose*, et qui est original dans la mesure où il n'appartient ni
au discours didactique, ni à l'aventure imaginaire, ni à la personnification allégorique. Mais son rôle n'est pas seulement orne-
mental : Narcisse est là pour prévenir l'amoureux d'un certain
danger qu'il court dans son initiation. Tout le passage est
empreint d'une sympathie discrète pour le personnage : l'auteur
s'identifie-t-il avec le jeune damoiseau ? Est-ce le signe d'une ten-
tation, comme le pense D. Poirion (« Narcisse et Pygmalion dans
Le Roman de la Rose », *Essays in honor of Louis Francis Solano*,
Chapel Hill, 1970, p. 153-165) ?
Voir aussi J. Rychner, « Le mythe de la fontaine de Narcisse dans
Le Roman de la Rose. Le lieu et la formule », *Hommage à Marc
Eicheldinger*, Neuchâtel, 1978, p. 33-46 ; D.F. Hunt, « The alle-
gorical fountain. Narcissus in the *Roman de la Rose* », *Romanic
Review*, t. 72, 1981.
En tout cas, l'épisode de Narcisse constitue la frontière entre la
contemplation du jardin de Déduit et le drame que déclenchent
les flèches d'Amour.

1439. *demoisiaus*. Cas sujet singulier du mot *damoisel* (du latin
dominicellus). Jeune noble en état de faire ses premières armes,
mais qui n'est pas encore chevalier. Le mot insiste sur la noblesse
du personnage. Il a pu s'appliquer à de jeunes chevaliers dont on
souligne ainsi l'impétuosité et la vigueur ; c'est alors un synonyme
de *bacheler*, *bachelier*. Voir A. Grisay, G. Lavis, M. Dubois-
Stasse, *op. cit.*, p. 167-168.

1470. *la fontaine clere et pure*. La fraîcheur, la fragilité et la grâce
qu'évoque l'eau ont été mises en valeur par la description du
verger.

1483. *Si vit*. Le thème du miroir est amené d'une manière habile :
il sera longuement repris pour expliquer le mécanisme de l'amour.

1486. *ses ombres*. La vanité de l'image nous prépare à l'évocation
de la beauté insaisissable.

1503. *Et fu mors.* Pourquoi avoir placé la fontaine qui a provoqué la mort de Narcisse dans le jardin de Déduit qui ignore la mort ? En l'identifiant ensuite à la fontaine d'Amour, Guillaume a-t-il voulu montrer le triomphe remporté sur la Mort ?

1504. *meschine* : « jeune fille », « servante ». Venu de l'arabe *miskin* « pauvre », ce terme insiste sur la jeunesse comme *varlet* et *jovencel.* La noblesse n'est pas un trait distinctif du mot : c'est le contexte ou une épithète qui le précisent. *Meschine* peut désigner une fille ou une femme attachée au service d'une dame. Contrairement à ce qu'a pensé Georges Gougenheim, le sentiment de pitié n'est pas un trait fondamental de ce mot. Voir A. Grisay, G. Lavis, M. Dubois-Stasse, *op. cit.,* p. 178-184.

1504-1510. La morale déconcerte de prime abord. En fait, Guillaume souligne la culpabilité de Narcisse pour mettre en garde les amoureux : l'amour a des lois qu'il ne faut pas transgresser sous peine de mort ; il nous montre d'abord ce qu'il ne faut pas faire. Ensuite, il s'agit d'illustrer le piège de l'amour, folle passion qui s'empare de l'homme assoiffé de désir, et qui est culte du désir masculin : la dame « est le reflet du désir masculin qui, en quelque sorte, s'enferme en lui-même dans la mesure où il n'est pas attentif à la personne féminine » (D. Poirion, art. cit., p. 158). Narcisse suggère que, dans la lyrique courtoise, aimer l'amour, aimer le désir, c'est s'aimer soi-même.

1538. *deux pierres de cristal.* Plus loin, il est question de *cristaus* (1547), de *cil cristal* (1549), de *li cristal* (1560). Dans notre manuscrit, le scribe emploie toujours le pluriel, alors que, dans le manuscrit édité par F. Lecoy, nous avons *II. pierres de cristal* (1536), puis des singuliers : *ou cristal* (1545), *cil cristaus* (1558), *li cristaus* (1558).

Le cristal rappelle le fleuve de vie de l'*Apocalypse* (XXII, 1) : « Et ostendit mihi fluvium aquae vitae, splendidum tanquam crystallum, procedentem de sede Dei et Agni. »

On a beaucoup discuté sur ce que représentent les deux pierres de cristal : pour les uns (C.S. Lewis, J. Frappier), ce sont les yeux de la dame, pour les autres (Robertson, Fleming), les yeux de l'amant. L.H. Hillmann (« Another look into the mirror perillous : the role of the crystals in the *Roman de la Rose* » *Romania,* 1980, t. 101, p. 225-238) a émis contre ces explications de fortes objections. Si l'on admet avec lui que les cristaux ne représentent pas uniquement les yeux, que le miroir et le cristal sont interchangeables et permettent magiquement de dévoiler des choses secrètes (E. Köhler « Narcisse, la fontaine d'Amour et Guillaume de Lorris », *L'Humanisme médiéval dans les littératures romanes du XIIe au XIVe siècle,* Paris, 1964, p. 147-164), la fontaine prend place dans une série de tests qui manifestent que l'Amant est digne de devenir le vassal de l'Amour : son refus des portraits du mur, son obstination à pénétrer dans le jardin, sa volonté de prendre part à la danse, sa résolution d'approcher de la fontaine ont montré qu'il était à même d'entrer dans le jardin. Avec le dernier test des cristaux, il évite sa propre image et examine attentivement les objets révélés dans le miroir : « Described without indue glorification, the crystals are a substance with extraordinary reflective properties which serve as the mechanism by which Amour tests a potential lover's will and ability to choose a suitable love object (L.H. Hillmann, art. cit., p. 238). En fait, selon Ch. Méla (« Le miroir périlleux ou l'alchimie de la rose », *Europe*, octobre 1983, p. 72-83), « ce que l'amant a trouvé, ce sont d'autres yeux, qui lui permettront seuls de voir enfin la merveille cachée. Il lui faut acquérir cet autre regard pour que lui soit ouvert un autre monde » (p. 79). Voir aussi B. Roy, « Cristals est glace endurcie par molt d'ans », *Le Nombre du temps en hommage à Paul Zumthor*, Paris, Champion, 1988, p. 255-261.

1543-1547. « La vision est le produit de cette double lumière, d'un soleil au dehors par un embrasement au dedans » (Ch. Méla, *op. cit.*, p. 80).

1552. *i pert tous a orne*. La fontaine, comme le pin, est un symbole de la connaissance : elle révèle la vérité, la nature y apparaît dans son ordre essentiel. Le miroir révèle l'ordre de la nature : on passe de l'apparence à l'essence. La connaissance fonde l'amour, mais cette connaissance est d'ordre magique : l'art d'aimer relève de l'initiation plutôt que de l'éducation. « Près de la fontaine, c'est un mystère qui se célèbre, une révélation religieuse qui se fait, où la mort de Narcisse a son rôle, avec le pin, arbre éternel, l'eau sacrée, la souffrance, enfin, que le dieu chasseur va infliger au myste » (D. Poirion, art. cit., p. 161).

1555. *li mirëoirs*. Tout ce passage, jusqu'au v. 1615, est construit autour du mot *mirëor*. Le miroir peut être un instrument de perdition, mais le *mirë-or* promet l'*or* à qui le *mire*. Tel est le mystère à découvrir sous les *intéguments* poétiques, la vérité enclose en cette matière.

J. Frappier (« Variations sur le thème du miroir de Bernard de Ventadour à Maurice Scève », *Cahiers de l'association internationale des études françaises*. t. 11, 1959, p. 134-158) a bien montré l'importance, dans la littérature et la civilisation médiévales, du miroir qui était lié au merveilleux et à la magie, aux phénomènes mystérieux de l'amour et à la coquetterie féminine. Bernard de Ventadour avait donné une grande densité poétique aux thèmes jumeaux de Narcisse et du miroir, de la mort et de l'amour. Les yeux de la dame se changent par métaphore en un miroir fascinant qui ravit l'amant à lui-même, témoin la Chanson de l'alouette (v. 17-24) : « Plus jamais je n'eus de pouvoir sur moi, plus jamais je ne m'appartins, depuis l'heure où dans ses yeux elle me laissa regarder en un miroir qui tant me plaît. Miroir, depuis qu'en toi je me suis miré, les profonds soupirs m'ont tué et je me suis perdu comme se perdit le beau Narcisse dans la fontaine. »

1571. *li mireors perilleus* rappelle le siège périlleux de la Table ronde, et la périlleuse fontaine de la forêt de Brocéliande dans *Le Tournoiement de l'Antéchrist* de Huon de Méry (1234-1235).

1575-1576. Selon Ch. Méla (art. cit., p. 80), « il faut, comme Narcisse, mourir à soi-même pour revivre par l'amour. Quiconque *en cest mirëor se mire* y trouve son *mire*, son médecin, car le remède est dans le mal ».

1589. *la grainne* : à la fois la graine que l'on sème et la couleur écarlate.

1599. *en romans et en livre*, « dans des ouvrages en langue romane et en latin ». Si, dans quelques cas, la dénomination de *roman* était liée à la forme-vers, le mot *livre* liait fortement une œuvre nouvelle à son original, principalement un texte en latin ; en revanche, *roman* dévoilait le désir de l'auteur de prétendre à une certaine nouveauté par rapport à sa source. Pour Paul Zumthor (*La Lettre et la voix*, Paris, Le Seuil, 1987), *roman* unissait les sèmes de « vieux » et de « nouveau », étant le commentaire ou la glose d'une vieille source.

1616. *Choisi* : « discerner de loin avec les yeux, apercevoir ». Selon R.-L. Wagner, *Les Vocabulaires français*, Paris, Didier, 1967, p. 83-84, « les emplois de *choisir* en ancien français répondent toujours à une situation concrète où ce que l'on discerne ainsi de loin, ce que l'on isole par la vue, est l'objet d'une attente, d'un souhait, d'un désir. Guenièvre, reine adultère (au moins d'intention) dans le lai de *Lanval*, lorsqu'elle *choisit* Lanval du haut du château, souhaite séduire un jeune chevalier de la *maisniee Artus*. À supposer maintenant que *eslire* du latin *exlegere* (classique *eligere*) fût un mot dont l'emploi se cantonnait dans une langue écrite, surveillée, et qu'il y répondît à des situations particulières, on voit par quel processus *choisir* dans la langue commune s'avéra propre à ne plus retenir que le second trait " dégager après examen ce que l'on désire " ; le même processus a conduit l'allemand *Kiesen* à occuper la même situation que *choisir* en français moderne ».

rosiers chargiés de roses. Cette découverte des roses a été préparée par toutes sortes d'annonces : *chapel de roses* d'Oiseuse (555) et de Déduit (829-830) ; Liesse *resembloit rose novele* (840) ; *foilles de roses grans et lees* de la robe d'Amour (894) et son *chapelet de roses* (895-896).

Une subtile gradation marque des étapes dans l'éveil de l'amour. D'abord, état de disponibilité et de craintif enchantement. Ensuite, image de la Beauté ou idée de l'amour symbolisées par le reflet des roses dans les deux pierres de cristal. Enfin, le reflet collectif des roses guide l'amant vers celle qu'il élira. L'amour courtois est un amour d'élection où la volonté tient sa part.

1623. *cele rage* « évoque la force instinctive du désir charnel encore voilé » (R. Lejeune, art. cit., p. 332).

1655. *bouton* : symbole de la très jeune femme ou de la jeune fille. Voir R. Lejeune, art. cit., p. 333.

1662. *De foilles y ot quatre paire*. Le huit est le symbole de la régénération selon saint Ambroise et de la résurrection selon saint Augustin.

1669. *La soatume.* Le parfum était lié à la spiritualité et à la sainteté. Voir *Vie de sainte Elisabeth* de Rutebeuf, v. 2029-2032 : « *Une odor si douce en issoit* (sortait) / *Qui de grant dousor remplissoit* / *Toz cels qui entor li* (elle) *venoient* / *Qui envis la biere lessassent* ». Guillaume, poète de l'odorat, insiste sur le parfum de la rose, au contraire de Jean Renart qui ne parle que de *si fete merveille* / *come de la rose vermelle* / *desor la cuisse blanche et tendre.*

1681-1880. Le dieu d'Amour tire cinq flèches ; de là cinq mouvements, comportant en principe quatre séquences : 1. Le dieu envoie sa flèche ; 2. l'amant s'évanouit ; 3. revenu à lui, il remarque qu'il n'a pas perdu de sang ; il essaie de retirer la flèche dont il parvient à arracher le bois, mais non le fer ; 4. son cœur se dirige vers le bouton.

1684. *Un fier* : « figuier », formé sur *fi* de *ficu* « figue ».

1689-1695. On observera tout un jeu de variations à l'intérieur de chaque partie : dans les v. 1689-1695, Guillaume insiste sur les gestes de l'archer ; en 1735-1744, il précise les qualités de la flèche et les effets de Simplece ; en 1762-1767, il met en valeur l'acharnement d'Amour ; en 1817-1824, le cœur du héros est une cible pour Amour ; en 1839-1858, la flèche est enduite d'un doux onguent qui ranime le cœur de l'amant. Les flèches pénètrent *parmi l'œl ou cors* (1694, 1743), *au cuer par le costé* (1774), *ou cuer dessous la mamelle* (1823), *ou cuer* (1858). La flèche est appelée *floiche* ou *saiete*, on en distingue le *fust* (bois) *empenné* (au talon garni de plumes ou d'ailerons pour en régulariser la direction) et la *saiete* (fer) qui peut être *barbelée* (garnie de dents).

1711. *tirer.* Pour retirer la flèche, l'auteur emploie de préférence *tirer*, tandis que, pour « tirer une flèche », il utilise *traire*. Pour la concurrence de ces deux verbes, voir le livre de P. Guiraud, *Structures étymologiques du lexique français*, Paris, Larousse, 1967, p. 172-178. Il semble qu'on ait en ancien français, d'une part, le terme général *traire* au sens de « mouvoir un objet vers le sujet en opérant une traction » ; d'autre part, un terme spécifique *tirer* au sens d'« opérer une traction au moyen d'un " trait " » : une corde, une courroie, les rênes d'un cheval, la corde de l'arc, les câbles de la torture, les cheveux ou la barbe (qui sont bien comme une sorte de corde sur laquelle on tire). Par la suite, ce type particulier de traction — qui est d'ailleurs le plus fréquent et quasi général — se sera substitué au générique en en assumant le sens.

1716. *Biautés.* Sur la signification des flèches, voir les notes des v. 931 et 992-993.

1737-1739. *Simplece* : « modestie, simplicité ». Guillaume ici généralise, en appliquant son propos aux hommes et aux femmes.

1755. *rosete.* C'est aussi le nom du *bouton* (v. 1751).

1767. *Cortoisie.* Cette troisième flèche était appelée Franchise quand elle était dans la main de Doux Regard. L'auteur établit une équivalence entre les deux qualités sociales. Voir M. Accarie, art. cit., p. 127.

1770. *oliver.* L'olivier représentait au Moyen Âge la sagesse, la justice, la paix et la réconciliation, la charité et la miséricorde, la victoire. Voir notre *Villon : ambiguïté et carnaval*, Paris, Champion, 1992, p. 185-186.

C'est sous un olivier que meurt Vivien dans *La Chanson de Guillaume.*

1771. *jui*, 1re personne du passé simple de l'ind. du verbe *gesir* qui pouvait signifier en ancien français : 1. « être couché », « avoir des relations sexuelles » ; 2. « être malade » ; 3. « être mort ».

1784. *Qu'eschaudés doit yaue douter.* Proverbe n° 710 du recueil de J. Morawski, *Eschaudez eve creint.* Voir E. Schulze-Busacker, *Proverbes et expressions proverbiales dans la littérature du Moyen Âge français*, Paris, Champion, 1985, p. 213.

1785. *grant chose a en estevoir.* Proverbe n° 761 du recueil de J. Morawski, *Forte chose a en « faire l'estuet ».* Voir E. Schulze-Busacker, *op. cit.*, p. 216.

1786-1788. Rappel discret de la tempête à la fontaine du *Chevalier au lion* (éd. M. Rousse, Paris, GF-Flammarion, v. 441-444).

1794. *bersés*, de *berser* : « tirer de l'arc », « frapper à coups de flèches ».

1798-1799. Sur le symbolisme végétal, voir l'art. de Sh. Sasaki dans les *Mélanges Alice Planche*, t. II, p. 455-464.

1811. *entroblioie*, « j'oubliais tout à fait ». Voir M. Hanoset, « Sur la valeur du préfixe *entre-* en ancien français », *Mélanges Maurice Delbouille*, Gembloux, Duculot, 1964, t. I, p. 307-323.

1838. *el, al* : « autre chose ».

1839. *endementieres* : « pendant ce temps, alors ». Forme issue de *en-* et *dementieres* ou *dementiers* (*dum + interea + s* adverbial) à côté de *dementres* et *endementres* (*en-* et *dum + interim + s* adverbial). Voir notre note au v. 431-432 de *La Châtelaine de Vergy*, Paris, Gallimard, Folio, 1994, p. 172-173.

1876. *neü*, de *nocutu* (lat. classique *nocitu*), part. pas. du verbe *nuisir*, refait en *nuire*, sur *duire, conduire.* Voir P. Fouché, *Morphologie historique du français. Le Verbe*, Paris, Klincksieck, 1967, p. 165.

1884. *Vassiaus*, « vassal ». Ce terme d'adresse, ordinairement agressif, annonce la scène d'hommage vassalique qui va suivre. Voir Ph. Ménard, *Le Rire et le sourire dans le roman courtois en France au Moyen Âge (1150-1250)*, Genève, Droz, 1969, p. 718-719.

1885. *Du contredire ne du deffendre.* Infinitifs substantivés. Jouant le rôle d'un nom, ces infinitifs peuvent prendre la marque du cas sujet, être accompagnés d'un article ou d'un adjectif.

1914. *prison* désignait au Moyen Âge : 1. le prisonnier ; 2. la captivité ; 3. le lieu d'emprisonnement.

1926. *baisier son pié.* Selon F.L. Ganshof, *Qu'est-ce que la féodalité ?* Bruxelles, 1968, p. 75 : « Au Xe siècle et peut-être au début du XIe, il arrivait parfois qu'après l'hommage et la foi, le vassal baisât le pied de son seigneur. C'était une tradition qui remontait sans doute aux humbles origines de la vassalité. Ce rite humiliant n'est signalé que par un faible nombre de sources et exclusivement en France. Il doit avoir disparu de bonne heure, sans avoir jamais constitué un élément essentiel du contrat vassalique. »

1934. *hommage*. L'hommage féodal comportait deux éléments : un geste, l'*immixtio manuum*, le vassal plaçant ses mains dans celles du seigneur, et une déclaration : *je deviens votre homme*. Le plus important est le geste, témoin les expressions *manus alicui dare, in manus alicujus venire, aliquem per manus accipere, alicujus manibus junctis fore feodalem hominem*. Cf. F.L. Ganshof, *op.cit.*, p. 69-72, et notre *Cours sur* La Chanson de Roland, Paris, CDU, 1972, p. 156.

1935. *Et me baiseras en la bouche*. L'hommage et la foi (serment de fidélité) ont été accompagnés assez généralement, surtout en France, d'un troisième acte, l'*osculum*, le baiser, qui n'est pas indispensable, mais constitue un moyen de confirmer les obligations contractées par les parties. De là les expressions « hommage de bouche et de mains », « homme de bouche et de mains ». Voir F.L. Ganshof, *op. cit.*, p. 74-75.

1949. *gentis*, « noble, généreux ». Évolution sémantique : 1. « noble, de bonne famille » ; 2. « noble de caractère, généreux » ; 3. « noble de manières, gracieux, joli, aimable ».

1992. *Faites y clef*. Sans doute cette métaphore a-t-elle été empruntée à Chrétien de Troyes dont Guillaume de Lorris semble imprégné. Voir *Le Chevalier au lion*, v. 4632-4634 : *Dame, vos an portez la clef, | Et la serre et l'escrin avez, | Ou ma joie est, si nel savez...*, et *Le Conte du graal*, v. 2634-2637 : *Car a chascun mot le beisoit | Si doucement et si soëf | Que ele li metoit la clef | D'amour an la serre del cuer*.

2029. Proverbe. Cf. Morawski n° 826 : *Grant bien ne vient pas en peu d'eure*.

2036. *dÿauté*, « onguent adoucissant à base de mucilage de guimauve » (F. Lecoy, éd., t. III, p. 244).

2037. *garra* : futur de *garir*, « guérir ».

2038. *or i parra*. Voir L. Foulet, glossaire cité, p. 216-217 : « Au futur, dans la locution *or i parra* (parfois *or parra*), extrêmement fréquente en anc. fr., lit. « et maintenant il y paraîtra », c'est-à-dire « on va voir (ce qui va se passer) », ce n'est pas l'annonce d'un fait probable, c'est une véritable exhortation à agir. »

2042. *as fins amans* : « aux amants parfaits ». L'adjectif *fin*, très laudatif, élève un substantif à sa plus haute puissance : un chevalier *cortois et fin* est un chevalier courtois et accompli ; aimer *de cuer fin*, c'est aimer du fond du cœur, parfaitement ; la *fine veritez* est la vérité pure.

2054-2056. Ces vers sont un écho aux v. 151-170 du *Chevalier au lion*, et à l'Évangile de Matthieu, XIII, 13.

2059. *les commandements*. L'enseignement d'Amour rappelle les *ensenhamens* occitans. Voir R. Lejeune, art. cit., p. 334-335.

2065. *Car la matire en est novelle*. Sans doute s'agit-il du contenu de l'allégorie qui n'est plus religieux, comme dans les textes précédents, ni même simplement courtois ; elle est surtout nouvelle par rapport au *Roman de la Rose* de Jean Renart.

2066. *Et la fin du songe est mout belle*. S'agit-il d'un défi au lecteur, puisque le roman semble se poursuivre indéfiniment, au-delà de la dernière image du héros se lamentant devant la tour où est enfermé Bel Accueil — image qui révélera la vérité *couverte* ?

2077. *Vilenie premierement.* Premier commandement d'Amour : fuir la bassesse.

2083. *vilains.* C'était d'abord un paysan libre, soumis au ban du seigneur, mais libre de sa personne, sans tare déshonorante, au contraire du *serf* qui, dans une dépendance personnelle et héréditaire, ne pouvait entrer dans l'Église, ni prêter serment, ni se marier en dehors du groupe de serfs dépendant du même seigneur que lui (*formariage*) ni léguer son héritage à ses enfants (*main morte*). Mais, comme le paysan était méprisé et qu'à côté de *vilain* se trouve l'adjectif *vil*, le terme a pris le sens péjoratif de « sans noblesse, bas, méchant ». Par la suite, trop employé, ce terme d'injure s'est affaibli. Les v. 2085-2086 explicitent le mot *vilain qui est fel et sans pitié, Sans servise et sans amitié.*

Pour un portrait du paysan au Moyen Âge, voir notre étude « Portrait d'un paysan du Moyen Âge : le vilain Liétard », *Le Goupil et le paysan (Roman de Renart,* branche X), Paris, Champion, 1990, p. 57-105.

2087. *Or te garde bien de retraire.* Deuxième commandement : il ne faut pas médire.

2090. *Queux le seneschal.* Personnage des romans courtois, réputé pour sa langue acerbe, son impulsivité railleuse, ses *felons gas,* son incontinence verbale, son ironie mordante, qui vont de pair avec ses tentatives téméraires et ses échecs comme chevalier errant, Keu, violent et impulsif, qualifié d'*enuieus* (jaloux, ennuyeux, envieux et méchant) est tout à la fois insupportable et indispensable.

2093. *Gauvains.* Neveu du roi Arthur, il est le premier chevalier de la Table ronde par sa vaillance, sa *franchise* (sa noblesse), son sens, sa mesure, sa courtoisie : c'est *Monseignor Gauvain le courtois,* « la rose et le rubis de la Table ronde ». De surcroît, héros galant, qui fait de lui le modèle de l'amoureux courtois dans sa version légère et mondaine.

On a la même opposition entre Keu et Gauvain dans les romans de Chrétien de Troyes, en particulier dans *Le Chevalier au lion* et *Le Conte du graal.* Il semble que Guillaume ait toujours présents à l'esprit les romans de Chrétien sans jamais les imiter précisément.

2097. *Ramponierres,* « sarcastique, railleur », formé sur le verbe *ramposner.* « Étymologiquement, *ramprosner,* devenu *ramposner* par dissimilation, est un mot fait sur *prosne* « la grille du chœur » : c'est à cet endroit de l'église que le prêtre se plaçait pour faire son prône [...] pour semoncer ses ouailles. C'est là aussi que se tenait l'officiant lorsqu'il exorcisait les fous. Du sens de « tancer les fidèles », « exorciser les fous », on est aisément passé au sens de « railler ». Dans l'usage courant, il apparaît parfois que la *ramposne* a quelque chose de dur, d'âpre, de sarcastique » (Ph. Ménard, *op. cit.,* p. 449).

2099. *Sages soies et acointables.* Troisième commandement : être courtois et aimable.

2109-2114. Quatrième commandement : être poli et réservé, refuser toute grossièreté de langage. Jean de Meun prendra le contrepied de cette position pour nommer les réalités sexuelles.

2115. Cinquième commandement : servir, défendre, respecter et honorer *toutes fames.*

2125. Sixième commandement : se garder de l'orgueil.

2133. Septième commandement : être élégant, bien habillé et propre.

2143. *garnement.* Formé sur *garnir,* ce mot désignait « ce qui protège ». De là, en ancien français, les sens de : 1. « forteresse, garnison » ; 2. « vêtements, ornements » ; 3. « armure, équipement » ; 4. « soldat, défenseur, mercenaire ». De ce dernier sens on est passé à « mauvais garçon, souteneur » (XIVᵉ siècle), à « vaurien » (XVIᵉ siècle), enfin, à « garçon turbulent ».

2147. *pointes* : « morceau d'étoffe taillée en pointe, qui sert à donner plus d'ampleur à un vêtement » (Littré).

2157-2158. Guillaume refuse le gaspillage et la prodigalité qui entraînent la ruine.

2161-2162 : *couste... Pentecouste* : rime banale qu'on a déjà au début du *Chevalier au lion.*

2175. Huitième commandement : être d'humeur aimable, cultiver la gaieté ; plaire est un art.

2176. *envoiseüre* : « allégresse, gaieté ». *Envoiseüre* et *envoisié,* comme *baudour* et *baut, joliveté* et *joli,* marquent l'enjouement d'une attitude ; ils font référence à une certaine façon de se comporter, à un état d'esprit ou une disposition du cœur débouchant sur un comportement incitant, par exemple, à chanter. Voir G. Lavis, *op. cit.,* p. 258.

2195. Neuvième commandement : utiliser ses dons physiques (sauter, monter à cheval, jouter) et artistiques (chanter, jouer d'un instrument, danser).

2199. *lances brisier.* On voit que Guillaume n'exclut pas les activités sportives, voire guerrières, même s'il ne consacre pas aux tournois de description développée, comme le fait Jean Renart.

2201. *acesmés,* « élégant, habile ». Le combattant doit être à la fois expérimenté, vigoureux et élégant.

2206. *biau chanter embelist mont.* Ce tour proverbial était moins répandu que *Biaus chanters anuie* (Morawski, n° 239) ou que *Biaus chanters trait argent de borce* (Morawski, n° 240).

2210. Dixième commandement : ne pas être avare, savoir donner.

2224. *Donner son amour a bandon.* Les leçons des autres manuscrits, *Donner ce qu'il a a bandon* ou *Donner l'avoir tout a bandon* nous paraissent meilleures que celle de notre manuscrit (Z, BN fr. 25523).

2225. *briement recorder.* Après la leçon, Amour en présente un résumé pour indiquer les vertus essentielles de l'amant courtois : courtoisie, modestie, élégance, gaieté et largesse.

2233. Guillaume aborde maintenant un enseignement supérieur qui s'adresse aux fins amants (voir note du v. 2042).

2234. *Sans repentance* : sans regret, sans regard vers le passé ni nostalgie de la liberté perdue.

2267. *Lors t'avendront les aventures.* Si le roman est toujours fondé sur l'aventure, il s'agit ici d'aventure amoureuse ou/et spirituelle. Voir Cl. Lachet, *Sone de Nansay et le roman d'aventure en vers au XIIIᵉ siècle*, Paris, Champion, 1992.

2274. *A une part iras tous seus.* Cf. *Le Chevalier au lion*, éd. cit., v. 2796-2803.

2275. *Lors te vendront soupirs et plaintes.* Sur les douleurs de l'amour, dont l'origine littéraire est à chercher dans Ovide et *Le Roman d'Énéas*, et qui sont un motif classique du roman courtois, voir en particulier, outre les livres cités de G. Lavis et de Cl. Lachet, les ouvrages classiques de R. Dragonetti, *La Technique poétique des trouvères dans la chanson courtoise*, Bruges, 1960, et d'A. Petit, *Naissances du roman. Les techniques littéraires dans les romans antiques du XIIᵉ siècle*, Paris, Champion, 1985.

2285. *en pensant t'entroblieras.* Cf. *Le Chevalier de la charrette*, GF-Flammarion, v. 714-724, et *Le Conte du graal*, GF-Flammarion, v. 4197-4212.

2300. *t'amie est trop lontaigne.* Voir R. Lafont, *Histoire et anthologie de la littérature occitane* ; Montpellier, Les Presses du Languedoc, 1997, La princesse lointaine, p. 31-34, et en particulier ces vers de Jaufré Rudel : « J'aurai l'image de la joie, quand je la prierai, / pour l'amour de Dieu, de recevoir l'amour lointain : / et, s'il lui plaît, je prendrai demeure / auprès d'elle, tout lointain que je suis. / Ce sera temps de doux entretiens / quand l'amoureux lointain sera si près / qu'il recevra plaisir de beaux propos. » Cf. aussi M. Allegretto, *Il Luogo dell'amore. Studio su Jaufré Rudel*, Florence, L.S. Olschki, 1979. Selon J.-Ch. Payen, « L'Art d'aimer chez Guillaume de Lorris », *Études sur le Roman de la Rose*, Paris, Champion, 1984, p. 124 : « La Rose est *lointaigne* au sens propre, parce que l'épreuve amoureuse commence par l'absence et la frustration ; mais elle l'est aussi au sens figuré parce qu'elle garde ses distances et tient à l'écart son dévot. La *fin'amor* passe nécessairement par *l'amour de lonh*, par l'amour de loin qu'a chanté Jaufré Rudel. »

2302. *Quant la ou mon cuer est ne vois.* Sur le motif de la séparation du cœur et du corps, voir *Le Chevalier au lion*, v. 2639-2660. Remarquer le jeu précieux sur *Voi* pour souligner le paradoxe.

2342. *Feras ton cuer frire et larder.* Cette métaphore, qui surprend le lecteur moderne, était plutôt banale dès le XIIᵉ siècle.

2344-2355. Tout le passage est organisé autour de la comparaison entre la passion amoureuse et le feu.

2357. *musart.* « Le mot de *musart* est plus fréquemment employé (que *nice*). Il s'applique à quelqu'un qui perd son temps, qui baguenaude, qui agit sottement. Pour l'auteur du roman de *Troie*, le téméraire Diomède est un *musart* (22878). Pour Chrétien, Perceval *muse* sur les trois gouttes de sang » (Ph. Ménard, *op. cit.*, p. 466).

2387-2388. *celle*. Jeu sur le mot *celle* à la rime, d'abord impératif du verbe *celer* « cacher », puis pronom démonstratif féminin.

2402. *vergondeus* (*vergoigneus*) « honteux ». Sur la timidité de l'amant véritable, voir l'art. de R. Dragonetti, « Trois motifs de la lyrique courtoise confrontés avec les Arts d'aimer », *La Musique et les Lettres. Études de littérature médiévale*, Genève, Droz, 1986, p. 125-168.

2432. *Con fait hons qui a mal es dens.* Comparaison banale, comme l'a montré M.D. Legge, « Toothache and Courtly Love », *French Studies*, t. 4, 1950, p. 50-54.

2468. *cheté* (*chateus, chatel*), du latin *capitale*, « bien, avoir ». L'*a* initial a pu se maintenir, par suite d'une dissimilation préventive, lorsque la voyelle de la syllabe suivante était un *e* primaire ou secondaire (P. Fouché, *Phonétique historique du français*, t. II, p. 449). Le passage à *chetel* (devenu *cheté* par chute de l'*l* final) s'explique par une assimilation (*id., ibidem*, p. 154). Quant au *p* de notre *cheptel*, c'est une réfection étymologique qui date du XVIIᵉ siècle.

2489. *se Diex m'aïst.* Cette locution avait tendance à devenir un simple renforcement de l'affirmation. Ce tour, qui signifiait à l'origine « aussi vrai que je demande que Dieu m'aide », comportait l'adverbe *si*, le verbe *aït* (3ᵉ pers. du subj. prés. du verbe *aidier*) et le sujet inversé *Diex*. Devenu formulaire, mal compris, le tour s'est modifié en conservant le subjonctif : la conjonction *se* s'est substituée à l'adverbe *si* et le sujet a été antéposé au verbe : de là notre tour *se Diex m'aïst*. Le tour non seulement a connu toutes sortes de variantes (*se Dex me gart, se Dex m'ament, se Dex me voie, se Dex me saut, se Damedeux m'aït*, etc.) mais aussi s'est simplifié en *m'aït Diex*, et a fini par prendre les formes de *médieu, mes dieux, midieu*. Voir l'art. de L. Foulet dans *Romania*, t. 53, 1927.

2520. *soucheras*. Verbe très expressif : « faire souche, prendre racine ». Variantes : *jucheras, hucheras*.

2536. *Por l'amor de la debonnaire*. Variante : *Por amor dou haut seintuaire* (reliquaire). Le manuscrit publié par F. Lecoy donne au texte un ton plus religieux qui rappelle les v. 4651-4653 du *Chevalier de la charrette* (GF-Flammarion) : *Et puis vint au lit la reïne, / si l'aore et se li ancline, / car an nul cors saint ne croit tant*, et les v. 4716-4718 : *Au departir a soploié / a la chanbre et fet tot autel / con s'il fust devant un autel*.

debonnaire (*de bon aire*). Le mot a signifié successivement : 1. « de bonne race, noble » ; 2. « noble de caractère, généreux, bon, bienveillant » ; 3. « trop généreux, faible de caractère ».

2544. *icis parlers*. Cet infinitif substantivé désigne soit les soliloques de l'amant, soit ses entretiens avec la dame.

2555. *ces jengleors*. Ce mot (cas sujet : *janglere* ; cas régime : *jengleor* ; du verbe francique * *jangalon*) désigne celui qui fait un mauvais usage de la parole, qui médit, calomnie, ridiculise, bafoue, plaisante, bavarde à tort et à travers, trompe. Le mot a influencé le terme issu du latin *joculator/joculatorem* (*joglere/jogleor*) pour le transformer en *jongleur*.

2611-2612. *en chartre oscure, | En verminier et en ordure.* C'est ainsi qu'on se représente la prison sarrasine. Voir P. Bancourt, *Les Musulmans dans les chansons de geste du Cycle du Roi*, Aix-en-Provence, 1982, p. 136 : « La prison sarrasine est particulièrement inhospitalière. Elle est, dans *Fierabras*, si profonde et si obscure que le jour n'y paraît pas. Elle est habituellement souterraine, on y précipite le prisonnier. Elle est si humide que la chair et les os de celui-ci s'y changent en pourriture et il n'a guère de chance pour lui d'en sortir vivant. Bien plus, elle est peuplée d'animaux repoussants, venimeux, agressifs : serpents, vipères, êtres démoniaques. »

2613. *pain d'orge et d'avene.* C'est le pain le plus grossier que mangent, par exemple, les campagnards Franc Gontier et sa compagne Hélène dans la ballade où Villon entend les ridiculiser : *De gros pain bis vivent d'orge et d'avoine* (*Testament*, v. 1493, dans Villon, *Poésies*, éd. bilingue de J. Dufournet, GF-Flammarion, n° 741).

2615. *Esperance* est personnifiée, dans cet hymne à l'espérance.

2632. *toise* : six pieds, environ deux mètres.

2645. *Dous Pensers.* Personnification des rêveries et des souvenirs agréables au sujet de la dame. Il s'agit maintenant d'attitudes allégorisées plutôt que de sentiments.

2670. *dangereus* : « difficile ».

2671. *Dous Parlers.* Personnification des propos agréables qu'on entend sur son amie.

2687. *Un compaignon sage et celant,* « un compagnon avisé et discret ». L'amant a besoin d'un confident sûr et discret qui ait fait lui-même l'expérience de l'amour. Ce personnage annonce celui d'Ami dont il est question aux v. 3107-3150.

2708. *ruse.* Ce verbe *reüser, ruser* (du latin *recusare* « refuser, repousser ») appartenait au vocabulaire de la chasse : c'était pour le gibier « user de ruses, de détours pour échapper aux chasseurs », « tromper les chasseurs en les égarant », « écarter, éloigner en usant de ruses ».

2718. *Dous Regars.* Personnification de la contemplation de la dame.
siaut (*sueut, sieut, seut*), du latin *solet* : 3ᵉ pers. du prés. de l'indic. du v. *soloir* « avoir l'habitude ».

2762-2763. On peut comprendre qu'Amour promet que l'amant aura ces quatre biens (Espérance, Doux Penser, Doux Parler, Doux Regard) *ça avant,* dans un avenir proche ; mais dans l'immédiat il se contente de lui donner cette assurance. Le texte de l'édition Lecoy semble meilleur : *qu'autres biens, qui ne sont pas mendres* (moindres) / *mes gregnor* (plus grands), *avras ça avant.*

2768. *essabouïs* : « stupéfait, hébété ».

À partir de ce moment, nous passons de l'abstrait au concret.
Voir M. Accarie, art. cit., p. 138.

2783. *eaut* (*ueut, ieut, iaut, eut*), du latin *olet* : 3ᵉ pers. du sing. du
prés. de l'indic. du v. *oloir* « sentir bon ».

2790. *Un valet*. C'était à l'origine un adolescent de famille noble
qui servait à la cour d'un grand pour apprendre les armes et les
belles manières, et dont la bonne naissance empêchait qu'on ne
lui demandât des services subalternes. Le mot mettait l'accent sur
la jeunesse du personnage, en sorte que l'idée de noblesse a pu
disparaître : c'est alors un jeune homme. Enfin, *valet* a pu s'appliquer à des serviteurs qui ne sont pas nobles.

2792. *Bel Acuel*. Bel Accueil incarne les bonnes dispositions, l'ouverture à autrui de la femme aimée qui encourage le soupirant ;
il rappelle les compagnons de Déduit.
Bel Accueil introduit dans le roman, après les deux séries antithétiques des figures du mur et des personnages de la carole, un
nouveau groupe de personnifications dont la signification découle
de leur action et de leur discours, et non plus d'une description :
d'un côté, les personnages favorables à l'amour (Bel Accueil,
Pitié, Franchise, Vénus) ; de l'autre, les personnages hostiles
(Danger, Male Bouche, Honte, Peur). Les uns représentent des
sentiments personnifiés en rapport avec l'âme de l'aimée (Bel
Accueil, Danger, Pitié, Franchise, Honte, Peur), les autres désignent des interventions extérieures contre l'amour (Male Bouche,
Jalousie). Vénus, comme Raison et Amour, est un personnage
d'origine mythologique.

2817. *errant*, « sur-le-champ ». Participe présent du verbe *errer* (de
iterare « cheminer »), devenu adverbe avec le sens
d'« immédiatement, aussitôt ». Sur *errant*, on a fait l'adverbe
erramment (*erraument*) qui a le même sens.

2827. *Dangiers*. Personnification de la résistance à l'amour, du refus
de la jeune fille. Pour E. Langlois, c'est plutôt la pudeur (*timor*
ou *pudor* d'Ovide). Selon D. Poirion (*Le Roman de la Rose*,
p. 31), « Danger est un personnage assez étrange, non seulement
en raison de la sémantique du mot qui déconcerte évidemment
le lecteur moderne (il désigne *grosso modo* le refus de la dame
aimée), mais aussi parce que la tradition lyrique en a fait un symbole clé du jeu courtois ». Il personnifie la réaction défavorable de
l'être aimé et s'oppose à Bel Accueil qui en est la réaction favorable. Ces deux personnifications représentent deux attitudes suc-
cessives et alternées de la jeune fille qui tantôt accueille avec
faveur et plaisir les avances de l'ami, tantôt s'effarouche de ses
audaces et le repousse avec rudesse. La jeune fille est tantôt Danger et tantôt Bel Accueil (cf. R. Louis, *Le Roman de la Rose*,
p. 62).
M. Accarie (art. cit., p. 129) est d'un avis différent : « Il doit
théoriquement représenter la pudeur de la dame qui s'offense des
audaces de l'amant et lui oppose une hautaine résistance. Mais le
personnage est présenté d'une manière tellement *vilaine* qu'il est
difficile de croire que la dame porte en elle un tel monstre. Ne

s'agit-il pas plutôt, ou en même temps, d'un obstacle extérieur dressé par d'autres opposants entre les deux protagonistes ? Danger n'est-il pas une sorte de *vieille* qui chaperonne la dame et la défend contre les galants, comme celle du château que va dresser Jalousie ? »

Danger est qualifié de *vilains* (v. 2825). En fait, la vilenie est due à l'oubli momentané de la courtoisie qui caractérise habituellement la jeune fille aimée. C'est un accident dans sa psychologie, appelé à disparaître à la fin du roman ; c'est un défaut accidentel qui provoque l'ouverture de la crise et s'évanouira lors du triomphe final de l'amour, alors que Bel Accueil est une qualité permanente qui finit par l'emporter (R. Louis, *ibidem*). Voir aussi M. Accarie, art. cit., p. 132-133.

Dans la poésie lyrique, Danger a désigné aussi bien le gardien, l'espion, le jaloux, le troisième personnage de la *fine amor*, chargé de surveiller la dame sur l'ordre du mari — de là, le portrait très péjoratif d'un vilain (v. 2922-2925) — que les sentiments négatifs de la dame, son refus catégorique et son orgueil. À la fin du Moyen Âge, le mot désignera la crainte et les sentiments pénibles du poète amoureux.

Sur le mot et le personnage de *Dangier*, voir l'article fondamental de Sh. Sasaki, cité à la note du v. 1033. Voir aussi l'art. de S.L. Galpin, « *Dangiers li vilains* », *Romanic Review*, t. 2, 1911.

Si Danger constitue une gêne pour celui qui veut conquérir la rose, il défend le bien de celle-ci.

2829. *li couvers* (*culvert, colvert, covert, coivert, coilvert*) « la canaille ». À l'origine, le *cuivert* (du latin *collibertus* « co-affranchi ») désignait un serf sur qui pesait un lien de servitude atténuée et qui pouvait être affranchi. Ensuite, après la fusion des différentes catégories de paysans, le mot est devenu surtout un terme d'injure et d'ironie sarcastique qui dénonce la bassesse de l'extraction et la bassesse morale d'un individu. Voir M. Bloch, « *Collibertus* ou *culibertus* », *Revue de linguistique romane*, t. II, 1926, p. 16-24, et les titres cités à la note du v. 143.

2833. *li gaignons*. Chien de garde, mâtin, hargneux et agressif. Il rappelle le personnage de Haine aux v. 147-148.

2835. *Malebouche*. Personnification de toute calomnie possible et des médisances des personnages extérieurs, des *losengiers* (v. 3569 ; cf. aussi v. 3574-3576), et de la renommée (*Fama*).

2840-2841. La littérature allégorique tend à esquisser des généalogies. Ainsi Honte est-elle présentée comme la fille de Raison et de Méfait.

2848. *gloutons*. Le mot a perdu son sens premier et pris la valeur méprisante de « misérable ». C'est une injure classique dans la chanson de geste. Voir Ph. Ménard, *op. cit.*, p. 129-130.

2854. *exille*. Peut signifier soit « détruit, met à mort », soit « chasse, exile ».

2860. *Jalousie* désigne les sentiments et les propos de l'entourage et d'autres soupirants de la jeune fille qui suscitent les réactions de Danger, Pitié et Honte, et qui sont constamment alimentés par

Malebouche, les médisances et calomnies des *losengiers* et de *Fama*, la renommée. Voir M. Accarie, art. cit., p. 129.

2861. *Paor*, « peur ». L'entourage de l'amie suscite dans son cœur la peur afin qu'elle refuse l'amour.

2921-2924. C'est le portrait charge traditionnel du vilain. Voir notre étude citée à la note du v. 2083.

2939. *conchier*. Du sens de « couvrir d'excréments », on est passé à ceux d'« outrager, déshonorer », « ridiculiser » et « tromper ».

2973-2974. *La dame de la haute garde | Qui de sa tour aval esgarde.* À rapprocher du *Livre des proverbes*, VIII, 1-3 : « Numquid non Sapientia clamitat et Prudentia dat vocem suam ? In summis et exelsis verticibus supra viam, in mediis semitis stans, juxta portas civitatis, in ipsis foribus, loquitur... Misit ancillas suas ut vocarent, ad arcem et ad moenia civitatis. »

2975. *Raison*, qui fait partie des opposants à l'amour, introduit le grand débat que Jean de Meun amplifiera par la suite ; elle fait entendre « cette rumeur que fait monter la société autour des amants : voix de l'expérience et de l'âge, du bon sens (comment, seul, vaincre les quatre gardiens de Bel Accueil ?), du calcul terre à terre, de la respectabilité sociale (aimer, c'est gâcher tous ses dons » (P. Badel, « Raison " Fille de Dieu " et le rationalisme de Jean de Meun », *Mélanges Jean Frappier*, Genève, Droz, 1970, t. I, p. 43. C'est le même discours que Raison fait entendre face à Amour dans *Le Chevalier de la charrette*, GF-Flammarion, v. 363-377.

2978-2980. Rappel de l'idéal antique de la mesure.

2982. *À deus estoiles resembloient.* Même comparaison dans *Érec et Énide* de Chrétien de Troyes, v. 433-34 : *Li oel si grant clarté randoient | Que deus estoiles ressanbloient.*

2985-2991. Hyperbole fréquente dans la littérature médiévale, qui est un écho de la Genèse, I, 26 : « Faciamus hominem ad imaginem et similitudinem nostram. » Voir P. Badel, art. cit., p. 45.

2998-2999. *folie et enfance | T'ont mis en pene et en effroy.* Voir Ecclésiaste, XI, 10 : « Adolescentia enim et voluptas vana sunt. »

3000. *Mar vis. Mar* (de *mala hora*) signifie : 1. employé avec les futurs I et II ou l'impératif, « à tort » (c'est souvent une forme renforcée de la négation) ; 2. employé avec le passé simple de l'indic. ou l'imparfait du subjonctif, « c'est pour mon [ton, son...] malheur que » ; 3. employé avec le verbe *être*, « en vain, en pure perte ». Voir B. Cerquiglini, *La Parole médiévale*, Paris, éd. de Minuit, 1981, p. 127-245 ; à compléter par Évelyne Oppermann, « Les énoncés au futur comportant l'adverbe *mar* et l'expression de l'interdiction en ancien français », *LINX*, n° 32, 1995, p. 77-95 ; voir aussi A. Strubel, « Écriture du songe et mise en œuvre de la " senefiance " dans *Le Roman de la Rose...* », *Études...*, p. 170.

3010. *qui est Deduit*, « qui est à Déduit ». La construction directe est fréquente avec les noms propres.

3037. *gent*. Le mot, très employé, « indique plutôt des qualités extérieures : la richesse et l'élégance du costume viennent en première ligne » (L. Foulet, glossaire cité, p. 135). *Gent* peut être, comme dans notre vers, un adjectif neutre et s'appliquer à des notions abstraites : *ce n'est ne bel ne gent que...* « il n'est pas convenable », « il n'est pas bien ».

3042. *folie.* Sur le motif de l'amour-folie, voir notre *Anthologie de la poésie lyrique...*, p. 23, et J.-Ch. Payen, art. cit., p. 138-141.

3048. *esploitier* (du latin *explicitare*, fait sur *explicitum* « facile à exécuter »), « agir, accomplir quelque chose vite et bien » ; de là les sens de : 1. « agir » ; 2. « réussir, mener à bien, obtenir » ; 3. « agir avec ardeur, se hâter » ; 4. « utiliser, employer, faire valoir ». *Exploit* (*esploit*) avait parallèlement les sens d'« accomplissement, exécution, action » ; d'« avantage, profit » ; d'« ardeur, hâte » (dans des expressions comme *a esploit, a grant esploit* « à toute vitesse ») et, à partir du XVIᵉ siècle, « saisie d'huissier ».

3050. *blanc moine :* moine de l'ordre de Cîteaux. Voir M. Pacaut, *Les Moines blancs. Histoire de l'ordre de Cîteaux*, Paris, Fayard, 1993. Pour la valeur de l'adjectif *blanc*, voir P. Bretel, *Les Ermites et les moines dans la littérature française du Moyen Âge (1150-1250)*, Paris, Champion, 1995, p. 347-352 et *passim*.

3067. *Pren durement a dens le frain.* On le disait d'un cheval, qui, serrant le mors entre ses dents, bande ses muscles pour l'effort ; de là, au sens figuré, le sens de « rassembler ses forces », « serrer les dents ». On retrouve l'expression au v. 4 du *Lais* de Villon : « *Le frain aux dens, franc au collier* ».

3073. *chastïement :* « enseignement », qui est souvent une réprimande.

3075-3076. Raison n'est pas écoutée. « Pour Guillaume comme pour Chrétien l'amour n'ennoblit que ceux qui savent lui sacrifier les valeurs communes. » (P. Badel, art. cit., p. 43.)

3087. *Or m'en lessiés du tout ester. Laissier ester* signifie, s'appliquant aux personnes, « laisser tranquille » « laisser là », et s'appliquant aux choses « cesser de s'occuper de ». *Ester* (du latin *stare*) : 1. « se tenir debout, être debout » ; 2. « se tenir, rester ».

3089. *en oiseuse*, « en paroles inutiles ». Le mot a ici le sens négatif qu'il avait habituellement. Voir la note du v. 582.

3092. *aresté (resté, reté)* « accusé ».

3109. *Amis.* « Ami, c'est la représentation du meilleur ami, du seul et irremplaçable être de bon conseil. Avec Raison, il se situe en marge du système, cantonné dans son activité de conseiller, et semblant, au contraire des personnifications de cette séquence, appartenir à la sphère du sujet. Le couple Raison/Ami reproduit dans le domaine du *je* la valse hésitation qui fonde tout le passage. Ces personnifications partagent avec Amour une fonction didactique dont on ne peut rendre compte uniquement par leur insertion métaphorique. » (A. Strubel, *Le Roman de la Rose*, p. 49-50).

3127-3136. Danger devient un personnage plus complexe qui utilise l'insulte et la menace aussi bien que la flatterie et le mensonge, et qui se laisse amadouer *par chuer et par supplier*.

3157. *un baston d'espine.* Massue propre au vilain, à l'homme sauvage, au géant, au fou.

3210. *boben (bobant, beubant)*. « Ce mot est souvent associé à *orgueil* ; sa relative rareté et sa structure consonantique laissent présumer que c'est un mot expressif et affectif qui a quelque chose de comique et de méprisant. D'autre part, dans certains contextes non équivoques, le mot *bobant* n'exprime pas seulement un sentiment, mais encore des manifestations extérieures d'orgueil ou de vanité » (J. Picoche, *op. cit.*, p. 87).

3248. *Atant e vos*, « voici que ». *E* est une forme de *ez*. Le présentatif *ez vous* vient du latin *ecce* qui donne *ez*, réduit en *es*, voire en *e* ; dès le latin, il existait des tours avec un pronom explétif ou datif d'intérêt *vobis* qui donne *vos*. S'usant, le tour a été renforcé par l'adverbe *atant* « alors ». Comme on a pris *es* pour une forme du verbe *être*, on a refait cette forme en *este(s)* à cause de la proximité de *vos (vous)*. Il arriva que *vos* fût modifié en *vois* sous l'influence du verbe *veoir* (cf. les tours voisins *voi ci, veez ci*).

3249. *Franchise, et avec li Pitié*, personnifient des dispositions innées de la jeune femme. Sur Franchise, voir la note du v. 1190.

3276. *giés*. Ce mot de fauconnerie, qui désignait la courroie attachée aux pattes des faucons, près de leurs serres, pour les retenir, a désigné ensuite toutes sortes de liens.

3277. *Et le fet a lui obeïr*. Variante de l'édition Lecoy : *Et le fet a vos obeïr, vos* désignant Danger.

3278. *Devés le vous por nous haïr*. Variante de l'édition Lecoy : *L'en devez vos por ce haïr*.

3280. *pautonnier*. Ce mot, qui désignait étymologiquement un vagabond, est souvent un terme d'injure pour désigner un individu capable de toutes les bassesses.

3286. *Aigretié (engraintié, engreitié, engrestié)* : « ardeur, violence, emportement ».

3307. *cordoiant, gordeant* dans l'édition Lecoy. *Cordoier* « maltraiter » est sans doute une contamination de *corder* « ficeler, lier » par *gordoier* « maltraiter ». Autres variantes : *gordoiant, guerroiant*.

3311. *De pecheor misericorde*. Proverbe n° 535 du recueil Morawski ; voir E. Schulze-Busacker, *op. cit.*, p. 208.

3315. *par* : adverbe intensif, derrière un autre adverbe *mout, tant, trop*, et devant le verbe, même s'il porte sur un adjectif (ici, *fel et deputaire*) ou un adverbe.
deputaire, antonyme du mot *debonaire*. Voir la note du v. 2536.

3337. *Entre moi et Pitié*. Ce tour littéraire, assez fréquent en ancien français, joue le rôle soit d'un sujet (*Entre Rembalt e Hamon de Galice / Les guieront tut par chevalerie*, v. 3073-3074 de *La Chanson de Roland*), soit d'une apposition qui développe le sujet (comme dans notre vers) ou qui présente le personnage principal avec un compagnon : Grimbert *por Renart a la cort plaide / entre lui et Tibert le chat*, v. 490-491 de la branche I du *Roman de Renart*.

3373-3374. *vermeille... merveille* : rime banale qu'on retrouve aussi dans *Le Roman de la Rose* de Jean Renart.

3408. *erres* : « gages », forme ancienne (du grec *arrhabon* « arrhes »)
du mot *arrhes* qui apparaît au XVIᵉ siècle par réfection sur la forme
latine.

3414-3415. *au premier cop / Ne cope l'en pas biën le chesne.* Proverbes
nᵒ 189, *Au premier cop ne chiet li chesnes*, et 1474, *On n'abat pas
lo chane au premier coul*, du recueil Morawski.

3416. *esne* : « raisin foulé » qu'on met dans le pressoir.

3420. *Venus*, déesse de la mythologie latine, introduite dans le système allégorique pour personnifier l'éveil du désir, est une auxiliaire dangereuse qui précipite les choses.

3424. *brandon.* Attribut de Vénus. Torche faite avec de la paille
entortillée, tison qui suscite le désir dans le cœur et le corps des
amants.

3431. *religion* : « ordre religieux ».

3433. *oré* : « voile » (pour le visage).

3435. *fermau, fermail,* « agrafe de manteau » ; *corroie,* « ceinture ».

3447-3454. Vénus énumère les qualités de l'amant courtois.

3456. *chastelainne,* femme du châtelain, personnage essentiel dans
la hiérarchie féodale, surtout au XIIᵉ siècle. « Vassal direct du roi,
du duc ou du comte, il a, de père en fils, la charge de gouverner
un château de son seigneur. Ce château n'a rien de commun avec
une quelconque forteresse : il est le chef-lieu d'une châtellenie. Le
châtelain dispose donc de pouvoirs de commandement sur les
manants d'un certain nombre de villages groupés ou dispersés
autour du château. Il est, d'autre part, entouré de plusieurs chevaliers (*milites*) qui sont ses vassaux, c'est-à-dire tiennent de lui
un fief, l'aidant à défendre le château, où ils vivent parfois avec
lui. Aussi peut-on dire que le château constitue le centre de réu-
nion de la société féodale » (A. Lerond, *Édition critique des œuvres
attribuées au Chastelain de Couci*, Paris, PUF, 1963, p. 16). Au
XIIIᵉ siècle, s'amorce une évolution défavorable aux châtelains.
Voir F. Olivier-Martin, *Histoire du droit français des origines à la
fin de la Révolution*, Paris, 1951, § 96.

3463. *a estuire* : « à dessein », « exprès ».

3469. *creés, greés* : « accordé ».

3473. *l'aer, eer,* forme d'*air* « effluve, rayonnement ». Voir
F. Lecoy, note du v. 3456, éd. cit., t. I, p. 279.

3487. *sade* : « gracieux, agréable, charmant ».

3497. *Il oint une hore et autre point.* Jeu fréquent fondé sur l'opposition entre *oindre* « enduire d'un onguent », « flatter » et *poindre*
« piquer, blesser », surtout s'agissant de l'amour. Cf. aussi le proverbe : « Poignez vilain, il vous oindra ; oignez vilain, il vous poin-
dra ».

3504. *Qu'Amors prist puis par ses effors.* Guillaume annonce
qu'Amour prit le château de la rose. Or cette prévision ne se
réalise pas dans la partie attribuée à Guillaume. Qu'en conclure ?
Qu'il n'a pu achever son roman comme on l'admet généralement ? Ou ne faut-il pas plutôt penser qu'il l'a laissé volontairement inachevé, se bornant à annoncer la réussite finale de l'en-

treprise, beaucoup plus tard et même dans un autre monde ? Il s'agirait alors d'un amour spirituel.

3508. *garisse. Garir* signifiait en ancien français protéger soit de la mort ou de la captivité (« sauver », « préserver », « défendre »), soit de la famine (« approvisionner »), soit de la maladie (« guérir »). Le passage de *a* à *é* s'explique par une fausse régression, l'*a*, pourtant étymologique (du francique * *warjan*) étant considéré comment vulgaire devant *r* au XVIe siècle.

3517. *irese, iraise* (formé sur *ire*) : « coléreuse », « méchante ».

3546. *Et si ne s'est pas bien poignie* : « n'a pas déployé beaucoup d'efforts pour... ». À l'origine, *poindre* : « piquer le cheval des éperons pour le lancer en avant », « piquer des deux », « partir à toute allure ».

3550. *dereé, desreé,* de *desreer* « sortir des rangs » ; de là les sens de « déréglé, emporté, démesuré, insolent ».

3557. *la grive.* Le mot qui s'applique à Jalousie et qui semble signifier « querelleuse, acariâtre », a-t-il un rapport avec le nom de l'oiseau, qui est un oiseau pillard ?

3564. *guimple, guimpe* : pièce de toile couvrant les cheveux et une partie du visage.

3578. *longe* : corde qui sert à attacher un cheval ; *avoir trop longue longe* « avoir trop de liberté ». Nous avons traduit par un tour équivalent.

3587. *entulle* : « imbécile, sot, niais ».

3588. *hulle* : « défaut » ? Le mot est inconnu. Le texte présente de nombreuses variantes : *ulle, tulle, trule* ; *n'a guile nule* ; *n'a grieté nulle.*

3603. *Licherie, lecherie, lecheüre* : « débauche, dévergondage ». Ce mot fait partie de la famille de *lechier, lekier* : « faire bonne chère », « vivre dans la débauche ». *Lecherie* signifie « amour désordonné du plaisir », « luxure », « sensualité », « gourmandise » et aussi « tromperie », « bon tour ».

3652-3653. *Maintes fois est avril et maiz / Passé.* L'expression rappelle les v. 6220-6221 du *Conte du graal* : *Cinc foiz passa avris et mes. / Ce sont cinc an trestuit antier.*

3683. *recreans.* Du verbe *recroire* : « s'avouer vaincu », « renoncer à se battre », « renoncer » (par fatigue ou lâcheté) ; de là, « être lâche », « être épuisé » (*recru* de fatigue), « être impuissant ».

3698. *Et vous soiés fel. Et* joue le rôle d'un adverbe de reprise et marque ici l'impatience. Voir Ph. Ménard, *Syntaxe de l'ancien français*, § 195.

3700. *Vilains qui est cortois errage* (enrage) : « déraisonne ». C'est ce qu'illustre la pièce de Courtois d'Arras (*L'Enfant prodigue*, éd. bilingue de J. Dufournet, GF-Flammarion, nº 813) dont le héros est traité de *vilain courtois.*

3702-3703. *Ne l'en ne puet fere esprevier / En nule guise de busart.* Proverbe nº 96, *À poines fait on de bouson faucon*, 965, *Ja de buisot ne ferez esprevier*, et 1514, *Len ne puet faire de buisart espervier*, du recueil de J. Morawski. Voir E. Schulze-Busacker, *op. cit.,*

p. 228. L'épervier et le faucon sont des oiseaux nobles, utilisés à la chasse, au contraire de la buse ou de l'écoufle.

3708. *recreantise* : « lâcheté, paresse ». Voir la note du v. 3683.

3718. *grifaigne* : « cruelle, mauvaise, menaçante ».

3732. *s'esberouce, s'aberruce* : « se secoue », « reprend ses esprits ».

3746. *je fis que fox* : « j'agis en fou ». L'on comprend : « je fis ce que fait un fou ». Mais, pour Pol Jonas, *que* serait une conjonction signifiant « comme ». Voir Ch. Marchello-Nizia, *Histoire de la langue française aux XIVe et XVe siècles*, Paris, Bordas, 1979, p. 162.

3761. *est mout changiés li vers*. L'expression a un double sens, un sens propre, « j'ai changé de manière d'écrire », et un sens figuré, « ma situation a changé ».

3762. *divers* : « Le *divers*, c'est le monstrueux animé du désir de nuire et de détruire » (F. Dubost, *Aspects fantastiques de la littérature narrative médiévale (XIIe-XIIIe siècles). L'Autre, l'Ailleurs, l'Autrefois*, Paris, Champion, 1991, p. 69).

3801. *pïonnier* (formé sur *pïon* « fantassin », du latin *pedonem* « qui a de grands pieds ») : 1. fantassin (XIIe s.) ; 2. sapeur, terrassier (XIIIe s.).

3802. *Si fait faire*. « On en suit la construction dans tous ses détails, depuis le creusement des fossés, l'élévation des murs d'enceinte, des tourelles, des quatre grands portails, munis de herses, jusqu'à la haute tour centrale ou donjon. Le poète s'arrête à tous tes détails : la fabrication du mortier, la qualité de la pierre, les pierrières, les archières, les arbalètes à tour, l'état des fossés, bailles et lices » (R. Lejeune, art. cit., p. 340).

3833. *Ens ou milieu par grant metrise / Ont une tor dedens assise*. Selon Viollet-le-Duc, *Dictionnaire raisonné de l'architecture française, du XIe au XVIe siècle*, t. 3, Paris, 1868, p. 122, si l'on tient compte de certains détails (les tours aux quatre coins et d'autres au milieu ; les quatre portes ; la forme de la tour qui est *ronde* : l'emplacement de la tour-donjon *au milieu* de l'enceinte), il s'agit du Louvre de Philippe Auguste. Mais Guillaume a pu emprunter quelques détails à d'autres châteaux, comme au haut donjon de Coucy, bâti vers 1230 (voir L. Hautecœur, *Histoire du Louvre*, Paris, 1946, p. 4). Le Louvre servait aussi de prison, de garde du trésor royal, d'arsenal (L. Hautecœur, *op. cit.*, p. 6).

3842. *roche naïve* : « naturelle, solide, ferme ».

3849. *un baille* : « clôture, défense avancée qui interdit les abords d'une tour, d'une muraille fortifiée » (F. Lecoy, éd. cit., t. III, p. 208) ; espace entre deux lignes de fortification qui entourent un château-fort.

3853. *perrieres*. Engin de guerre servant à lancer des pierres contre les murs d'une ville ou d'un château pour le démolir ou y ouvrir une brèche ; il lance des pierres plus grosses que le *mangonneau* (v. 3855).

3854. *engins*. Le mot *engien, engin*, signifia d'abord « intelligence, talent » (du lat. *ingenium*) ; puis, se dépréciant, le terme a pris le sens de « ruse ». D'autre part, il a pu désigner le produit concret de l'intelligence, tant des machines de guerre que des pièges pour la chasse et la pêche, voire nos engins modernes.

3862. *unes lices*. Les *lices* étaient des palissades de bois qui entouraient les châteaux ou les places fortes ou les cours de ferme ; ensuite, le mot désigna le terrain ainsi entouré qui servait aussi aux joutes, et par suite le champ clos préparé pour des exercices en plein air ; de là, au sens figuré, notre expression *entrer en lice* « entreprendre une lutte ».

3867-3936. À remarquer la composition habile du passage en deux développements introduits par des vers parallèles (v. 3867-3868 et 3911-3915). Dans le premier développement, mention des quatre gardiens des portes : Danger *devers Orient*, Honte *par devers midi*, Peur *devers bise* et Malebouche *detrois* ; ce dernier est mis en évidence. Dans le second développement, après un rappel de la captivité de Bel Accueil, l'auteur insiste sur son geôlier, une vieille.

3872. *au mien escient*. À partir de l'ablatif absolu latin *me sciente*, où l'on a vu en *me* une forme atrophiée de l'adjectif possessif *meo*, on a eu *mien escient* et *mon escient*. Sous l'influence de *scienter*/ *escientre*, on a pu avoir *mon (mien) escientre*. Les tours absolus sans préposition se raréfiant, l'expression a été employée avec *à* et *par*, et avec l'article ; de là *au mien escient, par le mien escient (escientre)* « à mon avis », « je l'affirme ». Devenu nom, *escient* s'est employé avec le verbe *avoir* et des adjectifs comme *fol, povre...*, au sens d'« intelligence, entendement ». On retrouve le mot dans des locutions : *a escient, d'escient* « avec certitude », *a bon escient* « véritablement » « avec discernement », *a mauvais escient* « sans discernement ». La locution *à mon escient* « en connaissant ce que je fais » a cédé la place à *sciemment*.

3873. *sergens*. Le *sergent* désignait ou bien un serviteur domestique qui n'était pas noble (inférieur donc au *valet*) mais qui jouissait d'une considération certaine (par là, il était supérieur au *garçon*), ou bien l'auxiliaire du chevalier dont il portait avant le combat la lance et le bouclier, ou bien un homme d'armes non noble qui combattit à pied d'abord, puis à cheval (*sergent à cheval*).

3887. *langoutes* : « sauterelles ».

3890. *Qui ne pense fors a boidie*. Variante du manuscrit édité par F. Lecoy : *Ot soudeiers de Normandie* « elle avait des mercenaires normands ». Rappelons que Blanche de Castille eut recours à des soldats recevant une solde, dont beaucoup étaient normands ou bretons. Voir É. Berger, *Histoire de Blanche de Castille, reine de France*, Paris, 1895, p. 299-311. Les Normands passaient pour déloyaux et trompeurs, témoin ces proverbes : *le Normand traït l'Orient et l'Occident ; un Normand a son dit et son dédit ; Jamais rousseau ni Normand ne prens ni ne crois a serment*.

3898. *descors*. *Descort*, qui désigne une pièce lyrique chantée (voir note du v. 703), a aussi le sens de « discorde », à quoi s'emploie Malebouche. De la même manière *les* signifie à la fois *lais* (cf. v. 703) et « outrage », « paroles injurieuses ».

3899. *Cornuaille*. La Cornouaille est à la fois le pays breton d'où viennent beaucoup de lais et de légendes, et celui des cornus, des cocus, dont Malebouche proclame la disgrâce.

3900. *fez a taille* : « tout à fait, complètement, précisément ». L'expression s'applique soit à *les et descors et sonz noviaus*, soit à *chalemiaus*.

3910. *herne* : « défaut ».

3920. *Une vielle*. Ce personnage, qui n'est pas une personnification, procure un effet réaliste et souligne, comme le château, la lente remontée dans le réel. « Si Ami peut être le symbole de l'amitié, la Vieille n'est nullement le symbole de la vieillesse ; elle est uniquement une vieille femme qui garde *jalousement* la rose. Si l'on peut donc hésiter sur Ami (symbole, allégorie ou personnage purement humain), il n'y a pas de question à se poser sur la Vieille : ni symbole, ni allégorie, elle n'est qu'elle-même, dans son individualité. Et c'est nous qui l'appelons *la* Vieille ; le texte, lui, ne parle que d'*une vieille*. (M. Accarie, art. cit., p. 131.)

3927. *baras* : « ruse, tromperie ». Ce mot, fréquemment appliqué à Renart, d'origine obscure (celtique *bar* « bagarre ») signifia sans doute d'abord « confusion, désordre, tapage » ; de là des sens dérivés : 1. tapage d'une foule en liesse : foule ; divertissement, fête ; élégance manifestée un jour de fête ; 2. bagarre, querelle ; tromperie, ruse ; marchandage, achat.

3936. *ele set toute la vielle dance*. Voir Gautier de Coinci, *Le Miracle de Théophile*, t. I, p. 159, v. 1809-1812 : *Anemis* (le diable) *a mout grant puissance / Et tant seit de la vielle dance / Qu'a sa dance fait bien baler / Celz qui plus droit quident aler* ; et Adam de la Halle, *Le Jeu de la Feuillée*, v. 512-513 : *Par foi, encore est che bien chi / Uns des trais de la vielle danse*. L'expression signifie : « savoir de bons tours », « être habile ».

3954. *Jes* : enclise, contraction de *je les*.

3965. *tel hore est*. Voir Tobler-Lommatzsch, 57, 1225-1226.

3978. *orageus* : « tumultueux ». Variante : *corageus*.

3981. *Fortune*. Cette capricieuse déesse, maîtresse tyrannique du monde entier, représentait pour les gens du Moyen Âge « la fatalité, le hasard, le principe de l'impondérable et de l'inexplicable, l'explication du mystère, la loi de la justice immanente » (I. Siciliano, *François Villon et les thèmes poétiques du Moyen Âge*, livre II, chap. III). Cette sombre déesse, inventée par Boèce dans *De Consolatione Philosophiae*, chantée par Henricus Septimellensis, n'a cessé de hanter les esprits et les livres, tantôt providence divine, tantôt hasard et aventure. Si Jean de Meun hésite entre ces deux pôles, Adam de la Halle, plus pessimiste, semble identifier Fortune avec le triomphe de l'irrationnel aveugle dans *Le Jeu de la Feuillée* (voir notre édition bilingue dans la coll. GF-Flammarion, nº 520) où Fortune a son visage traditionnel, accompagnée de sa roue qui tourne, aveugle et muette, ne donnant aucune explication de son comportement, sourde aux accusations comme aux supplications des victimes, indifférente aux mérites et aux actes des hommes. Pour des références voir notre édition du *Jeu de la Feuillée* à la note du v. 773.

4003. *Ha ! Bel Acuel.* Cet appel du poète à Bel Accueil fait penser à la *tornade*, ou envoi, de la poésie lyrique.

4049. *favele*, « discours, bavardage, mensonge ». Le mot, issu de *fabella*, diminutif de *fabula*, a désigné, sous la double influence de *faux* et de *fauve*, l'hypocrisie, la ruse, la tromperie, souvent sous la forme *fauvele*.

4050. *il vous trairont a lor cordele*, « vous rendront dociles à leurs volontés, vous feront obéir ». De même, *trere au colier de* (qq'un) « se soumettre au joug de qq'un, lui obéir », comme une bête de somme ou une monture.

4058. Le roman de Guillaume s'arrête ici, au moment où le narrateur s'adresse à Bel Accueil. Cet inachèvement, sur lequel on continue à discuter (est-il involontaire ou volontaire ?) a appelé des suites. L'une, brève, de quatre-vingt-six vers (manuscrit fr. de la BN 12786) a été éditée par A. Strubel : Bel Accueil délivré, Beauté donne à l'Amant le bouton, et tous deux connaissent une nuit merveilleuse et un grand bonheur. L'autre, beaucoup plus longue (plus de dix-sept mille vers) est celle de Jean de Meun, qui fera l'objet d'un autre volume.

BIBLIOGRAPHIE

I. ÉDITIONS

Le Roman de la Rose a été édité par :

— M. MÉON, 4 vol., Paris, Didot, 1814. (Cette édition a été reproduite en 1864 par Fr. MICHEL et en 1878-1880, par P. MARTEAU).
— Ernest LANGLOIS, 5 vol., Paris, Didot, 1914-1924 (*Société des Anciens Textes français*).
— Félix LECOY, 3 vol., Paris, Champion, 1965-1970 (*Classiques français du Moyen Âge*, 92, 95 et 98).
— Daniel POIRION, Paris, Flammarion, 1974 (*GF-Flammarion*, 270).
— Armand STRUBEL, Paris, Le Livre de poche, 1992 (*Lettres gothiques*, 4533).

À quoi on ajoutera les éditions de :

— Silvio BARIDON, *Le Roman de la Rose dans la version attribuée à Clément Marot*, 2 vol., Milan, Istituto Editoriale Cisalpino, 1954-1957.
— Stephen G. NICHOLS, Jr, *Le Roman de la Rose*, New York, Appleton-Century, Crofts, 1967 (suivi de *The Romaunt of the Rose* de Chaucer).
— Frances HORGAN, *The Romance of the Rose*, Oxford, University Press, 1994 (*The World's Classics*).

II. TRADUCTIONS ET ADAPTATIONS

Le Roman de la Rose a été traduit ou adapté en particulier par :

— André MARY, Paris, Payot, 1929 (nouv. éd., Paris, Gallimard, 1979, reprise en 1984 dans la collection *Folio* avec une postface de Jean DUFOURNET).
— André LANLY, 5 vol., Paris, Champion, 1971-1976 (*Traductions des Classiques français du Moyen Âge*).
— Armand STRUBEL, *éd. cit.*

III. OUVRAGES CRITIQUES

Nous nous bornerons aux livres, étant donné le caractère étendu de la bibliographie. Pour les articles, on se reportera à nos notes ainsi qu'aux ouvrages d'A. Strubel.

Pierre-Yves BADEL, *Le Roman de la Rose au XIVe siècle. Étude de la réception de l'œuvre*, Genève, Droz, 1980 (*Publications romanes et françaises*, 153).

Jean BATANY, *Approches du Roman de la Rose*, Paris, Bordas, 1973.

Roger BERTRAND, *Le Roman de la Rose. Concordancier complet des formes graphiques occurrentes d'après l'édition de Félix Lecoy*, Aix-en-Provence, CUERMA, 1983-1984.

Marie-Elisabeth BRUEL, *L'Illustration du Roman de la Rose dans les manuscrits des bibliothèques parisiennes. Étude des rapports du texte et de l'image*, thèse de Paris-Sorbonne, 1995.

Roger DRAGONETTI, *Le Mirage des sources*, Paris, Le Seuil, 1987 ; *La Musique et les Lettres. Études de littérature médiévale*, Genève, Droz, 1986 (*Publications romanes et françaises*, 171).

Études sur le Roman de la Rose de Guillaume de Lorris, réunies par Jean DUFOURNET, Paris, Champion, 1984 (*Unichamp*, 4).

John V. FLEMING, *The Roman de la Rose. A Study in Allegory and Iconography*, Princeton, 1969 ; *Reason and the lover*, Princeton, University Press, 1984.

L. FOSCOLO BENEDETTO, *Il Roman de la Rose e la letteratura italiana*, Halle, 1910 (*Beihefte zur Zeitschrift für romanische Philologie*, 21).

Alan M. GUNN, *The Mirror of Love. A Reinterpretation of the Romance of the Rose*, Lubboch (Texas), 1952.

Éric HICKS, *Le Débat sur le Roman de la Rose*, Paris, Champion, 1977 (*Bibliothèque du XVᵉ siècle*, 43).

David F. HULT, *Self-fulfilling Prophecies. Readership and and Authority in the first Roman de la Rose*, Cambridge, University Press, 1986.

Sylvia HUOT, *The Romance of the Rose and its Medieval Readers. Interprétation, Reception, Manuscript, Transmission*, Cambridge, University Press, 1993 (*Cambridge Studies in medieval literature*, 16).

Hans-Robert JAUSS, *La Transformation de la forme allégorique entre 1180 et 1240, d'Alain de Lille à Guillaume de Lorris*, dans *L'Humanisme dans les littératures du XIᵉ au XIVᵉ siècle*, Paris, Klincksieck, 1964, p. 107-146 ; *Genèse de la poésie allégorique française au Moyen Âge*, Heidelberg, 1962 (chap. du *Grundriss der romanischen Literatur*, V/1).

Marc-René JUNG, *Études sur le poème allégorique en France au Moyen Âge*, Berne, Franke, 1971 (*Romanica Helvetica*, 82).

Georgette KAMENETZ, *L'Ésotérisme de Guillaume de Lorris*, thèse de l'Université de la Sorbonne nouvelle (Paris III), 1980.

Sarah KAY, *The Romance of the Rose*, Londres, Grant & Cutler, 1995 (*Critical Studies to French Texts*, 110).

Douglas KELLY, *Medieval Imagination. Rhetoric and the Poetry of Courtly Love*, Madison, The University of Wisconsin Press, 1978.

Ernest LANGLOIS, *Origines et sources du Roman de la Rose*, Paris, 1891 ; *Les Manuscrits du Roman de la Rose. Description et classement*, Lille, 1910.

C.S. LEWIS, *The Allegory of Love*, 2ᵉ éd., Oxford et New York, Oxford University Press, 1958.

René LOUIS, *Le Roman de la Rose*, Paris, Champion, 1974 (*Nouvelle Bibliothèque du Moyen Âge*, 1).

Charles MUSCATINE, *Chaucer and the French Tradition*, Berkeley, The University of California Press, 1960.

Gérard PARÉ, *Le Roman de la Rose et la scolastique courtoise*, Paris-Ottawa, Vrin, 1941 ; *Les Idées et les Lettres au XIIIᵉ siècle. Le Roman de la Rose*, Montréal, Université de Montréal, 1947.

Jean-Charles PAYEN, *La Rose et l'Utopie*, Paris, Éditions sociales, 1976.

Marc M. PELEN, *Latin poetic Irony in the Roman de la Rose*, Liverpool, Cairns, 1987 (*Vinaver Studies in French*, 4).

Daniel POIRION, *Le Roman de la Rose*, Paris, Hatier, 1973 (*Connaissance des lettres*, 64).

Rethinking the Romance of the Rose. Image, Text, Reception, éd. par K. BROWNLEE and S. HUOT, Philadelphie, University of Pennsylvania Press, 1992.

Jacques RIBARD, *Du Mythique au mystique. La littérature médiévale et ses symboles*, Paris, Champion, 1995 (*Nouvelle Bibliothèque du Moyen Âge*, 31).

Earl J. RICHARDS, *Dante and the Roman de la Rose. An Investigation into the Vernacular Narrative Context of the Commedia*, Tübingen, Max Niemeyer, 1981 (*Beihefte zur Zeitschrift für Romanische Philologie*, 184).

D.W. ROBERTSON, *A Preface to Chaucer*, Princeton, Princeton University Press, 1962.

Armand STRUBEL, *Le Roman de la Rose*, Paris, PUF, 1984 (*Études littéraires*, 4) ; *La Rose, Renart et le Graal*, Paris, Champion, 1989 (*Nouvelle Bibliothèque du Moyen Âge*).

Louis THUASNE, *Le Roman de la Rose*, Paris, Malfère, 1929 (*Les grands événements littéraires*).

Rosamond TUVE, *Allegorical Imagery*, Princeton, 1966.

L. VANOSSI, *Dante e il Roman de la Rose. Saggio sul Fiore*, Florence, Leo S. Olschki Editore, 1979 (*Biblioteca dell' Archivum Romanicum*, I, 144).

Evelyn BIRGE VITZ, *Medieval Narrative and Modern Narratology. Subjects and objects of desire*, New York-Londres, New York University Press, 1989 (*New York University Studies in French Culture and Civilisation*).

Lori WALTERS, *Chrétien de Troyes and the Romance of the Rose. Continuation and Narrative Tradition*, thèse de l'Université de Princeton, 1986 ; Diss. Abstracts XLVII, 86/87, 2578 A.

Paul ZUMTHOR, *Essai de poétique médiévale*, Paris, Le Seuil, 1972 ; *Langue, texte, énigme*, Paris, Le Seuil, 1975.

On a toujours intérêt à consulter les recueils de *Mélanges* offerts à des collègues médiévistes et, en particulier, pour notre roman, ceux qui ont été dédiés à

— Jean FRAPPIER, Genève, Droz, 1970 (art. de P.-Y. BADEL et de P. DEMATS).

— Marc-René JUNG, Alessandria, Ed. dell'Orso, 1996 (art. d'H. BRAET, P.-Y. BADEL et J. DUFOURNET).

— Félix LECOY, Paris, Champion, 1973 (art. de R. LEJEUNE
  et de J. RIBARD).
— Rita LEJEUNE, Gembloux, Duculot, 1969 (art. de
  M. DEFOURNY).
— Alice PLANCHE, Paris, Les Belles Lettres, 1984 (art. de
  J. LARMAT et Sh. SASAKI).

IV. BIBLIOGRAPHIES

M. LURIA, *A Reader's Guide to the Roman de la Rose*, Ham-
  den (Connecticut), Archon Books, 1982.
K.A. OTT, *Der Rosenroman*, Darmstadt, 1980 (*Erträge der
  Forschung*, 145).

Il sera utile de consulter aussi les bibliographies de
R. BOSSUAT, *Manuel bibliographique de la littérature française
du Moyen Âge* (avec les suppléments de R. BOSSUAT,
J. MONFRIN et Fr. VIELLIARD), d'O. KLAPP, *Bibliographie
der französischen Literaturwissenschaft*, à partir de 1956, et de
la revue *Encomia. Bibliographical Bulletin of the International
Courtly Literature Society*, à partir de 1977.

CHRONOLOGIE

1200 : Fondation de Riga. Ruine de la civilisation maya.
Robert de Boron, *Joseph* et *Merlin* en prose. Chansons de geste : *Les Quatre Fils Aymon, Ami et Amile, Girart de Vienne, Girart de Roussillon. L'Escoufle* et *Le Lai de l'Ombre*, de Jean Renart. *Enfances Gauvain. Roman de Renart*, IX.
Jeu de saint Nicolas, de Jean Bodel.

1202 : Philippe Auguste confisque les fiefs français de Jean sans Terre. Quatrième Croisade. Début de la construction de la cathédrale de Rouen. *Congés*, de Jean Bodel.
Poèmes du vidame de Chartres. Mort de Joachim de Flore. *Roman de Renart*, XVI.

1204 : Prise de Constantinople par les Croisés. Fondation de l'empire latin de Constantinople. Unification de la Mongolie par Gengis Khan. Mort d'Aliénor d'Aquitaine.

1205 : Baudouin Ier de Constantinople est capturé par les Bulgares (bataille d'Andrinople).
Bible, de Guiot de Provins. Poèmes de Peire Cardenal.

1207 : Mission de saint Dominique en pays albigeois.

1209 : Le Concile d'Avignon interdit danses et jeux dans les églises. Début de la croisade contre les Albigeois. Première communauté franciscaine. Gengis Khan attaque la Chine.
Histoire ancienne jusqu'à César.

1210 : Interdiction aux maîtres parisiens d'enseigner la métaphysique d'Aristote.

1211 : Début de la construction de la cathédrale de Reims.

1212 : Enceinte de Philippe Auguste autour de Paris.

1213 : Simon de Montfort écrase les Albigeois à Muret.
Le Roman de la Rose ou de Guillaume de Dole, de Jean Renart. *Chroniques*, de Robert de Clari et de Villehardouin. *Chanson de la croisade albigeoise* (première partie). *Meraugis de Portlesguez* et *Vengeance Raguidel*, de Raoul de Houdenc. *Les Narbonnais. Athis et Prophilias.*

1214 : Victoire française de Bouvines. Premiers privilèges accordés à Oxford.
Les Faits des Romains.

1215 : Grande charte en Angleterre. Statuts de l'Université de Paris. Quatrième concile de Latran. Prise de Pékin par les Mongols.
Bible, d'Hugues de Berzé. *Durmart le Gallois.*

1216 : Frédéric II roi des Romains. Henri III roi d'Angleterre. Honorius III pape. Approbation papale de l'ordre des frères prêcheurs.
Galeran de Bretagne.

1217 : Famine en Europe centrale et orientale. Chœur de la cathédrale du Mans.

1218-1222 : Cinquième croisade.

1220 : Frédéric II empereur. Vitraux de Chartres. Album de l'architecte Villard de Honnecourt. *Pratique de la géométrie*, de Léonard Fibonacci.
Miracles de Notre-Dame, de Gautier de Coinci. *Huon de Bordeaux.*

1221 : Raid mongol en Russie.
Blancandin et l'Orgueilleuse d'Amour.

1223 : Louis VIII roi de France. Approbation par Honorius III de la règle franciscaine.
Poèmes de Huon de Saint-Quentin.

1224 : Stigmates de saint François d'Assise. Famine en Occident (jusqu'en 1226).
Lancelot en prose. *Perlesvaus. Jaufré. Le Besant de Dieu*, de Guillaume le Clerc.

1226 : Louis IX (le futur Saint Louis) roi de France. Régence de Blanche de Castille. Mort de saint François d'Assise.

Cantique du Soleil. Début de la construction de la cathédrale de Burgos.
Vie de Guillaume le Maréchal.

1227 : Concile de Trèves. Grégoire IX pape. Début de la construction des cathédrales de Trèves et de Tolède. Mort de Gengis Khan.

1228 : Canonisation de saint François d'Assise. Sixième Croisade.

1229 : Annexion du Languedoc au domaine royal. Grève de l'Université de Paris (jusqu'en 1231).
Le Roman de la Rose, de Guillaume de Lorris. À cette époque, poésies de Thibaut IV de Champagne, de Moniot d'Arras, de Guillaume le Vinier, de Guiot de Dijon, de Thibaut de Blaison.

1230 : Les Commentaires d'Averroès sur Aristote pénètrent en Occident.

1231 : Le pape Grégoire IX confie l'Inquisition aux frères mendiants.
Quête du saint Graal. La Mort le roi Artu. Tristan en prose. Roman de la Violette et *Continuations de Perceval*, de Gerbert de Montreuil.

1232 : Invasion mongole en Europe orientale (jusqu'en 1242).

1234 : Canonisation de saint Dominique. Majorité de Louis IX. *Décrétales*, traité de droit canon de Raymond de Penafort.
La Manekine, puis *Jehan et Blonde* de Philippe de Remy (entre 1230 et 1240).

1235 : Sculptures de la cathédrale de Reims.

1236 : Papier-monnaie en Chine.

1238 : Prise de Valence par les Aragonais.

1239 : Rappel du Parlement en Angleterre. Tentative de reprise de la croisade, jusqu'à Gaza.
Le Tournoiement de l'Antéchrist, de Huon de Méry, *Gui de Warewic.*

1240 : Destruction de Kiev par les Mongols. Révolte des Prussiens contre les Chevaliers teutoniques. Traduction de l'*Éthique* d'Aristote par Robert Grossetête.

1241 : Villard de Honnecourt en Hongrie. Destruction de Cracovie par les Mongols.

1242 : Victoires de Saint Louis à Taillebourg et Saintes.

1243 : Innocent IV pape. Écrasement des Seldjoukides par les Mongols. Début de la construction de la Sainte-Chapelle.
Poèmes de Philippe de Nanteuil, de Robert de Memberolles. *Guiron le Courtois. L'Estoire Merlin. L'Estoire del saint Graal. Fergus* de Guillaume le Clerc.

1244 : Perte définitive de Jérusalem par les chrétiens.

1245 : Enseignement à Paris de Roger Bacon et Albert le Grand. Début de la construction de l'abbaye de Westminster.

1246 : Charles d'Anjou (le frère de Saint Louis) comte de Provence.

1247 : Cathédrale de Beauvais.

1248 : Septième Croisade : Saint Louis en Égypte. Prise de Séville par les Castillans. Début de la construction de la cathédrale de Cologne.
L'Image du Monde, de Gossuin de Metz.

1250 : Constitution du Parlement de Paris. Nouveaux affranchissements de serfs. Saint Louis est vaincu à Mansourah. La mort de Frédéric II ouvre dans l'Empire une crise qui durera jusqu'en 1273.
Chansons de Colin Muset, de Garnier d'Arches, de Jean Érart. *Roman de la Poire,* de Tibaut. *Historia Tartarorum,* de Simon de Saint-Quentin. *Grand Coutumier* de Normandie. *Li Remedes d'Amours,* de Jacques d'Amiens. *Speculum majus,* encyclopédie de Vincent de Beauvais.

1251 : Le *Paradisus magnus* transporte deux cents passagers de Gênes à Venise.

1252 : La monnaie d'or apparaît à Gênes et à Florence. Innocent IV autorise l'Inquisition à utiliser la torture. Mort de Blanche de Castille.
Saint Thomas d'Aquin enseigne à Paris, jusqu'en 1259, tentant de concilier le christianisme et la pensée aristotélicienne.

1253 : Le plus ancien exemple d'escompte connu. Condamnation des clercs bigames à Arras. Guillaume de Rubrouk chez les Mongols.

Mort du prince-poète Thibaud IV de Champagne. Église supérieure d'Assise.

1254 : Saint Louis ordonne une enquête sur la gestion des baillis. Emploi des chiffres arabes et du zéro en Italie. Conflit entre les réguliers et les séculiers à l'Université de Paris : Guillaume de Saint-Amour pourfend les ordres mendiants dans le *De Periculis novissimorum temporum*. Rutebeuf attaque les frères mendiants dans la *Discorde de l'Université et des Jacobins*.

1255 : *Légende dorée* de Jacques de Voragine : c'est la grande encyclopédie hagiographique du Moyen Âge. Mathieu Paris, *Chronica majora*. *Armorial Bigot*, début du langage héraldique.

1257 : Robert de Sorbon fonde à Paris la Sorbonne, à l'origine collège pour les théologiens. Miniatures du psautier de Saint Louis.

Rutebeuf continue à écrire contre les frères mendiants : *Le Pharisien* et *Le Dit de Guillaume de Saint-Amour*.

1258 : Prise de Bagdad par les Mongols. Michel VIII Paléologue, empereur byzantin.

Rutebeuf, *Complainte de Guillaume de Saint-Amour*.

1259 : Traité de Paris entre la France et l'Angleterre. Saint Bonaventure, *Itinéraire de l'esprit vers Dieu* ; Rutebeuf, *Les Règles des moines, Le Dit de sainte Église* et *La Bataille des vices contre les vertus*.

1260 : Saint Louis interdit la guerre privée, le duel judiciaire, le port d'armes. Le moulin à vent se répand en Occident. Portail de la Vierge à Notre-Dame de Paris ; Nicola Pisano, chaire du baptistère de Pise.

Récits du Ménestrel de Reims ; *Méditations* du Pseudo-Bonaventure sur les aspects humains de Jésus ; Rutebeuf, *Les Ordres de Paris*.

1261 : Fin de l'empire latin de Constantinople. Louis IX interdit sa cour aux jongleurs. Rutebeuf, *Les Métamorphoses de Renart* et *Le Dit d'Hypocrisie*.

1262-1266 : Saint-Urbain de Troyes : gothique flamboyant. Rutebeuf, *Complainte de Constantinople*, fabliau de *Frère*

Denise, puis, sans doute, *Poèmes de l'infortune,* poèmes religieux *(Vie de sainte Marie l'Égyptienne* et *La Voie de paradis),* et peut-être *Miracle de Théophile.* Robert de Blois,
L'Enseignement des princes. Alard de Cambrai, *Le Livre de
philosophie.*

1263 : Écu d'or en France. Famine en Bohême, Autriche et
Hongrie. Émeute anticléricale à Cologne.

1263-1278 : Jean de Capoue, dans le *Directorium vitae huma-
nae,* donne une traduction latine du *Kalila et Dimna* (traduction arabe du *Pantchatantra).*

1264 : Institution de la Fête-Dieu pour toute l'Église latine.
Le Livre du Trésor, encyclopédie d'un Florentin exilé en
France, Brunetto Latini, rédigée directement en français.

1265-1268 : Charles d'Anjou conquiert le royaume de Sicile.
Clément V établit le droit des papes à s'attribuer tous les
bénéfices ecclésiastiques.
    Roger Bacon, dans ses *Opera,* s'efforce de concilier rai-
son et expérience. Rutebeuf écrit des chansons de croisade : *La Chanson de Pouille, La Complainte d'outremer, La
Croisade de Tunis, Le Débat du croisé et du décroisé.*

1266-1274 : Saint Thomas d'Aquin, *La Somme théologique.*

1267 : Naissance de Giotto.

1268 : Découverte par Peregrinus de l'attraction entre deux
pôles magnétiques. Moulins à papier à Fabriano, en Italie.
Début de la seconde querelle de la pauvreté à Paris.
Nicola Pisano, chaire de la cathédrale de Sienne.

1269 : Pierre de Maricourt, *Lettre sur l'aimant.*

1270 : Saint Louis meurt à Tunis. Règne de Philippe III. Première condamnation de l'averroïsme et de Siger de Bra-
bant.
    Au tympan de la cathédrale de Bourges, *Le Jugement
dernier.* Huon de Cambrai, *Vie de saint Quentin* ; poésies
de Baudouin de Condé.

1271 : Après la mort d'Alphonse de Poitiers, rattachement de
la France d'oc à la France d'oïl.

1271-1295 : Grand voyage et séjour de Marco Polo en Chine
et dans l'Asie du Sud-Est.

1272 : Edouard Ier, roi d'Angleterre.
　　　Mort de Baude Fastoul (*Les Congés*) et de Robert le Clerc (*Les Vers de la Mort*). Cimabue, *Portrait de saint François d'Assise*. Œuvres d'Adenet le Roi.

1274 : Concile de Lyon : tentative d'union des Églises. Mort de saint Thomas et de saint Bonaventure.
　　　Grandes Chroniques de Saint-Denis.

1275 : Vers cette date, on brûle des sorcières à Toulouse. Seconde partie du *Roman de la Rose*, de Jean de Meun ; *Speculum judiciale*, encyclopédie juridique, de G. Durand, et *Chirurgia* de Guillaume de Saliceto de Bologne ; de Raymond Lulle *Le Livre de Contemplation* et *Le Livre du Gentil et des trois sages*.

1276 : Les Mongols dominent la Chine.
　　　Raymond Lulle fonde un collège pour apprendre l'arabe aux missionnaires, et écrit *L'Art de démonstration*. Adam de la Halle, *Le Jeu de la Feuillée*.

1277 : Les doctrines thomistes et averroïstes sont condamnées par l'évêque de Paris, Étienne Tempier, ainsi que *L'Art d'aimer* d'André le Chapelain.
　　　Rutebeuf, *Nouvelle Complainte d'outremer*. *Tabula exemplorum secundum ordinem alphabeti*.

1278 : Disgrâce et pendaison de Pierre de la Brosse ; de là des poèmes sur la toute-puissance de Fortune. *Dit de Fortune*, de Moniot d'Arras.

1279 : Construction d'un observatoire à Pékin.
　　　À cette époque, activité d'Albert le Grand. *Somme le Roi*, de frère Laurent, encyclopédie morale.

1280 : Un peu partout, à Bruges, Douai, Tournai, Provins, Rouen, Béziers, Caen, Orléans, des grèves et des émeutes urbaines. L'échevin de Douai, Jean Boinebroke, réprime la grève des tisserands.
　　　Achèvement de Saint-Denis. *Flamenca*, roman en langue d'oc, *Joufroi de Poitiers*. Diffusion du *Zohar*, somme de la cabale théosophique, et des *Carmina burana*, anthologie des poèmes écrits en latin aux XIIe et XIIIe siècles par les Goliards. De Raymond Lulle, *Le Livre de l'Ordre de Chevalerie*. Girard d'Amiens, *Escanor*.

1282 : Les Vêpres siciliennes chassent les Français de Sicile ; les Aragonais les remplacent. Andronic II, empereur de Constantinople.
　　　Cathédrale d'Albi.

1283 : Les Chevaliers teutoniques achèvent la conquête de la Prusse.

Philippe de Beaumanoir, les *Coutumes du Beauvaisis*. De 1275 à 1283, Lulle compose à Montpellier *Le Livre d'Evast et de Blanquerne*.

1284 : Croisade d'Aragon. Les foires de Champagne passent sous le contrôle du roi de France. Effondrement des voûtes de la cathédrale de Beauvais.

1285 : Philippe le Bel devient roi. Édouard Ier soumet le pays de Galles.

La victime d'une épidémie est disséquée à Crémone. *La Châtelaine de Vergy. Madame Rucellai*, de Duccio à Sienne (préciosité).

1288 : Les artisans se révoltent à Toulouse. Cologne devient ville libre en se libérant de la domination de son archevêque.

Départ pour la Chine du frère franciscain Jean de Montecorvino. Début de la construction du palais communal de Sienne.

De Raymond Lulle, *Le Livre des Merveilles*, qui comporte *Le Livre des bêtes*.

1289 : Lulle refond à Montpellier *L'Art de démonstration*, écrit *L'Art de philosophie désiré, L'Art d'aimer le bien. Renart le Nouvel*, de Jacquemart Gielée.

1290 : Édouard Ier expulse les Juifs d'Angleterre. Le rouet apparaît. L'Angleterre exporte 30 000 sacs de laine. À Amiens, *La Vierge dorée*. Duns Scot écrit ses œuvres.

Jakemes, *Roman du Châtelain de Coucy*. Concours poétique de Rodez avec Guiraut Riquier. Raymond Lulle, *Le Livre de Notre-Dame*. Drouart la Vache, *Le Livre d'Amours*. Adenet le Roi, *Cléomadès*.

1291 : Naissance de la Confédération helvétique. Chute de Saint-Jean-d'Acre : fin de la Syrie franque.

Début de la construction de la cathédrale d'York.

1292 : Paris compte 130 métiers organisés. Raymond Lulle tertiaire franciscain.

1294 : Guerre franco-anglaise pour la Guyenne. Philippe le Bel dévalue la monnaie. Élection du pape Boniface VIII. Début de la construction de Santa Croce à Florence.

1295 : Edouard Ier appelle des représentants de la bourgeoisie au Parlement anglais.

Vita nuova de Dante. Mort de Guiraut Riquier. Raymond Lulle, *L'Art de Science.*

1296-1304 : Giotto peint à Assise *La Vie de saint François d'Assise.*

1297 : Edouard Ier reconnaît les prérogatives financières du Parlement anglais. L'aristocratie de Venise n'admet plus en son sein les hommes nouveaux.

1298 : Liaisons régulières par mer entre Gênes, la Flandre et l'Angleterre.

1298-1301 : Marco Polo, *Le Livre des Merveilles,* encyclopédie de l'Asie. Lulle à Paris (*Arbre de Philosophie d'Amour*), puis à Majorque et à Chypre.

1300 : Il est certain qu'à cette date on porte des lunettes. La lettre de change se répand en Italie. À cette époque, cesse le commerce des esclaves, sauf en Espagne.

Lamentationes Mattheoli. Eckhart le mystique à Cologne. Nicole Bozon, *Contes moralisés.* Baudouin de Condé, *Voie de Paradis.* Nicolas de Margival, *La Panthère d'Amour. Passion du Palatinus.*

INDEX

acesmés, 289.
aer, eer, 298.
afubler, 262.
aigretié, engreitié, 297.
aïst (se Diex m'—), 291.
Alixandre, 277.
Amis, 296.
aresté, resté, reté, 296.
Artu de Bretaigne, 277.
atant es vos, 297.
Avarice, 259.

bacheler, 278.
baiesse, 272.
baille, 300.
baisier son pié, 286.
baler, 270.
baras, barat, 302.
Bel Acuel, 293.
bergiers, 263.
bersés, 286.
besant, 275.
blanc moine, 296.
boben, bohant, 297.
brandon, 298.

calandre, 256.
carole, 270.
ceint, 275.
cercle, 275.
chapel, 264.

chartre, 292.
chastelainne, 298.
chastïement, 296.
cheté, chatel, 291.
chetive, 277.
chevalier, 277.
choisi, 284.
ciau, 273.
citoal, 279.
clef, 287.
cointe, 264.
conchier, 295.
Convoitise, 259.
corage, courage, 278.
cordele (traire a lor —), 303.
cordoiant, 297.
Cornuaille, 302.
corroie, 298.
Cortoisie, 272, 285.
cote, 259.
couvers, cuivers, 294.
creés, greés, 298.
cuivertage, 258.

damoisel, demoisiaus, 281.
dance (savoir la vieille —)
    302.
dangereus, 263, 292.
dangier, Dangiers, 274, 293.
debonnaire, 291.
deduire, 257, 258.

deduit, 258, 267.
deputaire, 297.
dereé, desreé, 299.
descort, 301.
diex, 272.
divers, 300.
donoier, 279.
dormoie (me —), 254.
Dous Parlers, 292.
Dous Pensers, 292.
Douz Regars, 273, 292.
druerie, 272.
dÿauté, 287.

eaut, 293.
el, al, 286.
endementiers, 286.
engins, 300.
entre... et, 297.
entroblioie, 286.
entulle, 299.
Envie, 260.
envoiseüre, 289:
errant, 293.
erres, arrhes, 297.
esbanoier, 257.
esbatre, 257.
esberouce, 300.
escharboucle, 276.
eschaudés, 286.
esmeraude, 276.
esne, 298.
esploitier, 296.
essabouïs, 292.
ester (laisser —), 296.
estevoir, 285.
estuire (a —), 298.
et, 299.

favele, 303.
fel, felon, 259.
felonnie, 259.
fermau, fermail, 298:
fier, 285.

fins amans, 287.
fis que fox (je —), 300.
fontaine, fontainne, 279-281.
Fortune, 302.
frain (prendre durement le —), 296.
Franchise, 277.
frarin, 255.

gaignon, 294.
gans, 265.
garçon, gars, 272.
garnement, 289.
garra, garir, 287, 299.
gaut, 268.
Gauvain, 288.
gent, 295-296.
gentis, 287.
giés, 297.
gloutons, 294.
grainne, 284.
graine de paradis, 279.
grifaigne, 300.
grive, 299.
guichet, 263.
guimple, 299.
Guinesores, 278.

haire, 261.
herne, 302.
hommage, 287.
huis, 263.
huit, 284.
hulle, 299.

iave, 258.
iresse, iraise, 299.

jagonces, 276.
Jalousie, 294.
jengleors, jongleors, 271, 291.
jes, 302.

joli, 258.
jui, 286.

lais, 269.
langoute, 301.
Largece, 277.
leesce, liesse, 270.
lices, 301.
licherie, lecherie, 299.
livre, 284.
lobes, 253.
longe, 299.
losengiers, 274.

mainnie, mesnie, 278.
Malebouche, 294.
manches, 257.
mantiaus, 259.
mar, 295.
Marcobes, Macrobes, 252.
marmiteus, 261.
menestreus, menestrel, 271.
meschine, 282.
mien escïent (au —), 301.
mireor, mirëoir, 265, 283.
morie, 260.
musart, 290.

naïve (roche —), 300.
Narcissus, 281.
neïs, 260.
nés d'Orlenoiz, 278.
nesun, 260.
neü, 286.
nice, 278.
Normandie, 301.
notes loherenges, 271.

Oiseuse, 266-267.
oisiaus, 263.
oliver, olivier, 285.
or i parra, 287.
orageus, 302.
oré, 298.

orfrois, 264.

Paor, Peur, 295.
papegauz, 256.
papelardie, 261.
par, 297.
pautonnier, 297.
perriere, 300.
pierre de cristal, 282-283.
pin, 279.
pïonnier, 300.
poindre, 299.
pointes, 289.
porpre, 275.
povreté, 261.
prison, 286.
prodommes, prodons, 274.
pucele, 263.

quarrés, 262.
quarreüre, 279.
Queux, Keu, 288.

Raison, 295.
ramponnieres, 288.
recreans, recreantise, 299.
religion, 298.
rendue, 261.
reschignié, 259.
reverdie, raverdie, 269.
Richece, 274.
Riviere, 258.
robe, 259.
romans, 254, 284.
roncins, 276.
rossignos, 255-256.
rotruenges, 271.
rubis, 276.
ruse, 292.

sade, 298.
safirs, 276.
samit, 272.
sautier, 261.

se Diex m'aïst, 291.
serainne, sirène, 269.
sergent, 301.
serventois, 269.
servise, 269.
siaut, 292.
Simplece, 285.
soatume, 285.
songes, 252-253.
sonoiz, 269.
soucheras, 291.
souquanie, sorquanie, 278.

talent, 257.
tirer, 285.
traire, 303.
treceor, 265.

treche, tresque, 271.
Tristece, 260.

vair, 264.
valet, 293.
vassiaus, vassal, 286.
Venus, 298.
vergier, 258, 267-268.
vergondeus, 291.
verités, 276.
vielle, 302
vilains, 288.
vilonnie, 259.
vision, 253.

ymages, 258.
ypocrite, 260.

TABLE

Présentation 7
Note sur l'édition 37
Note sur la traduction et le commentaire 44

LE ROMAN DE LA ROSE
de Guillaume de Lorris 47

Notes 252
Bibliographie 304
Chronologie 309
Index 319

GF Flammarion

10/07/157053-VII-2010 – Impr. MAURY Imprimeur, 45330 Malesherbes.
N° d'édition L.01EHPNFG1003.C.004. – Janvier 1999. – Printed in France.